EL ESTUDIANTE DE SALAMANCA

EL DIABLO MUNDO

clásicos castalia

COLECCIÓN FUNDADA POR
DON ANTONIO RODRÍGUEZ-MOÑINO

DIRECTOR
DON ALONSO ZAMORA VICENTE

JOSÉ DE ESPRONCEDA

EL ESTUDIANTE DE SALAMANCA

EL DIABLO MUNDO

Edición, introducción y notas de

ROBERT MARRAST

Madrid

Zurbano, 39 - 28010 Madrid - Tel. 319 58 57

Cubierta de Víctor Sanz

Impreso en España - Printed in Spain
Unigraf, S. A. Móstoles (Madrid)

I.S.B.N.: 84-7039-296-4
Depósito Legal: M. 24.102-1990

SUMARIO

A Doña María Brey Mariño de
Rodríguez-Moñino,
en testimonio de agradecimiento
y respetuoso afecto,

R. M.

INTRODUCCIÓN CRÍTICA[1]

I

EL ESTUDIANTE DE SALAMANCA

La tradición legendaria y las posibles fuentes

Los temas utilizados o aprovechados por Espronceda en su cuento en verso proceden de dos leyendas distintas cuyos motivos han mezclado en sus obras varios escritores del siglo XIX: la del Burlador y la del estudiante Lisardo. La segunda proviene del *Jardín de flores curiosas* publicado en Salamanca, en 1570, por Antonio de Torquemada. Refiere éste la curiosa aventura de un joven, quien a las doce de la noche se dispone a penetrar ocultamente en un convento en que vive una monja de la que está enamorado. Al pasar por delante de una iglesia, ve que la puerta está abierta; entra en el templo, donde están celebrando un oficio fúnebre. Pregunta a varios asistentes quién es el muerto, y todos le contestan: "El estudiante Lisardo"; asustado y conmovido vuelve a su casa y cuenta el extraño suceso a sus criados. Poco después, le despedazan dos perros negros que le habían seguido desde su salida de la iglesia. En 1572, Cristóbal Bravo, poeta ciego de Córdoba, publicó en Toledo una relación en verso de la misma

[1] Sobre la vida y las actividades de Espronceda, así como acerca de su evolución poética, véanse nuestra edición (1970) de sus *Poesías líricas y fragmentos épicos* en la misma colección (Clásicos Castalia, t. 20), y nuestra tesis doctoral *José de Espronceda et son temps. Littérature, politique et société au temps du romantisme*. París, Ed. Klincksieck, 1974, de cuyo capítulo vigésimo extraemos la materia del presente estudio sobre *El Estudiante de Salamanca*.

leyenda,[2] quizá ya popular desde hacía varios años. La encontramos otra vez, modificada y ampliada, en las *Soledades de la vida y desengaños del mundo* del doctor Cristóbal Lozano (Madrid, 1658), así como en dos romances titulados *Lisardo, el estudiante de Córdoba*, muy conocidos todavía en el siglo XIX.[3] A los diecisiete años, Lisardo fue enviado por sus padres a Salamanca, en cuya universidad trabó amistad con un tal don Claudio; se enamoró de la hermana de éste, llamada Teodora, la cual no aceptó casarse con él porque deseaba consagrarse a la vida religiosa. Lisardo consigue hablar con la joven, a la que no logra convencer que acepte su amor y, al salir de la casa de don Claudio, oye el entrechocarse de unas espadas, y una voz que grita: "¡Matadlo!". Bajo el portal, ve a un hombre embozado en su capa, al cual decide seguir los pasos:

Y acelerados, con prisa
fuimos travesando calles,
y al cabo de ellas había,
ya fuera de la ciudad
unas paredes hundidas,
un sitio tan tenebroso,
que horrorizaba aun de día.

El desconocido, antes de desaparecer, dice a Lisardo:

—Aquí han de matar un hombre:
Lisardo, enmienda tu vida,
repara bien lo que haces,
y no vivas tan aprisa.

Lisardo se desmaya y, recobrado el sentido un poco más tarde, vuelve a su casa. El día siguiente, Teodora entra en un convento.

[2] Para más detalles sobre estos temas lengendarios, véanse V. Said-Armesto, *La leyenda de don Juan*, Buenos Aires, (1946), pp. 166-167, 147-153 y 173-192; N. Alonso Cortés, *Zorrilla...*, 2.ª ed., Valladolid, 1943, pp. 232-240.

[3] Estos dos romances, en el romancero de Durán (B.A.E., t. XVI, números 1271 y 1272, pp. 263b-268a); el primero figura en la obra del doctor Lozano.

El segundo romance empieza cuatro meses más tarde. En una de las visitas que Lisardo hace a Teodora, ésta se ofrece a abandonar el claustro para fugarse con él. A las doce de la noche del día fijado, Lisardo camina hacia el convento, y se da cuenta de que unos hombres siguen sus pasos. Uno de ellos grita: "Si es don Lisardo, matadle"; luego se oye un entrechocar de espadas, y la voz de un hombre: "¡Ay, que me han muerto". Un cadáver cae a los pies de Lisardo quien, asustado, corre hacia el lugar de la cita con Teodora para contarle el suceso. De pronto se encuentra con una comitiva fúnebre que se dirige hacia la iglesia, mientras doblan las campanas; unos hombres llevan un féretro cubierto de bayeta negra. Lisardo les sigue dentro del templo, y pregunta por quién se canta la vigilia; uno le contesta:

> —Es Lisardo el estudiante,
> de quien podréis dar noticias
> vos, como que sois él mismo.

Otro le dice que los asistentes son las ánimas del Purgatorio que han encargado la celebración de este oficio de difuntos en agradecimiento de las limosnas y oraciones que les dedicara el muerto. Pero como éste —Lisardo— ha venido a perturbar la ceremonia, perderá el beneficio del favor que le hacían. Se apagan las luces y desaparecen las ánimas. Acto seguido, Lisardo se arrepiente e implora el perdón de Dios; vuelto a su casa, reparte todos sus bienes entre los pobres; poco tiempo después, muere de veras.

El tema de la aparición de las ánimas se entronca a veces con el de la aparición de un muerto resucitado para dar una advertencia a un libertino e inducirle al arrepentimiento. En *La Constante cordobesa* (una de las *Historias peregrinas y ejemplares* publicadas en Zaragoza en 1623), Gonzalo de Céspedes y Meneses cuenta que don Diego, antes de dirigirse a casa de doña Elvira (una mujer casada a quien corteja), entra en una iglesia en que se encuentra la sepultura del padre de su futura víctima. El muerto levanta la losa, reprocha a don Diego su indigna conducta y le insta a que vuelva a Dios; en caso contrario, el muerto se encargará de infligirle el merecido castigo. Una variante del mismo tema aparece en otra obra del mismo autor, titulada *Varia fortuna del soldado Píndaro* (Lisboa, 1626). Una noche, el capitán Alonso de Céspedes acude a la cita que le han dado dos señoras de Granada; una mujer tapada le guía por unos callejones intrincados a la casa en que le están esperando, situada cerca del cementerio de San Cristóbal. Después de un recorrido que le parece larguísimo, llegan a la casa en la que penetra subiendo por una escala de cuerda lanzada desde una ventana. Entonces desaparece el edificio en medio de un espantoso estruendo, y se ve don Diego en una habitación oscura donde hay un féretro; lo abre, y de él sale el barón de Ampurde, al que matara poco antes en un duelo que tuvieran en París. El muerto le acusa de haberle dejado morir sin confesión y le provoca otra vez; el barón y el capitán se baten durante tres horas. Un poco más tarde, Céspedes aparece sin conocimiento en las gradas de la iglesia de San Cristóbal; vuelve en sí el día siguiente, y muere siete días después.

El enfrentamiento, más o menos violento, entre un vivo y un muerto resucitado ha sido utilizado muchas veces como recurso teatral en varias comedias (*El Rey don Pedro en Madrid o El Infanzón de Illescas* de Lope; *El Niño diablo* atribuido a Rosete y Niño, Lope, o Vélez de Guevara; *El Diablo está en Cantillana* del último citado). En las leyendas del Burlador y sus interpretaciones dramáticas aparece el tema, enriquecido con motivos de origen distinto, siendo el más corriente el convite dirigido a un muerto por desafío a la potencia divina.

El protagonista de *El Estudiante de Salamanca* empeña igualmente su amor propio en seguir los pasos de la mujer tapada, a pesar de que ésta le advierte repetidas veces que corre el máximo peligro. Podemos notar que, en el poema de Espronceda, se cruzan algunos motivos presentes bajo formas más o menos parecidas en varias obras anteriores, y tomados de diversas leyendas. Examinemos una variante importante del primer retrato de Montemar: el v. 100, en el fragmento publicado en junio de 1837 por la revista *Museo artístico literario*, se lee: "Nuevo don Juan de Marana [sic]"; en la edición de las *Poesías* de 1840, aparece corregido en: "Segundo don Juan Tenorio". Esto muestra que el poeta tuvo presentes dos tradiciones distintas, la del Burlador y la de la leyenda del estudiante Lisardo, en la cual se mezclan hacia 1830 algunos elementos que proceden de la vida de Miguel de Mañara, que vivió en Sevilla desde 1627 hasta 1679. En 1680, el padre jesuita Juan de Cárdenas publicó una *Breve relación de la muerte, vida y virtudes*[4] del citado personaje, el cual "yendo una noche por la calle que llaman del Ataúd, en esta ciudad de Sevilla, sintió que le dieron un golpe en el cerebro, tan recio que lo derribó en la tierra, y al mismo tiempo oyó una voz que dijo: —Traigan el ataúd, que ya está muerto".[5] Mañara supo más tarde que iba a ser asesinado en la casa adonde acudía, y vio en la agresión de que fue víctima un aviso del Cielo. Poco después contrajo matrimonio y llevó una vida ejemplar, fundando el hospital de la Santa Caridad, administrado por una cofradía de la que fue el superior, y multiplicó las obras de devoción. En la losa de su sepulcro, mandó grabar la siguiente inscripción: "Aquí yace el peor hombre que ha habido en el mundo. ¡Rueguen a Dios por él!". Durante su viaje a Sevilla en 1830, Prosper Mérimée recogió la leyenda de Mañara así como varias versiones, algunas de ellas acaso incompletas, de la de don Juan Tenorio. Las utilizó en una extensa novela corta publicada el 15 de agosto de 1834 en la *Revue des Deux mondes* y titulada *Les Âmes du purgatoire*, la cual presenta algunas semejanzas con el *Don Álvaro* del duque de Rivas.[6] Según Alonso Cortés,[7] es muy probable que Espronceda cono-

[4] Esta obra se reeditó en 1874 y por segunda vez en 1903 enriquecida con documentos inéditos encontrados por M. Gómez Imaz y José María de Valdenebro.

[5] Citado por N. A. Cortés, *op. cit.*, p. 236.

[6] Sigue sin resolver el problema de la influencia de Mérimée sobre Rivas, o de Rivas sobre Mérimée. Véase el art. de F. Caravaca "Mérimée, dans *Les Âmes du purgatoire*, plagia-t-il le *Don Álvaro* du duque de Rivas?", *Les Langues modernes*, mai-juin 1961, pp. 26-43.

[7] *Loc. cit.* En el mismo libro (p. 235, nota 230), el autor menciona, pero sólo de paso, el relato de Gutiérrez de la Vega del que vamos a hablar.

ciese la vida de Miguel de Mañara, ya que hizo figurar en su cuento un detalle mencionado por El P. Cárdenas: el nombre de la calle del Ataúd, así llamada (por lo que se puede inferir del relato del jesuita) porque Miguel de Mañara oyera la voz misteriosa dirigirle las palabras proféticas más arriba citadas.

Otra versión de las aventuras del mismo personaje es la que publicó José Gutiérrez de la Vega en el *Semanario pintoresco español* del 28 de diciembre de 1851 (tomo 16, núm. 52, pp. 410-412) bajo el título: *Don Miguel de Mañara*; el subtítulo (*Cuento tradicional*) indica que el autor no hizo más que dar una forma "literaria" a algunos temas de la leyenda —o de varias leyendas— de Mañara. Gutiérrez de la Vega refiere que la calle del Ataúd, en el antiguo barrio judío de Sevilla, es el teatro de numerosas tradiciones populares, entre las cuales la siguiente: según un viejo manuscrito, la bella Susona habría denunciado la participación de su padre en una conspiración de los israelitas de Andalucía, en tiempos en que eran perseguidos. Después de detenidos y castigados los culpables, Susona se arrepintió, se convirtió y entró en un convento, del que poco después escapó para volver a su vida de placer. Muerta Susona, su cabeza fue enterrada, para respetar su última voluntad, en la calle que desde entonces se llamó del Ataúd, y en la que está la taberna donde una noche de invierno, cuenta Gutiérrez de la Vega, Mañara tenía cita con su amante "la Gitanilla". Ambos están divirtiéndose, cuando tres hombres de aspecto patibulario vienen a provocar a Mañara; éste saca su espada, pero tiene que retroceder durante el combate hasta la calle, donde recibe en la cabeza una estocada, mientras oye una voz "gruesa e imponente" que dice: "¡No hayas miedo, Mañara, que estás dentro del Ataúd!". Aparte de este juego de palabras, la versión recogida por Gutiérrez de la Vega coincide en su conclusión con el relato mucho menos detallado del P. Cárdenas. El cuento del *Semanario pintoresco* contiene a continuación el episodio del encuentro de Mañara con la comitiva de su propio entierro, que se desarrolla exactamente como en el segundo romance del estudiante Lisardo, salvo que no se dice si los asistentes al oficio fúnebre son ánimas del Purgatorio; además, al ver Mañara su propio cadáver en el féretro, implora el perdón de Dios antes de caer a tierra sin conocimiento. En la última parte de su relato, Gutiérrez de la Vega refiere brevemente que don Miguel consagró su vida y sus bienes a la fundación y mantenimiento del hospital de la Caridad, en el que murió más tarde asistido por "la Gitanilla", también arrepentida.

Es muy posible que Espronceda haya conocido mucho antes, por tradición oral o por romances de cordel, los temas tradicionales aprovechados por Gutiérrez de la Vega en su relato. Sin embargo, dos detalles llaman la atención: en el fragmento de *El Estudiante de Salamanca* publicado en 1837, a don Miguel Mañara nuestro poeta le llama don Juan de Marana, igual que Mérimée en *Les Âmes du purgatoire*. Desde el punto de vista cronológico, no hay inconveniente en admitir que Espronceda haya leído la novela del escritor francés y consciente o inconscientemente, la tuviera presente al empezar su cuento. Recordemos que en el primer fragmento del mismo (publicado en *El Español* del 7 de marzo de 1836), aunque lleva el título *El Estudiante de Salamanca*, la escena es en la calle del Ataúd, que está en Sevilla y no en la ciudad del Tormes, pero cuyo nombre aparece en las tradiciones referentes a Miguel de Mañara. Ahora bien, Mérimée cuenta que su Marana [sic] marchó de Sevilla a los dieciocho años para empezar su carrera en la Universidad de Salamanca y que allí trabó amistad con un tal García Navarro, aficionado a las riñas, al juego y a las mujeres, que tenía además fama de ser hijo del diablo. Estos rasgos característicos de dos personajes de Mérimée aparecen en la personalidad del don Félix de Espronceda. En la novela del escritor francés, hay un episodio en el que Marana y García, cansados de sus respectivas amantes (dos hermanas, Fausta y Teresa), deciden jugarlas a las cartas; en el cuadro tercero del poema, don Félix apuesta el retrato de una dama. En *Les Âmes du purgatoire*, aparece un motivo tomado de la leyenda de Lisardo y que da su título a la novela: cuando Marana se dirige una noche hacia el convento donde está sor Agathe (en realidad Teresa) para raptarla, encuentra en camino a las ánimas que acompañan un féretro que contiene su propio cadáver, lo que provoca su conversión. Un poco más tarde, ya retirado en un convento, Marana mata en un duelo a Pedro de Ojeda, hermano de Teresa y Fausta, episodio que se encuentra también en el *Don Álvaro* de Rivas. En *El Estudiante de Salamanca*, Montemar mata asimismo al hermano de Elvira, pero las circunstancias del duelo son totalmente distintas. Desde luego, no se puede inferir de estas semejanzas de detalles (entre ellas, la ortografía del apellido Marana) que el relato de Mérimée es una fuente —en el sentido estricto de la palabra— del cuento de Espronceda; pero parece, sin embargo, que éste conocía la obra del escritor francés.

En cuanto al tema del hombre que asiste a su propio oficio fúnebre, hemos visto que es común a varias leyendas. García de Villalta lo había aprovechado en el capítulo 2.º del libro III de su novela *El Golpe en vago* (1835), dándole una forma menos transcendente y sin importancia verdadera en la intriga.[8]

El tema más ampliamente desarrollado en *El Estudiante de Salamanca* es el de la cuarta parte, es decir, el encuentro del protagonista con la mujer tapada y la peregrinación fantástica de ambos personajes, que se termina con "las bodas en la muerte" de Montemar con la mujer misteriosa, la cual no es sino el esqueleto de Elvira. Parecida aventura se atribuyó en el siglo XVII a un canónigo de la catedral de Sevilla, que prefería a sus deberes religiosos los placeres mundanos. La noche del día de la fiesta del Corpus, encontró en la calle a una tapada; siguió sus pasos y le pidió por fin le dejara ver su rostro: debajo del manto, el libertino descubrió un esqueleto. El canónigo, que se llamaba Mateo Vázquez de Lecca y era sobrino del secretario de Felipe II, entendió el aviso y llevó desde entonces una

[8] E. Torre Pintueles ha señalado la semejanza entre este episodio de la novela y el cuento de nuestro poeta en sus artículos citados en nuestra *Bibliografía selecta*. No nos parece, en contra de la opinión de E. Torre, que el aspecto más importante del cuento de Espronceda sea "el elemento fantástico del hombre que presencia su propio entierro".

vida ejemplar.[9] La atribución de esta aventura a Miguel Mañara puede explicarse por el hecho de que éste llevaba los apellidos de Vicentelo de Leca: de ahí la posible confusión entre ambos personajes en la tradición popular.

Se trata de un tema frecuente en varias obras dramáticas del Siglo de Oro (y también en el *Dom Juan* de Molière). En la jornada tercera de *El Esclavo del demonio* (1612) de Mira de Amescua, el demonio Angelio proporciona a don Gil —el cual le vendió su alma al efecto— una entrevista con Leonor; al abrirse el manto de ésta, aparece un esqueleto. Tal visión provoca el desengaño de don Gil.[10] En otra comedia menos conocida, *Caer para levantar*, de Moreto, Cáncer y Matos Fragoso, que tiene también por protagonista a San Gil de Portugal, reaparece la misma escena que sería de gran efecto en el espectador. En fin, Calderón introdujo, utilizándolo de una manera algo distinta, el mismo tema en la jornada tercera de *El Mágico prodigioso*. Cipriano dice, mientras sigue los pasos de Justina:

> que por conseguirte, nada
> temo, nada dificulto.
> El alma, Justina bella,
> me cuestas; pero ya juzgo
> siendo tan grave el empleo
> que no ha sido el precio mucho.

Cipriano alcanza a Justina, y bajo su manto descubre un esqueleto que le dice:

[9] La historia de la conversión de Mateo Vázquez de Lecca ha sido referida por Fray Pedro de Jesús María (*Vida, virtudes y dones soberanos del venerable y apostólico Padre Hernando de Mata*, Málaga, 1663) y por el P. Gabriel de Aranda (*Vida del siervo de Dios Fernando de Contreras*, Sevilla, 1692). Hay un resumen de ella en el libro de F. Rodríguez Marín *Pedro Espinosa, estudio biográfico bibliográfico y crítico*, Madrid, 1907, pp. 148-149. El ilustre erudito escribe (p. 143, nota 3) que esta conversión "no es más ni menos que la de un don Juan Tenorio, con sus diabluras de trasnoches y liviandades por principio, y sus esqueletos aparecidos por remate".

[10] Mira de Amescua, *El Esclavo del demonio*, ed. Á. Valbuena Prat, Zaragoza, (1949), p. 116.

> Así, Cipriano, son
> todas las glorias del mundo.[11]

En las dos primeras comedias citadas, el esqueleto tiene un papel meramente pasivo; en la tercera, sólo enuncia una sentencia moral destinada a provocar el arrepentimiento de su interlocutor. No así en *El Duque de Viseo* (1801) de Quintana. En la escena V del acto II, Enrique refiere una pesadilla que acaba de tener. Cuenta haber soñado que, estando en el panteón de sus antepasados, divisó una mujer que le sonreía; creyendo que era Matilde, se acercó a ella, y entonces se dio cuenta que ella tenía en el pecho una herida de la que brotaba sangre. No era Matilde, sino Teodora, que le dijo:

> —Al fin volvemos para siempre a unirnos
> (con eco sepulcral dijo su boca)
> para siempre... Mis brazos cariñosos
> van a galardonar tu amor ahora;
> mas contempla primero lo que hiciste,
> y cuál me puso tu fiereza loca.

Y sigue la pesadilla:

> Sus ojos de sus órbitas saltaron,
> todos sus miembros, sus facciones todas
> se deshacen de pronto, y en la imagen
> de un esqueleto fétido se torna.
> [...] Entre sus brazos secos
> ella me aprieta y con furor me ahoga,
> me infiesta con su aliento, y me atormenta
> con su halago y caricias sepulcrales.

Enrique suplica al esqueleto le perdone la vida; la visión desaparece y los muertos del panteón salen de su sepulcro para reprochar a Enrique su fratricidio. Quintana tomó esta escena de la tragedia de Lewis *The Castle Spectre*, que le sirvió de modelo para *El Duque de Viseo*, según

[11] Calderón, *El Mágico prodigioso*, ed. B. Sesé, París, (1969), p. 202.

lo demostró Albert Dérozier.[12] Verdad es que tiene una significación distinta en cada una de estas dos obras, y que el mismo tema de la aparición del esqueleto está utilizado con fines diferentes en las comedias de Mira de Amescua y Calderón. Sin embargo, forma parte del florilegio de las leyendas edificantes españolas. El espectro como voz de la conciencia y materialización del remordimiento es un motivo corriente en el "ciclo de don Juan". Recordemos que en el *Pelayo*, Espronceda había descrito la pesadilla del rey Rodrigo, en la que el rey godo imaginaba estar luchando contra el fantasma del conde don Julián que estaba a punto de ahogarle entre sus fornidos brazos.[13]

Montemar no sólo es un calavera matón y mujeriego como el don Juan tradicional, sino además un jugador empedernido, característica no tan nueva como la cree Casalduero,[14] ya que la encontramos en el Marana de Mérimée. Por otra parte, el juego es uno de los vicios atribuidos a los pecadores de las comedias doctrinales, en las que muchas veces una partida de cartas o de dados constituye el momento decisivo para la conversión del calavera. Por ejemplo, en *El Rufián dichoso* de Cervantes y en *San Franco de Sena* (1654) de Moreto.

El epígrafe de la tercera parte de *El Estudiante de Salamanca* (por lo demás presentada como un "cuadro dramático" y que tiene efectivamente la forma de unas escenas de comedia) está tomado de esta obra de Moreto. Hasta la fecha, ningún crítico ha hecho un cotejo sistemático de la segunda jornada de *San Franco de Sena* con esta parte del cuento en verso de Espronceda.[15] El protagonista

[12] En su libro *Manuel José Quintana et la naissance du libéralisme en Espagne*, París, 1968, pp. 76-97.

[13] Véanse los vv. 161-192 del *Pelayo* (Clásicos Castalia, 20, pp. 86-87).

[14] *Espronceda*, Madrid, (1961), p. 151.

[15] G. T. Norhup, en una nota de su edición de *El Estudiante de Salamanca* (Boston, [1919], p. 101) apuntó que los versos de Moreto que sirven de epígrafe a la *Parte tercera* no corresponden al texto publicado en el tomo XXXIX de la B.A.E. (p. 134b), y añade sin más que la leyenda de San Franco tiene alguna analogía con la de don Juan Tenorio, la del estudiante Lisardo y la de Miguel Mañara. Notemos que en todas las ediciones recientes del poema de Espronceda, el título de la comedia aparece bajo la forma errónea *San Francisco de Senà*.

de la comedia, Franco, es un calavera empedernido como Montemar, pero, a diferencia de éste, devoto de la Virgen María (lo mismo que el estudiante Lisardo y el rufián de Cervantes son devotos de las ánimas). Mansto, el padre de Franco, se ha desprendido de todos sus bienes para mantener a su hijo durante sus estudios en la universidad; pero Franco dilapida en el juego el dinero que le da su padre, y vive en una completa impiedad. Mansto le dice:

> Aprendiste a ser cruel,
> vengativo y jugador,
> sin ley y sin Dios, infiel;
> mas si lo eres con él,
> ¿de qué se ofende mi amor?[16]

Una noche, Franco mata a Aurelio que estaba a punto de raptar a Lucrecia; cuando ésta sale de su casa, Franco la lleva a las afueras de la ciudad y la viola. En la segunda jornada, el calavera se ha hecho soldado para escapar a la justicia que le persigue; vuelve a Sena para visitar a su padre, el cual, asustado ante el peligro que corre su hijo, le llama "hijo del diablo". Franco, al pasar por delante de una casa en cuya pared hay una cruz pintada que alumbra una lamparita, dice:

> Sin duda la han puesto allí
> por el hombre que maté.[17]

Intenta apagar la lámpara para no ser conocido; entonces se oye un ruido de cadenas removidas y una voz que dice: "¡Ay!". Dato, el criado de Franco, se dirige hacia la casa de Mansto, mientras su amo le espera en el mismo sitio; intenta otra vez apagar la lámpara, y entonces del muro "sale un brazo que le detiene, sujetándole las manos", mientras una voz dice:

> Pues me quitaste la vida,
> no me quites el consuelo.[18]

[16] B.A.E., t. XXXIX, p. 122b.
[17] *Ed. cit.*, p. 128b.
[18] *Ibid.*

El diálogo entre Franco y la voz acaba con estas palabras de su misterioso interlocutor:

> Ve, que antes de tu partida,
> con Dios privarás de suerte
> que aunque me diste la muerte,
> tu ruego me ha de dar vida.[19]

El brazo suelta a Franco y desaparece. Más tarde (dejamos de lado las peripecias de la comedia que no reaparecen en el poema de Espronceda), Franco lleva a su padre a un castillo cerca de Sena en el que están alojados sus compañeros soldados, y cuenta que, al pasar por el lugar donde matara a Aurelio,

> la misma voz que en mi afrenta
> me dio antes horror, me dijo:
> —Franco, en el juego te emplea;
> que hoy perdiendo has de ganar.[20]

Caminando hacia el castillo (donde dirige, por encargo del gobernador de Sena, los juegos de los soldados), esta voz no ha cesado de hacerse oír de él, y se pregunta

> ...¿qué es lo que intenta
> conmigo el cielo?[21]

Franco ha perdido todo lo que poseía, pero, sin embargo, quiere tentar otra vez la suerte. De repente se presenta un desconocido, que pide a Franco le ayude a identificar un soldado que ha quitado el honor a la dama que él corteja; le ofrece una cadena de oro. Se trata del hermano de Lucrecia, Federico, que usó de esta estratagema para penetrar en el castillo, llevarla consigo o sacar venganza de Franco; pero como ha llegado la hora de la queda, un sargento le echa del castillo. Aquí se sitúa la escena de la que Espronceda

[19] *Ibid.*
[20] *Ed. cit.*, p. 132b.
[21] *Ibid.*

tomó los versos de su epígrafe. Franco juega con el sargento y dos soldados; pierde cincuenta escudos, la cadena de oro, su espada y su jubón. Entonces es cuando apuesta sus ojos:

> Sargento.—¿Tienes más que parar?
> Franco.— Tengo los ojos,
> y los juego en lo mismo; que descreo
> de quien los hizo para tal empleo.[22]

Franco pierde otra vez, y de pronto se da cuenta de que ha quedado ciego; se arrepiente y decide hacerse eremita. Termina la segunda jornada de la comedia con estas palabras en forma de moraleja pronunciadas por una voz celestial:

> Vea el mundo, admire el siglo,
> que estuvo ciego con ojos
> el que sin ojos ha visto.[23]

La jornada tercera no tiene ninguna relación con *El Estudiante de Salamanca*, ya que es una serie de escenas destinadas a mostrar las etapas sucesivas del «camino de perfección» del protagonista. En una de ellas, Franco encuentra por casualidad a su padre quien, arruinado por las calaveradas de su hijo, se ha hecho mendigo. Mansto tarda en reconocer a Franco, y le dice primero:

> No seréis tal, porque aquél [mi hijo]
> fue blasfemo, jugador,
> engañoso, matador,
> lascivo, ingrato, cruel.
> Al cielo tanto ofendió,
> que de su culpa indignado,
> por castigar su pecado,
> de la vista le privó.[24]

[22] *Ed. cit.*, p. 134b. Véase la nota 33 de *El Estudiante de Salamanca.*
[23] *Ed. cit.*, p. 135a.
[24] *Ed. cit.*, p. 137b.

Este retrato se parece al de Montemar, aunque el castigo impuesto a éste es mucho más terrible y presentado en un contexto totalmente distinto.

* * *

La citación, por otra parte incompleta,[25] del *Don Juan* de Byron que sirve de epígrafe a la parte segunda de *El Estudiante de Salamanca* ha inducido a varios críticos a buscar en la obra del poeta inglés unas posibles fuentes del cuento en verso de Espronceda. Valera y Piñeyro han afirmado que la carta que Elvira escribe a Montemar antes de morir (v. 371-418) está imitada, o inspirada, de la que doña Julia dirige a don Juan en el poema de Byron.[26] Churchman y Northup llegan a la conclusión de que ambos textos no ofrecen más que vagas analogías;[27] Pujals concluye que se trata sólo de "una cierta semejanza general".[28] Estos dispares pareceres nos inducen a insistir sobre la diferencia muy importante entre la situación de las dos mujeres seducidas, la primera por don Juan, la segunda por Montemar. Doña Julia es una esposa infiel a la que su marido encierra en un convento para castigarla; al escribir a su seductor, adopta un tono irónico y algo despectivo, y se muestra resignada a su reclusión que aprovechará para rogar por el que le hizo cometer el pecado de adulterio. Al contrario, Elvira es una joven que muere de amor y considera su muerte como el castigo de su pasión por Montemar. Las ideas expresadas en ambas cartas no podían ser, a pesar de ello, sino las que se encuentran en infinidad de misivas de despedida o de ruptura (yo te quise, pero ya no te pido más ni amor ni compasión; gozo en recordar los momentos de felicidad que viví contigo, y ahora estoy desengañada; al perderte, lo perdí todo, pero ¡ojalá otras mujeres sepan hacerte feliz!, etc). En las novelas senti-

[25] Véase la nota 18 de *El Estudiante de Salamanca*.

[26] J. Valera, *Florilegio de poesías castellanas del siglo XIX*, Madrid, 1904; tomo I, p. 109; E. Piñeyro, *El Romanticismo en España*, París, s.a. [1904], p. 161.

[27] Churchman, "Byron and Espronceda", *Revue hispanique*, t. XX, 1909, pp. 161-163; Northup, en su *ed. cit.* del poema, p. 100.

[28] E. Pujals, *Espronceda y Lord Byron*, Madrid, 1951, p. 481.

mentales del siglo XVIII, en la literatura romántica de todos los países, encontraríamos cien ejemplos de esta fraseología, sin que puedan razonablemente ser considerados como "fuentes" de nuestro poeta.

En cuanto al don Juan de Byron, es un personaje que no tiene semejanza ninguna con el Montemar de Espronceda. Éste es un joven pervertido para quien el libertinaje y la seducción de una joven pronto abandonada no son sino unas ocupaciones entre otras más de la vida de calavera que lleva; aquél es más bien una víctima del amor que tiene el don fatal de inspirar a las mujeres: no necesita conquistarlas, y más bien se deja querer por ellas. El don Juan de Byron es siempre sincero en sus sucesivas intrigas, y su inconstancia es el resultado de su irresistible anhelo que le lleva a la incesante búsqueda de la Belleza ideal. Tampoco Montemar es un joven idealista que cree haber encontrado la felicidad, o el sosiego del alma, en el libertinaje, tal como lo pintó Musset en *Namouna* y *Rolla*.

Otra obra contemporánea presenta algún parecido con el cuento de Espronceda: el drama de Alexandre Dumas *Don Juan de Marana ou la Chute d'un ange*, estrenado en el teatro de la Porte-Saint-Martin de París el 30 de abril de 1836.[29] El autor se inspiró en la ya citada novela de Mérimée *Les Âmes du purgatoire*; en la obra teatral reaparecen los temas de la mujer que dos amigos se juegan a las cartas; el de la estatua que de pronto se pone a hablar para invitar a don Juan a arrepentirse. Según apuntó Carlos Beceiro,[30] hay algunas semejanzas entre el drama de Dumas y el cuento de Espronceda: la misión, confiada a una víctima del seductor, de conseguir el arrepentimiento de éste (sor Marta bajo la forma del ángel bueno en Dumas, Elvira en Espronceda); el casamiento en la muerte como último momento de la vida del calavera; la locura de la mujer

[29] Una traducción anónima de este drama fue publicada en 1838 por la imprenta Chuliá de Tarragona bajo el título *Don Juan de Marana y Sor Marta*; el año siguiente se puso a la venta en Madrid otra versión, por García Gutiérrez, titulada *Don Juan de Marana o la caída de un ángel*.

[30] En el prólogo de su edición de *El Estudiante de Salamanca*, (Madrid, 1965), pp. 91-94.

seducida y abandonada (sor Marta y Elvira); el empeño del protagonista en seguir los pasos de la mujer tapada hasta el infierno. Pero recordemos que todos estos temas se encuentran también en otras leyendas u obras literarias anteriores, y que ninguno de ellos se le debe a Dumas. Además, el personaje de sor Marta recuerda a la vez, en su locura, a la Ofelia de Shakespeare y a la Margarita de Goethe (que deshoja una flor para saber si la quiere o no Fausto). Sabemos que Espronceda conocía la obra de Goethe en la época en que escribía *El Estudiante de Salamanca*, pues en una de sus conferencias de literatura moderna comparada dictada en el Liceo de Madrid a principios de abril de 1839, trató del escritor alemán y lo presentó "como el completador de la lengua y poesía moderna alemana, y como el primero que ascendió el yugo de la literatura francesa".[30 bis] El detalle de las flores deshojadas que figura en el retrato de Elvira (v. 250-257), Espronceda pudo muy bien encontrarlo personalmente en el *Fausto*. No nos parece pues que se pueda considerar la obra de Dumas como una fuente de *El Estudiante de Salamanca*. Es muy posible, incluso, que Espronceda modificara el v. 100 ("Nuevo don Juan de Marana" en el *Museo artístico literario* de 1837, y "Segundo don Juan Tenorio" en la edición de 1840) para evitar una identificación posible entre Montemar y el personaje del drama francés traducido al castellano en 1838 y 1839. De este modo, nuestro poeta vinculaba más estrechamente al protagonista de su cuento a la tradición española, tan libremente interpretada por Mérimée y Dumas que mezclaran las aventuras del Burlador y de Lisardo con las atribuidas a Miguel Mañara. La localización en Salamanca de la historia de Montemar responde además a una intención precisa. Por cierto que Espronceda pudo tomar de *Les Âmes du purgatoire* la idea de hacer de su don Félix un estudiante de la ciudad del

[30 bis] Según refiere Enrique Gil en su reseña de la conferencia de Espronceda (*El Correo nacional*, 12 abril 1839). Es probable que nuestro poeta no conociese el alemán, y hubiese leído el *Fausto* de Goethe en una o varias traducciones francesas. (Véase el artículo de A. Martinengo, "Espronceda ante la leyenda fáustica", *Rev. de literatura*, t. XXIX, 1966, pp. 35-55.)

Tormes; pero en este caso el poeta se refería más bien a una larga tradición aprovechada por muchos escritores españoles y en gran parte fundada: la de las calaveradas, burlas y riñas de los alumnos de la famosa universidad, más asiduos a los garitos y tabernas que a las aulas.[31]

Reiteración de temas y motivos esproncedianos

No faltan en *El Estudiante de Salamanca*, y especialmente en las partes primera y segunda, reminiscencias verbales o formales procedentes de obras anteriores del poeta. Así Brereton demostró, por el cotejo de las poesías "Salve, tranquila, plateada luna" y *A la noche* con la descripción del jardín de Elvira, que persisten en el cuento ciertos motivos o estereotipos heredados del neoclacisismo.[32] La comparación de Oscar que, internándose en la selva (en *Oscar y Malvina*) "brilla y se pierde" como la luna que riela en el mar o desaparece si la ofusca una nube surge de nuevo en los v. 76-83 de *El Estudiante* bajo una forma algo distinta, y también, pero interpretada de otro modo, en los v. 785-792. No vamos a establecer una minuciosa lista de todas las reminiscencias de la poesía primeriza de Espronceda en el presente cuento. Sin embargo, es interesante apuntar que todavía después del nuevo giro que toma su obra a partir de las canciones, no han desaparecido del todo en sus versos las influencias recibidas en el colegio de San Mateo y la Academia del Mirto.

De mayor interés nos parecen el sentido nuevo y la significación mucho más profunda que cobran, en *El Estudiante de Salamanca*, algunos temas anteriormente tratados por Espronceda. Por ejemplo el de la separación de dos amantes, esbozado en "Salve, tranquila, plateada luna", luego ampliamente desarrollado en *Despedida del patriota griego*

[31] Sobre la vida estudiantil en Salamanca, hay muchos testimonios en las comedias de Alarcón. (Véase A. V. Ebersole, *El ambiente español visto por Juan Ruiz de Alarcón*, [Madrid], 1959, pp. 15-26.)

[32] Damos cuenta de estas semejanzas en las notas correspondientes a los versos del poema.

de la hija del apóstata, y más tarde en *El Diablo Mundo* (Espronceda y Teresa, Adán y la Salada).[33] Dicho tema empieza a transformarse en *El Estudiante de Salamanca*, porque la separación no procede, como en la *Despedida...*, de una circunstancia exterior (la traición del padre de la joven griega). sino de la decisión personal de uno de los personajes (abandono de Elvira por Montemar). En el cuento, aparece enlazado con otro tema, el de las ilusiones perdidas, varias veces expresado por Espronceda a través del motivo de la vida breve de la rosa: en el soneto "Fresca, lozana, pura y olorosa", y en estas palabras de Blanca en el acto IV de *Blanca de Borbón*:

> [...] ¡Ah! la esperanza
> era el único bien que en tanto duelo
> yo conservaba aún; era la rosa
> que derramaba aroma en el desierto.
> ¡Voló cual humo la esperanza mía![34]

En *El Estudiante*, las flores que deshoja Elvira son el símbolo de la esperanza desvanecida (v. 250-257); y más lejos llega el poeta a identificar con una rosa la joven infeliz (v. 343-346). Ya en el *Pelayo*, al describir el castigo divino abatiéndose en la corte de Rodrigo, escribía Espronceda estos versos:

> ¡Maldición, maldición! Yertas las flores
> del huracán violento arrebatadas,
> el alegre pensil de los amores
> verá sus hojas por doquier sembradas.[35]

que comparó acertadamente Casalduero con los del himno *Al Sol* en que los siglos no son más, para el astro eterno que

> ...del bosque umbrío
> secas y leves hojas desprendidas.[36]

[33] G. Brereton, *Quelques précisions sur les sources d'Espronceda*, París, 1933, pp. 52-53.
[34] B.A.E., t. LXXII, p. 248b.
[35] Clásicos Castalia, 20, p. 84.
[36] *Ibid.*, p. 180.

Y comenta el mismo crítico: "Esa fuerza es el tiempo o es la realidad social que arrebata y después juega despiadadamente con las ilusiones, las esperanzas, los anhelos de belleza, pureza y justicia".[37] Al transformarse, la sencilla comparación concreta ha venido a ser una constatación moral y abstracta que cobra aquí su pleno valor de antítesis fundamental entre las aspiraciones del ser humano y lo que le brinda el mundo en que vive, antítesis expresada en los conocidos versos de Lamartine:

> Borné dans sa nature, infini dans ses vœux,
> l'homme est un Dieu tombé qui se souvient des cieux.

* * *

Varios críticos han subrayado que los rasgos específicos de Montemar son, además del satanismo, la rebeldía contra la sociedad que ya caracterizaban al verdugo y al reo de muerte; el cinismo del mendigo; el anhelo de libertad y el individualismo del pirata, es decir, de los protagonistas de las canciones de 1835.[38] Pero antes de esta fecha, Espronceda manifestó en sus obras cierto interés por unos personajes que, sin ser verdaderamente titánicos como don Félix, aparecen algo inadaptados al mundo que les rodea, o que se resisten a doblegarse ante las leyes y convenciones sociales. En los fragmentos del *Pelayo*, el poeta siente más atracción hacia Rodrigo que hacia el héroe de la Reconquista. Ahora bien, el último rey godo es un hombre que se rebela contra las obligaciones de orden temporal y espiritual impuestas por el cargo que recayó en él, y que prefiere ceder a sus instintos hollando la ley divina y haciendo así una víctima, Florinda, lejano antecedente de Elvira. Pero el maniqueísmo del poeta ya no es tan absoluto en *Blanca de Borbón*; en esta tragedia, las figuras antitéticas de Enrique y Pedro encarnan por cierto el Bien y el Mal del mismo modo que Pelayo y Rodrigo. Sin embargo, el agente del Destino no es, como en los fragmentos épicos, el ángel enviado por Dios. En la tragedia, es la maga quien desempe-

[37] J. Casalduero, *op. cit.*, pp. 190-191.
[38] Brereton, *op. cit.*, p. 102; Casalduero, *op. cit.*, p. 179.

ña por puro fanatismo este papel. Y esta maga es también un personaje en rebelión contra el orden tanto político como religioso (igual que, con distintas motivaciones y en otro nivel, lo son Enrique y Pedro). La víctima de estos complejos conflictos es Blanca, cuyo único "crimen" consiste a fin de cuentas en seguir queriendo al hombre culpable de su desgracia, lo mismo que Elvira muere porque no puede dejar de amar a Montemar a pesar de su infidelidad. En *Blanca de Borbón* como en *El Estudiante de Salamanca*, el campeón de la libertad (política: Enrique; espiritual: Félix) también muere por haber desafiado la autoridad (real, el primero; divina, el segundo).

En el capítulo tercero de la novela *Sancho Saldaña o el Castellano de Cuéllar*, uno de los miembros de la cuadrilla de "El Velludo" cuenta la historia de un personaje que parece ser un primer esbozo de Montemar. Se trata de un noble (de quien el padre del narrador había sido escudero) que "se burlaba de todo [...] Tenía este hombre muy mala vida, y no creía en Dios ni en el diablo, y juraba que desearía verse a solas con Lucifer"; como no conseguía ganar los favores de una dama que cortejaba, compró un día una soga, salió de la ciudad y, llegado a un lugar apartado, llamó al demonio; entonces se levantó una tremenda tempestad... Pero el relato se interrumpe aquí a causa de que un repentino huracán obliga a los de la cuadrilla a retirarse en su cueva; poco después, ven avanzar hacia ellos "un espantoso fantasma vestido todo de negro, con una antorcha en la mano [...] Sus ojos lanzaban llamas, su semblante era lívido, y sus brazos largos, secos y descarnados, semejaban a los de un desollado cadáver, mostrando todos sus músculos y ligaduras. Brillaba en medio de los relámpagos como un espectro rodeado de luz, y vestido del nebuloso ropaje de las tinieblas".[39]

El tal "espantoso fantasma" es la maga (en realidad, como se descubre más tarde, Elvira, hermana de Saldaña) que ha venido a raptar a Leonor. Aunque en un contexto distinto, Espronceda ha acoplado dos temas (esbozando

[39] B.A.E., t. LXXII, pp. 321-322a.

sólo el primero) que tendrá ocasión de tratar con más amplitud en *El Estudiante de Salamanca*. El segundo —aparición de una mujer misteriosa— se encuentra dos veces más en *Sancho Saldaña*. Una noche, Sancho cree ver en una sala de su castillo, avanzar "una figura cadavérica, una mujer, en su imaginación colosal, la imagen, en fin, de Zoraida, sólo que desfigurada ya con la muerte".[40] En el capítulo último, el espectro de Zoraida surge de su tumba para apuñalar a Leonor.[41] Recordaremos por fin que Espronceda, en el capítulo IX de la novela, dedicó varias páginas a la descripción de Zoraida recorriendo el castillo de Saldaña en busca de Leonor; en esta escena, varios temas y motivos prefiguran en cierto modo el primer movimiento de la parte cuarta de *El Estudiante de Salamanca*: el juego de luces y sombras, el largo manto que viste la mujer, el ambiente de misterio nocturno. La Elvira del cuento en verso presenta además algunos rasgos que caracterizaban las dos rivales de la novela. Como la víctima de Montemar, Zoraida evoca repetidas veces con dolor y nostalgia las felices horas que pasara con Saldaña antes de que éste la abandonase; en el capítulo XV, Elvira echa en cara a Saldaña el desafecto que le muestra con palabras más propias de una amante desdeñada que de una joven hablando con su hermano; y en su furor llega a exclamar: "Yo estoy condenada a velar sobre ti para afligirte, ahora en la vida, y luego en la eternidad".[42]

El mismo Saldaña padece una profunda melancolía y siente una continua insatisfacción agravadas por el remordimiento de sus inconstantes amores. En el retrato que Espronceda hace de él en el capítulo cuarto de su novela, aparece como un ser enigmático, ensimismado, temido por los que viven cerca de él; los hay que creen "que era algún demonio revestido de figura humana por algún tiempo", y tiene fama de haber cometido innumerables crímenes.[43] Sólo encontrará la paz del corazón en el monasterio

[40] Capítulo XLIII, *ed. cit.*, p. 546b.
[41] *Ed. cit.*, p. 568.
[42] *Ed. cit.*, p. 414a.
[43] *Ed. cit.*, pp. 325-326a.

de los Trapenses al que va a acabar sus días. Después de los sucesivos fracasos sufridos en su vida, sólo en la penitencia, a falta de arrepentimiento, encuentra una solución a los contradictorios anhelos de su corazón. Tal renunciamiento es muy parecido al que ofrecen como ejemplo a los lectores o espectadores los romances de Lisardo, las comedias edificantes o las diversas leyendas españolas de don Juan Tenorio y de Miguel Mañara. La característica original, y por lo demás completamente nueva en la literatura española, de *El Estudiante de Salamanca* es que sólo mediante la muerte física de Montemar consigue la divinidad acabar con el ser humano que se niega hasta su último instante de vida a desistir de su titánica actitud.

Etapas de la composición y evolución del sentido del poema

Hay, en *El Estudiante de Salamanca*, dos retratos de Montemar: el primero en los vv. 100-139, donde aparece como un calavera bravucón, jactancioso y mujeriego; el segundo (en los vv. 1245-1260) presenta al personaje como una encarnación típica del titanismo y del satanismo románticos. Es decir, que sólo en la parte cuarta del poema adquiere su verdadera dimensión simbólica de que carece en la parte primera. Tal evolución del protagonista del cuento, que de "segundo don Juan Tenorio" acaba siendo un "segundo Lucifer", no parece haber sido prevista por el poeta cuando empezó a escribir *El Estudiante de Salamanca*. El estudio de los fragmentos dados a la imprenta desde 1836 hasta 1839 puede dar cuenta no sólo de las etapas de la composición, sino también de esta nueva dimensión de Montemar.

Espronceda publicó primero en *El Español* del 7 de marzo de 1836 el principio del cuento, dividido en cuatro partes como sigue:

I.—vv. 1-40;
II.—vv. 41-63;
III.—vv. 64-75;

IV.—una estrofa de 4 versos, suprimida en la edición de 1840, y seguida de tres líneas de puntos,[44] que designaremos: vv. 75a-75d.

En su número 4 del 22 de junio de 1837, la revista *Museo artístico literario* insertó la parte primera completa, es decir, los vv. 1-179, incluidos entre el v. 75 y el v. 76 los vv. 75a-75d. Dos años más tarde, el 30 de junio de 1839, *La Alhambra* (revista de la Asociación literaria de Granada) dio a luz los 78 primeros versos de la parte segunda, o sea los vv. 180-257 del poema.[45] Sin embargo, este último fragmento había sido compuesto al menos algunos meses antes, porque lo transcribió de su puño y letra el mismo Espronceda en el album de doña María de los Dolores Massa y Grano de Heréns, donde lleva el título *Elvira* y está fechado en Carratraca, 7 de septiembre de 1838.[46]

Espronceda estaba en Granada cuando la *Gaceta de Madrid* publicó el 16 de junio de 1839 el primer prospecto del volumen de sus *Poesías* cuyo prólogo escribió en los mismos mes y año García de Villalta. En el primer texto no figura el contenido del libro; en el segundo, Villalta habla del *Pelayo* y de algunas otras composiciones, pero no de *El Estudiante de Salamanca*, lo que no deja de ser curioso. Se sabe, además, que esta primera edición de las *Poesías* de Espronceda se puso a la venta unos once meses más tarde, en mayo de 1840. Según dijimos en otro lugar, es muy posible que por varias razones de índole pública o privada Espronceda haya tardado en terminar la composición del cuento en verso que forma la segunda parte del libro.[47] Es verdad que en un suelto de *El Correo*

[44] Véase esta estrofa en la nota 8 de *El Estudiante de Salamanca.*

[45] Menos los vv. 232-233, quizá por mero descuido del tipógrafo, porque constan en el álbum del que vamos a hablar.

[46] Según lo reveló Natalio Rivas en el capítulo de su libro *Anecdotario histórico contemporáneo* (Madrid, 1944, pp. 105-114) titulado *Las primicias de* "*El Estudiante de Salamanca*", y que contiene la copia literal del fragmento en cuestión.

[47] Véase Clásicos Castalia, 20, p. 21; e *ibid.*, pp. 59-64, el prospecto y el prólogo de la edición de 1840, y la advertencia preliminar de la segunda edición de 1846.

Nacional del 21 de julio de 1839, dice el autor anónimo (sin duda Enrique Gil) que el volumen de *Poesías* de Espronceda "tiene por remate el bello cuento de *El Estudiante de Salamanca* que tan buena acogida encontró en el Liceo Literario y Artístico de esta capital"; pero las reseñas de las sesiones de esta sociedad publicadas en la prensa no son lo bastante detalladas para que podamos saber si Espronceda había leído en el Liceo antes de julio de 1839 las cuatro partes del poema o sólo algunos fragmentos. En 1838, dio a conocer *A una estrella* (julio) y *El Canto del Cosaco* (diciembre), y además compuso en colaboración con Eugenio Moreno López la comedia *Amor venga sus agravios*;[48] a principios de 1839 recitó en el Liceo la *Introducción* de *El Diablo Mundo* y en la misma sociedad dictó conferencias de literatura comparada.[49] Esta labor literaria y las actividades políticas, cada vez más importantes, del poeta pueden haber originado el abandono provisional de *El Estudiante de Salamanca*. Por todo ello pensamos que hubo varias etapas en la composición de dicha obra, entre fines de 1835 o principios de 1836, y fines de 1839 o principios de 1840. El cotejo de varias partes del cuento en verso con otras composiciones de la misma época permite, sino confirmar, al menos apoyar nuestra hipótesis, y dar cuenta de la significación más profunda que va cobrando conforme evoluciona poética y sicológicamente el poeta.

Propondremos pues se lea *El Estudiante de Salamanca* tal como pudo conocerlo el lector a través de los sucesivos fragmentos publicados. El primero (vv. 1-75 y 75a-75d) se sitúa en la misma corriente del romanticismo seudohistórico y medieval que el *Canto del cruzado*. Los temas y motivos son los mismos: noche oscura, tempestad, formas y ruidos misteriosos, ambiente terrorífico (no falta el "gótico castillo", aunque en Salamanca no existe tal edificio); la armadura del cruzado lanza algún destello a la luz de los relámpagos, lo mismo que la espada de Montemar cuando éste pasa por delante de la lámpara que alumbra

[48] Véase *ibid.*, pp. 19-20; p. 249, nota 152 y p. 254, nota 158.
[49] Véase la nota 30 bis de la presente *Introducción crítica*.

el crucifijo. La localización se hace poco a poco más precisa, pero el poeta no aclara (como en el *Canto del cruzado*) quién es el embozado que pasa por la calle del Ataúd (calle de Sevilla, y no de Salamanca). Luego surge la enigmática mujer que reza al pie de la cruz: parecido contraste vemos en el *Canto del cruzado*, entre el feroz guerrero desconocido y la bella Zoraida cuya canción oye al llegar cerca del castillo.

No se enlazan de un modo coherente estos primeros versos con la continuación de la parte primera, publicada íntegra, según dijimos, en junio de 1837. ¿Quién o qué es la "mística y aérea dudosa visión", el "vago fantasma" que aparece por momentos "cual ánima en pena del hombre que fue"? ¿Qué relación existe entre esta visión y la mujer que reza? ¿Qué es del hombre que avanza espada en mano hacia el fantasma? Espronceda deja al lector en la duda, y le ofrece sin transición el retrato de Montemar, seguido en otro abrupto contraste del de Elvira, revelando por fin sus desgraciados amores. Entonces es cuando empieza a tomar forma el cuento.

El tercer fragmento, escrito antes de septiembre de 1838, que forma los 78 primeros versos de la parte segunda es la continuación lógica del anterior. Además de las reminiscencias neoclásicas ya señaladas en el tratamiento del doble tema luna-noche, encontramos en él los mismos motivos que en el principio de la canción de Zoraida en el *Canto del cruzado*.[50] En ambos casos, el poeta describe una mujer meditando sobre su suerte en un jardín lleno de flores mecidas por la brisa. A partir del v. 212 ("¡Una mujer! Es acaso") el tono cambia, y el poeta pasa sin transición a unos motivos distintos: inquietud de Elvira que va y viene sin cesar mientras suspira y llora evocando su pasada felicidad; impasibilidad de la naturaleza ante la pena del ser humano; flores deshojadas símbolo de las ilusiones perdidas, tema éste derivado del de la vida corta de la rosa y que, según vimos, se va enriqueciendo con el tiempo en la poesía de Espronceda.

[50] Clásicos Castalia, 20, p. 210.

DIMENSIÓN SIMBÓLICA DE ELVIRA Y MONTEMAR

Después de este primer movimiento de la parte segunda, *El Estudiante de Salamanca* se desvía de la dirección que parecía tomar en sus primeros versos, cuyos fuertes contrastes y elementos pintorescos o anecdóticos proceden del "romanticismo" según *El Artista*. El cuento terrorífico se transforma en parábola.

El personaje de Elvira cobra mayor amplitud; de víctima de un seductor sin escrúpulos, pasa a ser, conforme avanza la parte segunda, el símbolo de la mujer que creyó encontrar en el amor la satisfacción de sus anhelos hacia lo infinito, y que, perdida su inocencia, se ve condenada a la desesperación por su condición de mujer. En un excelente artículo,[51] Francisco García Lorca ha demostrado que el elemento coherente de los temas de la poesía de Espronceda posterior a las canciones de 1835, y en especial del tema de las relaciones entre el hombre y Dios, es la concepción del amor como ideal inalcanzable:

> La pureza, la ilusión, son la fuente y el soporte del amor, pero éste tiende a realizarse, a satisfacerse. El amor que nace de ilusiones no puede alimentarse de ellas, la realización del amor engendra la impureza y con ella su muerte. Hay en Espronceda una terrible idea angustiosa de que el amor degrada. Lo que más alto hace subir el espíritu del hombre, lo único que puede encender en él la chispa divina, lleva en sí, inevitable, el germen de la corrupción. De la infeliz Elvira a la caída Jarifa hay un proceso fatal.

Por eso a partir de 1837 surge repetidas veces en la obra del poeta la obsesión del "mito del paraíso"; no sólo en el *Canto a Teresa*, sino ya en *A una estrella*, en *A Jarifa en una orgía* y en el soneto dedicatorio del volumen de 1840, donde se expresa la dolorosa soledad del hombre frente al mundo y al Cielo. La desesperación nace de la continua lucha entre los anhelos del corazón y la represión ejercida por la razón. "Y el poeta —escribe Francisco García

[51] Véase nuestra *Bibliografía selecta*.

Lorca— se vuelve contra ella [la mujer] al ver eternamente proyectada la sombra de la mujer primera, o la irritación se resuelve en un sentimiento de piedad que abarca lo mismo a la doncella alimentada por la pura ilusión del amor, que a la mujer ya caída que va consumando su propio drama espoleada por el deseo."

Pero podemos añadir que este trágico conflicto existe también en *El Estudiante de Salamanca*: el rebelde contra Dios es condenado por ese mismo Dios a reunirse en la muerte con la mujer que abandonó después de seducirla. También en este caso el amor es un frenesí, un desvarío que conduce a la blasfemia, a la negación absoluta, al aniquilamiento. "Sólo en la paz de los sepulcros creo", exclama el compañero de Jarifa, porque ha oído la voz de "acento pavoroso" que le ha condenado a la desesperación y a la muerte. Esta suprema verdad, Montemar la conoce sólo cuando Dios le impone el castigo del casamiento en la muerte, porque su lucidez permanece intacta hasta su último instante de vida. Elvira ha sucumbido al amor sensual y desde entonces perdió su inocencia y su pureza; la única compensación que le queda al frenesí de la pasión es el delirio.[52] Agotadas estas dos fuentes de ilusión, no tiene más remedio que resignarse a morir. Ofelia se suicida, Margarita logra salvarse por el arrepentimiento, pero Elvira muere por haber cedido a una pasión, por haber persistido en un pecado y negándose a volver al Señor.

Para dar igual dimensión simbólica a Montemar, Espronceda tenía que completar su retrato antes de mostrarle frente a frente con Dios. A tal deseo responde el cuadro dramático que constituye la parte tercera del poema. La forma adoptada permite imprimir mayor fuerza al diálogo entre Montemar y Diego de Pastrana; los únicos rasgos descriptivos se encuentran en la primera acotación en que está brevemente presentado el lugar de la escena. Las sucesivas peripecias se ofrecen directamente al lector que así puede seguir, como un espectador en el teatro,

[52] Véanse los vv. 298-302.

la evolución sicológica del protagonista. El poeta aprovecha los mismos recursos que los autores de comedias edificantes: forma, lenguaje, procedimientos, suspensión mantenida por la alternativa de pérdidas y ganancias de los jugadores, llegada inesperada del vengador, breves comentarios de los comparsas, pero con un fin totalmente distinto; a la súbita iluminación que provoca el arrepentimiento del pecador (clímax tradicional en tales comedias), Espronceda sustituye la cínica y reiterada afirmación de la rebeldía de su protagonista. Franco de Sena se juega los ojos, los pierde, se convierte: tal parábola está conforme con la moral tradicional. Al contrario, Félix juega el retrato de una mujer (transposición de la metáfora ojos = prenda amada), y además se burla de la ley del honor encarnada por el hermano de Elvira. Montemar ha mostrado su desprecio por todos los "valores" humanos; sólo le queda un adversario que arrastrar en una última jugada: Dios.

Negación e irrisión de la moral tradicional

De suma importancia es la citación de San Marcos (XIV, 38) que encabeza la parte cuarta de *El Estudiante de Salamanca*: "Spiritus quidem promptus est, caro vero infirma". Son éstas las palabras que Jesús dirige a los após-toles que se han dormido mientras él estaba orando en el Huerto. Tres veces les advierte que no cedan al sueño; la tercera, Jesús les dice: "Dormid ya y descansad: basta, la hora es venida; he aquí, el Hijo del hombre es entregado en manos de los pecadores. Levantaos, vamos: he aquí, el que me entrega está cerca" (XIV, 42-43). Montemar interroga tres veces a la mujer tapada; ésta le contesta primero con un "profundo gemido" cuyo sentido él no entiende; la segunda vez, se oye una voz melodiosa cantando:

> Para mí los amores acabaron,
> todo en el mundo para mí acabó.
> Los lazos que a la tierra me ligaron,
> el Cielo para siempre desató (v. 903-906).

Luego advierte a Félix: "Hay riesgo en seguirme", y al ver que éste no desiste de su intención, exclama: "—¡Cúmplase en fin tu voluntad, Dios mío!" Los apóstoles no entendieron los tres avisos de Jesús, y le abandonaron en el momento en que más necesitaba de ellos; el suplicio infligido por los pecadores va a poner término a su vida terrestre. Montemar desatiende las tres advertencias de Elvira, a la que contesta con palabras irónicas y blasfemias; entonces el rebelde va a ser conducido al reino de los muertos para recibir su castigo. El proceso de ambas parábolas es idéntico, pero su significación es radicalmente distinta: el Hijo del hombre resucitará porque llevó la palabra de Dios, pero Félix será precipitado en las tinieblas eternas por haber sido la encarnación del Mal, y haber tratado de descubrir los impenetrables secretos de Dios.

Nadie puede hacer desviar a Montemar; hacia la muerte física, no siente sino indiferencia, y no cree en las recompensas o castigos de la vida eterna: "Para mí no hay mañana ni ayer". La visión de su propio cadáver en un féretro es únicamente para él una "ilusión de los sentidos". De todo lo que se ofrece a su vista en su fantástico viaje con el fantasma de Elvira, edificios que se tambalean, ojos que le miran en la oscuridad, vertiginosa espiral de la escalera sin fin, gritos, alaridos y clamores, aparición del sepulcro en forma de tálamo, lúgubre epitalamio cantado por los muertos, nada de eso asusta a Montemar "al Dios por quien jura capaz de arrostrar".

Todos los temas o motivos aprovechados por Espronceda en esta parte cuarta proceden del fondo común de tradiciones anteriores ya utilizadas en romances, comedias, libros de hagiografía. Pero en estas últimas obras, su uso responde a un deseo de edificar al lector o al espectador y tienen un valor ejemplar dentro de la moral cristiana, porque en todos los casos el pecador acaba arrepintiéndose. Al contrario, estas manifestaciones de la ira de Dios no tienen ningún efecto en Montemar, que conserva libre su espíritu, incluso cuando le abraza el esqueleto. Antes de Espronceda, ningún escritor español había contado la historia de un hombre rebelde negándose hasta en la muerte a doblarse ante el poder divino. Entre todos los "burladores" (y es Montemar un burlador en todos los sentidos de la palabra), el protagonista de *El Estudiante de Salamanca* sólo se puede comparar con el dom Juan de Molière.

Antonio Machado entendió perfectamente el sentido del poema y la originalidad de Montemar en el que vio "la síntesis, o mejor, la almendra españolísima de todos los don Juanes", y supo discernir las intenciones profundas de su autor:

> Es Espronceda [...] un cínico en toda la extensión de la palabra, un socrático imperfecto, en quien el culto a la virtud y a la verdad del hombre se complica con el deseo irreprimible de ciscarse en lo más barrido, como vulgarmente se dice. El cínico, en clima cristiano, llega siempre a la blasfemia, de la cual se abstiene, por principio o por humor, su compadre el estoico.[53]

Las tres octavas finales sacan la moraleja del poema: en Salamanca, los hombres vuelven a sus acostumbradas ocupaciones, pero algunos sienten inquietud y miedo, porque, según se dice

> aquella noche el diablo a Salamanca
> había, en fin, por Montemar venido. (v. 1701-1702)

En realidad, no es el diablo, sino el ánima en pena de Elvira, quien vino por don Félix; y el lugar adonde lo ha llevado no puede ser el infierno, ya que allí estaba don Diego de Pastrana, el cual con toda seguridad no había merecido ser condenado. Así es que la última octava de *El Estudiante de Salamanca* contradice no sólo la letra sino el espíritu del cuento, aunque sólo aparentemente: la interpretación de los hechos referidos es la de la "sabiduría popular", en conformidad con las leyendas tradicionales, cuyo maniqueísmo responde a las necesidades de la edificación cristiana. Según dijimos más arriba, la parábola de Espronceda tiene una significación diametralmente opuesta, porque Montemar se niega a volver al "Bien" y se mofa de los

[53] A. Machado, *Juan de Mairena*. Buenos Aires, (1942), t. I, pp. 129-130.

avisos del Cielo, y porque, como el "libertin" de Molière, se niega a arrepentirse. Pero la "buena gente" de Salamanca interpreta la aventura de Félix de Montemar según la concepción tradicional del "Bien" y del "Mal". Para ellos, el diablo se ha llevado a Montemar que le había vendido su alma, única explicación posible, porque corresponde a la concepción cristiana tradicional de las relaciones entre Dios y la criatura humana. En realidad, Montemar es "el nuevo hombre, el hombre romántico, que se alza frente al misterio de la vida y de la realidad, y se encara con Dios en actitud de rebeldía satánica"; *El Estudiante de Salamanca* es la primera y única manifestación literaria en España del "romántico anhelo del alma ante el mundo y ante su misterio, el anhelo por descifrar el secreto de la realidad".[54]

La parábola de Montemar tiene la misma significación que el famoso artículo de Larra *El Día de difuntos*. Ambos escritores llegan a la misma conclusión implícita; España —o Madrid— en aquellos años no es sino un cementerio poblado de fantasmas, en medio del cual un espíritu libre y vuelto hacia el porvenir es víctima del trágico conflicto con una sociedad incapaz de integrarse al mundo moderno y de superar sus contradicciones fundamentales.

II

EL DIABLO MUNDO

LAS ETAPAS DE LA COMPOSICIÓN Y DE LA PUBLICACIÓN DEL POEMA

La edición príncipe de *El Diablo Mundo* fue publicada por entregas, saliendo a luz la primera a fines de julio de 1840 en la librería de Ignacio Boix. Poco menos de un año más tarde, el mismo editor imprimió la edición de tamaño mayor llamada por él "de lujo", que se compone de dos

[54] P. Salinas, *Ensayos de literatura hispánica*, Madrid, 1958, pp. 277-278.

tomos generalmente encuadernados juntos, y sirvió para establecer las ediciones sucesivas. Aunque en las bibliografías de Espronceda se suele citar la edición por entregas, parece que muy pocos críticos modernos la han visto, porque los ejemplares de la tal edición son de suma rareza: los únicos que conocemos son el de la biblioteca de don Antonio Rodríguez-Moñino,[55] y el de la Biblioteca del Museo Romántico de Madrid.

Los anuncios insertados en la prensa nos permiten reconstruir la cronología de la publicación de *El Diablo Mundo* y las etapas de la génesis y composición del poema. El prospecto apareció por primera vez en *El Corresponsal* del 22 de junio de 1840, y fue reproducido en las semanas siguientes en otras publicaciones periódicas.[56] En el *Diario de Madrid* del 24, 25 y 26 de julio, el editor Boix anunció que "la primera entrega que comprende el *Prólogo* y la *Introducción* a dicha obra está ya corriente; y la segunda estará a mediados de agosto, y sucesivamente se irán ofreciendo al público". En el número 8 de la revista *El Entreacto* (sin fecha, pero del 23 de julio de 1840), leemos que se hallan de venta el "cuaderno 1.º que comprende el prólogo y la introducción" y el "cuaderno 2.º que comprende el canto I. El cuaderno 3.º que se publicará a la mayor brevedad, completa el tomo primero de dicha obra"; el mismo anuncio, algo abreviado, aparece en *El Eco del comercio* del 27 de julio y, sin mención de la rebaja ofrecida a los suscritores de *El Entreacto* (4 reales en vez de 5 el cuaderno), en el *Diario de Madrid* del 21, 24 y 26 de agosto. Espronceda tardó en entregar al editor la continuación de *El Diablo Mundo*, y este retraso puede fácilmente explicarse por varios motivos: las numerosas actividades políticas

[55] Con su conocida generosidad, nuestro admirado y llorado amigo lo puso a nuestra disposición hace algunos años, y recientemente doña María Brey nos facilitó la fotocopia del mismo. Además, don Antonio tuvo la bondad de ofrecernos un ejemplar del cuaderno primero. En enero de 1973, la directora de los Museos de las Fundaciones Vega-Inclán, doña María Elena Gómez Moreno, tuvo la amabilidad de confirmarnos que el ejemplar conservado en la Biblioteca del Museo Romántico de Madrid era igual al de don Antonio Rodríguez-Moñino.

[56] Véase el texto de este prospecto, pp. 159-160.

del poeta en septiembre y octubre de 1840, y la muerte de su madre el 29 de dicho mes.[57] Todavía *El Cotidiano* del 10 de octubre y la *Gaceta de Madrid* del 7 de diciembre anuncian que sólo se han publicado los dos primeros cuadernos, aunque *El Corresponsal* del 20 de agosto prometía "a la mayor brevedad "el tercero" que contendrá el segundo canto completo". Hay que esperar hasta el 1.º de enero de 1841 para encontrar en el *Boletín bibliográfico* de Hidalgo (tomo II, núm. 1) el aviso de la puesta en venta de la "entrega 3.ª [...] con la cual se completa el primer tomo", confirmada en la rúbrica "Publicaciones nuevas" de *La Constitución* del 2 de enero. Como se sabe, el canto segundo de *El Diablo Mundo* contenido en este tercer cuaderno es el famoso *Canto a Teresa* el cual, según su mismo autor "no está ligado de manera alguna con el Poema". Es cierto que este "desahogo de [su] corazón" no tiene en rigor relación ninguna con la historia de Adán. Por eso nos parece muy probable que Espronceda, apremiado por su editor, le propusiera publicar el *Canto a Teresa*, como tercera entrega de *El Diablo Mundo* en espera de que tuviera tiempo de componer la continuación de las aventuras de su protagonista. Sabemos que Teresa murió en septiembre de 1839;[58] en sus biografías noveladas de Espronceda, Cortón, Guasp y López Núñez cuentan que el poeta compuso el famoso canto después de contemplar una noche entera el cadáver de Teresa de cuerpo presente en su habitación, que se podía ver desde la calle. Sin embargo, no hay ninguna prueba de que Espronceda haya realmente presenciado tal espectáculo; quizá se forjó la anécdota a partir del episodio de *El Diablo Mundo* (canto VI) en que Adán, después de salir del palacio de la condesa de Alcira, entra en un prostíbulo donde una anciana vela el cadáver de su hija. Es de creer que el poeta empezara a escribir el *Canto a Teresa* a raíz de la muerte de la mujer a que

[57] Véase Clásicos Castalia, 20, *Introducción biográfica y crítica*, pp. 21-22.

[58] Véase *ibid.*, p. 20. El original de la partida de defunción de Teresa desapareció en el incendio del archivo de la parroquia de San Lorenzo de Madrid; pero existe una copia de dicho documento en el archivo de Foulché-Delbosc (Institut d'Études Hispaniques, París).

tanto amara, es decir, a fines de 1839 (y, en todo caso, después de enterrada Teresa, según se puede deducir de los vv. 1746-1747 del *Canto II*: "Ante mis ojos la funesta losa, / donde vil polvo tu beldad reposa"), aunque muy bien lo pudo retocar más tarde, poco antes de publicarlo; así se explicaría además que no lo incluyera en el tomo de sus *Poesías* (puesto a la venta en mayo de 1840) entre las cuales por su carácter de efusión lírica encajara mejor que en *El Diablo Mundo.*

Después de la publicación de la tercera entrega del poema conteniendo el canto II, aparece un "fragmento inédito" del mismo, titulado *El Ángel y el poeta*, en el número 1 de la revista *El Iris* fechado en 7 de febrero de 1841. Aunque no adoptamos todas las conclusiones de F. Caravaca, creemos que está en lo cierto al suponer que este fragmento parece más bien formar parte de la *Introducción* o del canto I,[59] o al menos que por su contenido e inspiración guarda más estrecha relación con estas partes del poema. Añadiremos que quince versos de *El Ángel y el poeta* figuran en un manuscrito de Espronceda fechado: 1840,[60] de lo que se infiere que los versos publicados en *El Iris* fueron compuestos al menos unas semanas antes. Lo seguro es que Espronceda parece entonces, y a partir de la publicación de las dos primeras entregas, poco "seguro de poder dar cima a su empresa", según escribe Caravaca en su citado artículo: "lo que teme, y esto aparece ya al final del Canto I, es que, por falta de perspectiva, el asunto pierda todo vuelo y se convierta en una fábula sin grandeza humana [...] Y quizá no sea ajeno a esta premonición el dar a seguido el *Canto a Teresa* [...] con el fin, acaso, de ganar tiempo y de ver cómo salir del atolladero". Y como "es menester retornar a la narración, a la fábula, a lo episódico [...] Espronceda [...] vuelve los ojos a la tra-

[59] F. Caravaca, "Espronceda y el mundo caótico de *El Diablo Mundo*", *Les Langues Néo-Latines*, núm. 172, mars-avril 1965, pp. 41-59. El autor no conoce la edición "por entregas" del poema, ni la cronología de la publicación de los cuadernos de que se compone.

[60] Se trata del manuscrito descrito bajo el número 5 en la *Noticia bibliográfica* del presente volumen.

dición hispana en demanda de materia que le permita construir los sucesivos cantos del poema". Este cambio de rumbo de *El Diablo Mundo* aparece claramente en el canto III, que corresponde, quizá sólo en parte, según veremos, al cuarto cuaderno del poema, cuya puesta en venta anunció en la *Gaceta de Madrid* del 15 de marzo de 1841,[61] es decir, más de tres meses después del tercero. Sin embargo, parece que Espronceda había escrito al menos el principio del canto III en el año anterior, según se deduce del v. 1935. Que los amigos del poeta mostraban cierta impaciencia de ver publicada la continuación de la obra, lo prueba este suelto insertado en el número 7 de la *Revista de teatros* del 16 de mayo de 1841, y reproducido al día siguiente en *La Constitución*:

> Tenemos entendido que el señor de Espronceda ha concluido el canto IV de su poema *El Diablo Mundo*. El editor se prepara sin duda a su pronta publicación. Lástima es por cierto que cosa de tanto mérito, tan esperada y tan bien acogida, vea de tarde en tarde, y a tan largos intervalos, la luz pública.

Según parece, no tenía la culpa el solo editor. En *La Constitución* de 8 de junio de 1841, Boix publica un anuncio en que recuerda que "el precio de los cuatro cuadernos son 16 r[eale]s v[elló]n," (lo que indica que todavía no se había editado el canto IV), añadiendo que "se está imprimiendo una edición de lujo que se dará en pago a los que hayan comprado la primera". En la *Revista de teatros* y *La Constitución* del 20 de junio, así como en *El Correo nacional* del 23, nuevo anuncio: "Dentro de pocos días verá la luz pública el primer tomo del *Diablo Mundo*, poema de don José de Espronceda". Por estas fechas pues, el editor pone fin a la publicación de entregas de tamaño en 16 y reimprime el poema en el formato en 8.º marquilla,

[61] Y también en la revista *El Corsario* de Cáceres (núm. 19, 22 marzo 1841, p. 153). Ni el ejemplar antes aludido de *El Diablo Mundo* "por entregas" de la biblioteca de don Antonio Rodríguez-Moñino ni el del Museo Romántico contienen este cuarto cuaderno, que debía ser el primero del tomo segundo.

que también parece publica por cuadernos, según se deduce del siguiente anuncio de *La Constitución del* 1 y 2 de julio de 1841, repetido en *El Castellano* del 2:

> Los señores que hayan tomado los tres primeros cuadernos, se servirán pasar a la librería de Boix, calle de Carretas, núm. 8, a recoger la segunda edición de los mismos, y los cuadernos 4.º y 5.º con el retrato de su autor primorosamente litografiado, abonando el exceso. Está en prensa el 6.º cuaderno que se entregará a la mayor brevedad.

En el *Diario de Madrid* del 30 de junio, avisaba Boix a los lectores: "está en prensa el quinto cuaderno". Y, en *El Huracán* del 1.º de julio:

> El *Diablo Mundo* poema por don José Espronceda. Tomo primero que comprende la introducción y los cinco primeros cantos; un tomo en octavo prolongado de hermosa impresión con el retrato del autor litografiado. Se vende en la librería de su editor don Igancio Boix calle de Carretas; los señores que hubiesen tomado los tres cantos de la anterior edición se servirán llevarlos para recoger el tomo abonando el exceso.
>
> Está en prensa el 6.º cuaderno que se entregará a la mayor brevedad.

Todo esto resulta algo confuso. Sin embargo, queda bien claro que la edición en 16 que empezó a publicarse en 1840 sólo comprendía los tres primeros cantos, precedidos del prólogo de Ros de Olano y de la *Introducción*. Ahora bien, cada cuaderno de la primera edición se componía, al parecer, de un número variable de páginas: el primero —en nuestra posesión— tiene XXIV (prólogo)+24 (*Introducción* hasta el v. 327); es decir, que cada entrega contenía una parte más o menos importante del poema, pero no completa (*Introducción* o sucesivos cantos). Además, los términos empleados por Boix en el último anuncio citado no son claros; y parece que confunde la palabra *canto* con la palabra *entrega*, y además con la palabra *cuadro* en los siguientes anuncios de *La Constitución* (14 y 16 de agosto de 1841) y de *El Huracán* (18 de agosto):

El Diablo Mundo

Poema de don José de Espronceda.

El precio del primer tomo con retrato 28 rs. rústica edición de lujo. El cuadro 5.º primero del título 2.º está ya impreso.

Un simple repaso de la edición de 1841 muestra que ésta se compone de dos tomos: el primero, de 214 páginas más dos en blanco, formado por trece pliegos de 16 páginas más uno de 8 páginas; el segundo, de 88 páginas más dos en blanco, formado por seis pliegos de 16 páginas más uno de 4 páginas (2 impresas y 2 en blanco). El primero contiene el prólogo, la *Introducción* y los cantos I a IV; el segundo, los cantos V y VI. Cada "cuaderno" de la "edición de lujo" tuvo pues varios pliegos de impresión, según se deduce de otro anuncio, publicado en la *Revista de teatros* (entrega 10 del 1.º de enero de 1842):

El Diablo Mundo

Poema de don José de Espronceda. Se halla impreso el tomo 1.º que comprende cinco cuadernos, y el primero del 2.º tomo a 6 rs. cada cuaderno. El tomo 1.º con el retrato, 28 rs. rústica.

Recordemos que Espronceda salió de Madrid para La Haya el 6 de diciembre de 1841, y que volvió a la capital de España en los últimos días de febrero de 1842.[62] Tardó algún tiempo en componer o poner en limpio el canto VI, porque el anuncio de la publicación del "cuaderno 6.º, y 2.º del tomo segundo" apareció el 17 de abril de 1842 en el *Diario de Madrid*. Como se sabe, el poeta murió el 23 de mayo, dejando inacabado su gran poema.

En su continuación de *El Diablo Mundo* publicada en el *Semanario pintoresco español* en 1853, Miguel de los Santos Álvarez incluyó ocho octavas inéditas escritas por Espronceda poco antes de su muerte, y cuyo manus-

[62] *El Castellano*, 7 diciembre 1841 y 24 febrero 1842.

crito guardaba "un cariñoso amigo", según dice en una nota que reproducimos más lejos.[63] El manuscrito de las cuatro últimas se conserva hoy en el Archivo histórico nacional, donde lo hemos encontrado.[64]

Las estrofas dadas a conocer por Álvarez fueron recogidas por el colector anónimo del folleto titulado *Obras de don José de Espronceda* editado en Sevilla en 1869.[65] Las reprodujo también Laverde en sus *Páginas olvidadas* de Espronceda (Madrid, 1873), donde van seguidas de seis octavas más y el primer verso incompleto de una séptima, también inéditas.[66] Desde entonces, todas las ediciones han reproducido, en apéndice a *El Diablo Mundo*, estas catorce octavas y el fragmento publicado en *El Iris* a principios de 1841.

Propósito y límites de *El Diablo Mundo*

La idea de publicar *El Diablo Mundo* por cuadernos de precio relativamente barato responde al deseo de conseguir una difusión más amplia del gran poema; en efecto, este sistema de publicación se aplicaba entonces sólo a las llamadas "novelas por entregas", destinadas a un público que no tenía la posibilidad económica de comprar libros. Este mismo público, además, no era gran lector de poesía; la ficción novelesca, aparte del espectáculo teatral, bastaba a satisfacer sus anhelos de evasión. A estos lectores se dirige el editor en el prospecto cuando les advierte que el poema de Espronceda "pertenece a un género absolutamente nuevo en España, y que tiene también muy pocos puntos de contacto con los géneros de literatura que han cultivado los más célebres poetas del mundo". Entiéndase: no se tratará de una poesía que presupone entre el autor y el lector cierta complicidad cultural de tipo aristocrático

[63] En la *Noticia bibliográfica*, pp. 72-73.
[64] Véase la *Noticia bibliográfica*, p. 69.
[65] Sobre este folleto véase nuestra edición de *Poésies lyriques et fragments épiques* de Espronceda, París, 1969, pp. 57-59.
[66] Véase la *Noticia bibliográfica*, pp. 72-73.

para que el segundo pueda penetrar las intenciones del primero. La "idea original" de Espronceda consiste en presentar una visión del mundo no deducida de especulaciones metafísicas desarrolladas desde un punto de vista teórico y esgrimiendo argumentos tomados de los sistemas filosóficos, sino presentada directamente, a partir de hechos reales, cotidianos, localizados con precisión en un universo familiar a su lector, y haciendo intervenir personajes inmediatamente identificables. Para ello, usa de los recursos que le ofrecen los varios géneros de ficción literaria empezando por la novela, con el fin de mantener el interés por su poema "con lances raros y revuelto asunto" (v. 1357), anuncia que se propone contar

> Batallas, tempestades, amoríos,
> por mar y tierra, lances, descripciones
> de campos y ciudades, desafíos
> y el desastre y furor de las pasiones,
> goces, dichas, aciertos, desvaríos,
> con algunas morales reflexiones
> acerca de la vida y de la muerte,
> de mi propia cosecha, que es mi fuerte.
>
> En varias formas, con diverso estilo,
> en diferentes géneros, calzando
> ora el coturno trágico de Esquilo,
> ora la trompa épica sonando,
> ora cantando plácido y tranquilo,
> ora en trivial lenguaje, ora burlando,
> conforme esté mi humor, porque a él me ajusto,
> y allá van versos donde va mi gusto. (v. 1364-1379)

Este a modo de arte poética parece significar que Espronceda tiene intención de hacer de *El Diablo Mundo* una especie de corpus destinado a recoger el conjunto de su posterior obra en verso inspirada en los temas que le brinda la sociedad contemporánea introduciéndolos en la historia de Adán. No se trata sólo de procedimientos literarios, sino del planteamiento de una ética-estética nueva. En *El Estudiante de Salamanca*, se sirvió de una serie de temas y motivos tradicionales para componer su parábola del hombre titánico. Para dar más fuerza demostrativa a sus ideas, imagina seguir los pasos de un personaje sin pasado, por hipótesis rejuvenecido, virgen de alma y cuerpo, a través de varios medios sociales representados por algunos tipos característicos. Las sucesivas reacciones de Adán a los acontecimientos en que se encuentra mezclado como testigo o como actor ofrecen al poeta la posibilidad de encontrar un nuevo enfoque para su crítica. Lo "normal" para un madrileño de 1840-1841 —trátese de convenciones o jerarquías sociales, de política, de costumbres, de actitudes tradicionales consideradas como "decentes"— es visto entonces, a través de Adán, como "anormal", o cuando menos como raro o extraño. Las "morales reflexiones" consisten en las digresiones que tantos críticos juzgaron superfluas o incongruentes pero que en realidad responden a las intenciones del poeta tal como él mismo las definió en los versos citados más arriba. Con el volumen de *Poesías* se cierran las etapas primeras de Espronceda; con *El Diablo Mundo*, su obra toma un nuevo giro: como fragmentos —o digresiones, si se quiere— de este gran poema se pueden leer también *El Dos de Mayo* y *A la traslación de las cenizas de Napoleón*, en que expresó el deseo de abandonar los "estériles lamentos":

> No, que la inútil soledad dejando,
> la ciudad populosa
> con férrea voz recorreré cantando,
> y agitará la gente temerosa,
> como el bramido de huracán los mares,
> el son de mis fatídicos cantares.[67]

La profesión de fe contenida en estos versos explica la nota del autor al *Canto a Teresa*, y justifica que dicha nota se deba tomar al pie de la letra. La diferencia entre las últimas composiciones político-sociales citadas y *El Diablo Mundo* es que en éste la mordacidad adquiere en muchos

[67] Clásicos Castalia, 20, p. 274.

casos matices fuertemente irónicos y sarcásticos. Desde este punto de vista, nos parece representar un hito importante el violento ataque al conde de Toreno en la parte final del canto I (vv. 1396-1411).[68] Al principio del mismo canto (vv. 716-827), el humorismo consiste en una ironía ligera que el poeta se aplica en gran parte a sí mismo, y que opera en cierto modo como medio hábil para atraer la atención del lector antes de ofrecerle la descripción de las dos visiones que tiene el anciano, la de la Muerte y la de la Inmortalidad. Al contrario, el ataque a Toreno introduce unas punzantes reflexiones sobre los "buscadores de gloria", cuyo tono marcadamente satírico reaparece en los cantos tercero y cuarto. Es decir, cuando el poeta hace hincapié en la realidad contemporánea, para aprovecharla sea como motivo de reflexión personal, sea como material narrativo. Conforme avanza en la composición del poema, Espronceda se ciñe cada vez más a esta realidad circundante llevándonos de la calle de Alcalá a la cárcel, de la cárcel a los bajos fondos de Madrid, de allí al palacio aristocrático, del palacio al lupanar. De ello han concluido varios críticos que iba descaeciendo la inspiración del poeta, y que le faltaron fuerzas para "compendiar la humanidad en un libro", según las palabras de Ros de Olano. Es verdad que *El Diablo Mundo*, tal como nos ha llegado, es decir, inconcluso, no responde a definición tan ambiciosa. Pero debemos recordar que si su autor lo dejó sin acabar, no fue porque desistió voluntariamente de su empresa, sino porque le sorprendió la muerte cuando todavía estaba trabajando en el poema, y nadie puede decir qué rumbo le hubiera dado Espronceda, y si su protagonista hubiera traspasado en sus aventuras los límites del estrecho recinto de la capital de España, o al menos adquirido una dimensión simbólica más amplia. Lo único cierto es que el poema se nos ofrece como una obra sin precedente en la literatura española.

* * *

[68] Véase la nota 58 de *El Diablo Mundo*.

Para saber cuál era, al principio, el propósito de Espronceda, podemos referirnos al prólogo escrito por Ros de Olano para *El Diablo Mundo*. Empieza con un examen sintético y cronológico de las obras maestras de la literatura en relación con las sucesivas civilizaciones. Partiendo del principio que "el poeta es en el orden moral el jefe de la humanidad de su tiempo y de aquellas generaciones que vendrán", explica cómo a cada edad ("infancia, virilidad, madurez") corresponde un tipo de poesía que refleja los caracteres de la sociedad en un momento dado. Al primer período "inocente pastoril" atribuye los libros de la Biblia, la égloga, el idilio y el himno; luego viene la "edad heroica", cuya expresión es la poesía épica de Homero y de Virgilio; enfín la edad media que comienza con el triunfo del cristianismo, y cuya "pirámide" es Dante, "y su *Divina comedia* es un faro que domina resplandeciendo sobre las tinieblas de una época nueva, para más allá disiparlas". De Dante pasa a hablar de Shakespeare el cual aunque "encerró sus obras en las estrechas dimensiones del teatro [...] adelantó la forma del poema dramático que se había atrevido Dante a indicar sólo muy ligeramente", género luego cultivado por Goethe (*Faust*) y que Byron "impulsó a la perfección en el *Manfredo*". Ros de Olano dedica después un párrafo al *Genio del cristianismo*; la obra de Chateaubriand, a pesar de sus bellezas, le merece un juicio poco favorable: "no está madurada en el corazón, sino en el invernáculo del entendimiento [...] allí se ve al cristiano de oficio, y el escritor de profesión", es decir, que le parece demasiado fríamente demostrativa.

La época actual, según Ros de Olano, "es la de *reflexión* y examen", y necesita un poeta que escriba no tanto con "la cabeza por sí sola", como con un "corazón impresionable". Tal es el caso de Espronceda quien, para "compendiar la humanidad en un libro", ha roto "todos los preceptos establecidos, excepto el de la unidad lógica". Ahora bien, lo que más salta a la vista del lector es quizá la falta de tal "unidad lógica", acentuada por el carácter inacabado del poema. Ya hemos aludido, al referir las etapas de la publicación, a las dificultades con que Espronceda parece haber tropezado después de escritos y publicados la *Introducción* y el canto I; también hemos subrayado el cambio de tono que aparece al final de este mismo canto, y la ruptura que representa la inserción del *Canto a Teresa* en la historia de Adán. La definición de *El Diablo Mundo* por Ros de Olano, que acabamos de citar, no se puede aplicar con todo rigor ni al canto II, ni a los siguientes. Es que en realidad Ros sólo conocía, al escribir su prólogo, la *Introducción* y el canto primero (quizá aún sin acabar), como lo dijo él mismo en una frase que fue suprimida en la edición llamada "de lujo".[59] El breve resumen que da después del principio del poema termina en el momento en que "el hombre opta por la inmortalidad y rejuvenece". Es posible que el mismo Espronceda no tuviera entonces una idea bien clara de cómo "enseñarnos el mundo físico y moral, para probarnos que la inmortalidad de la materia es el hastío y la condenación sobre la tierra" según define Ros el propósito de su amigo al subrayar la diferencia fundamental entre el protagonista del poema y el Fausto de Goethe; éste "no es más que un mancebo a medias, porque su corazón es siempre el del doctor", mientras aquél "al retroceder en la carrera de la vida" vuelve a un estado de absoluta virginidad de alma y de juicio. Tal postulado tiene como inevitable consecuencia una intervención continua del poeta ("el disertador y el genio que penetra en las entrañas de su obra") en la acción, al menos al principio, ya que el protagonista rejuvenecido desempeña forzosamente un papel pasivo mientras no adquiere un mínimo de experiencia, no sólo de las relaciones sociales, sino del lenguaje.

Hasta el canto IV no aparece la forma dialogada porque es imposible hacer hablar a Adán. Por lo mismo en los cantos I y III el poeta no puede presentar los primeros episodios de la vida del protagonista sino en forma de narración comentada, lo que da lugar a numerosas digresiones que, a veces, llegan a perder toda relación con el tema principal (ejemplo límite, el *Canto a Teresa*). Notemos

[69] Véase la nota 4 de *El Diablo Mundo*.

que el poeta interviene como "disertador" en el canto IV sólo en las octavas finales, y en los últimos versos del canto VI; en el canto V, los únicos comentarios que hace son las notas explicativas de pie de página. Bien parece, pues, que la idea de rejuvenecer a su héroe borrándole todo recuerdo de su vida anterior representó una dificultad de la que Espronceda no tuvo quizá conciencia al concebir la idea de *El Diablo Mundo*, dificultad que sólo logró superar verdaderamente en los últimos cantos, es decir, a partir del momento en que Adán empieza a poseer una experiencia suficiente, una capacidad de reacción ante los acontecimientos lo bastante verosímil para que el poeta deje de intervenir a cada momento. Dicho de otro modo: *El Diablo Mundo* quedó interrumpido cuando empezaba a adquirir mayor coherencia y a conformarse más estrechamente con el propósito inicial, más bien intuído que meditado, de Espronceda.

EL PROBLEMA DE LAS INFUENCIAS Y LA ORIGINALIDAD DE *El Diablo Mundo*

Tocamos aquí una cuestión muy llevada y traída, y que ha sido objeto de numerosos estudios. ¿Se inspiró Espronceda en Byron o en Goethe? ¿O en los dos? ¿Fue un imitador consciente o inconsciente del poeta inglés? ¿Un plagiario? Los minuciosos cotejos de Churchman, de Esteban Pujals (cada uno con su chauvinismo personal) no han contribuido a una solución definitiva del problema, recientemente examinado con más objetividad por Martinengo.[70] Siguiendo al investigador italiano, diremos que se combinan en *El Diablo Mundo* las influencias de Goethe y de Byron, según se deduce del prólogo de Ros de Olano. Como lo apunta Martinengo, "*Faust* e *Diablo Mundo* si aprono

[70] Churchman y Pujals, *op. cit.* notas 27 y 28; Martinengo, *Polimorfismo nel "Diablo Mundo" d'Espronceda*, Torino, 1962; y también el extenso artículo de F. Caravaca en *Bol. de la Bibl. Menéndez y Pelayo*, 1969 (véase *Noticia bibliográfica*).

con la momentanea sospensione delle consuete leggi dell'universo, con una momentanea collusione di opposti princípi, che prelude al dramma"; por otra parte, hay en la *Introducción* y el canto primero del poema español analogías evidentes con algunos pasajes de la obra del escritor alemán,[71] la cual probablemente Espronceda conoció en la versión francesa publicada por Albert Stapfer en 1825.[72] Además, existen en *El Diablo Mundo* indudables afinidades con algunos poemas de Byron, en especial *Manfred* (concepción de la pasión como una destrucción de la mujer amada) y *Caín* (rebeldía y satanismo), aunque *Manfred* es "il dramma di un titanismo aristocratico ed intellectualistico e il poema di Espronceda, nel quale sono bensi presenti motivi di titanismo, non già intellectualistico tuttavia, ma estetico e passionale".[73] Otro aspecto byroniano del poema: las digresiones humorísticas y satíricas; sin embargo, es preferible hablar en este caso, no de imitación, sino "di maniera comune ad entrambi i poeti",[74] recordando además lo que dijimos más arriba acerca de dichas digresiones como recurso estilístico en cierto modo impuesto por el postulado inicial del poema. Demuestra muy bien Martinengo que la manera byroniana desaparece gradualmente a partir de la mitad del canto tercero, es decir, cuando el conflicto de Adán con la sociedad origina una serie de cuadros satíricos; hay entonces una confluencia de estos nuevos temas con los visionarios y metafísicos desarrollados en la *Introducción* y el canto primero.[75]

En su discurso académico de 1870, Patricio de la Escosura opinó que "para buscar el contraste directo y brusco entre la naturaleza humana, en su estado más inculto, y la civilización, en su inmoralidad más profunda, sin acudir a prodigio alguno [el rejuvenecimiento] hubiera podido lograrse: un salvaje cualquiera, como el *Ingenuo*

[71] Martinengo, *op. cit.*, pp. 33-52.

[72] ID., "Espronceda ante la leyenda fáustica", *Rev. de Literatura*, t. XXIX, 1966, pp. 35-55. Para más detalles, remitimos a este artículo y al libro del mismo autor citado en la nota anterior.

[73] ID., *Polimorfismo...*, p. 60.

[74] ID., *ibid.*, p. 71.

[75] ID., *ibid.*, pp. 79-80.

de Voltaire, por ejemplo, hubiera llenado los fines del autor".[76] Américo Castro apuntó en 1920 algunas semejanzas entre *El Diablo Mundo* y el cuento de Voltaire;[77] prosiguiendo el cotejo de ambas obras, Martinengo puso de relieve los aspectos temáticos comunes al cuento y al poema: la reacción de las señoritas de Kerkabon y de Saint-Yves a la vista del Hurón desnudo, y la de la mujer del regidor a la vista de Adán también desnudo (vv. 2397-2404, 2452-2460, y 2493-2516); el nombre de Hércules dado al Ingenuo, y también atribuido a Adán por Espronceda (vv. 2289, y 2383-2384); carácter instintivo del impulso erótico del protagonista (vv. 3365-3444); educación social llevada a cabo en la cárcel (canto IV); libertad del preso pagada por los favores de la mujer que le ama (vv. 3813-3816).[77 bis] Es verosímil que Espronceda haya recordado —insistimos: quizá inconscientemente— la novela de Voltaire al imaginar determinados episodios de *El Diablo Mundo*. Discrepamos, sin embargo, de Martinengo cuando propone ver en la Salada un traslado más o menos fiel de la "grisette" de Béranger;[78] tal comparación nos parece algo forzada, ya que —como lo reconoce el investigador italiano— Espronceda podía encontrar en los sainetes del siglo XVIII, en los romances de ciegos e incluso en la sociedad misma en que vivía, posibles modelos de este personaje.

El gran mérito del estudio de Martinengo reside en el enfoque nuevo del problema de las posibles fuentes e influencias. Se equivocaron Mazzei y Farinelli al considerar *El Diablo Mundo* como "un poema metafisico mancato, poiché non si mantiene all'altezza volute (dai critici)"[79] tomando como punto de referencia el *Faust* de Goethe o los grandes poemas de Byron. La obra de Espronceda se caracteriza por su polimorfismo, y este carácter dis-

[76] P. de la Escosura, *Discurso...*, Madrid, 1870, p. 103.

[77] A. Castro, "Acerca de *El Diablo Mundo* de Espronceda", *Rev. de filología española*, t. VII, 1920, pp. 374-378.

[77 bis] A. Martinengo, *op. cit.*, pp. 83-91.

[78] ID., *ibid.*, pp. 95-96.

[79] ID., *ibid.*, p. 136.

tintivo debe tenerse en cuenta porque en él consiste la originalidad del poeta español. Éste utiliza el humorismo como medio para liberarse gradualmente "dall'impostazione faustina che aveva scelto como la più consona all'argomento 'sublime' dell'*Introducción*, sottoponendola all'azione corrosiva di una maniera ironica e motteggiatrice, che ha molti punto di contatto con quella byroniana del *Don Juan*".[80] Al polimorfismo temático va estrechamente unido el polimorfismo del lenguaje y de la versificación; el paso constante del estilo elevado al estilo llano, del léxico noble al léxico familiar o trivial, de formas estróficas rígidas a otras más flexibles corresponde a unas rupturas intencionales. Escribe Ros de Olano en su prólogo: "Esa *sinuosidad* del *Diablo Mundo* es la superficie de la tierra: aquí un valle, más adelante un monte, flores y espinas, aridez y verdura, chozas y palacios, pozas inmundas, arroyos serenos y ríos despeñados". Así, y no comparándolo implícitamente con sus supuestos modelos, debemos leer *El Diablo Mundo* para penetrar las intenciones de Espronceda, quien sustituyó a la tradicional armonía imitativa, lo que Ros llama acertadamente la "armonía del sentimiento" que permite al poeta expresar "en todo un poema no sólo lo que sus palabras retratan, sino hasta la fisonomía moral que caracteriza las imágenes, las situaciones y los objetos de que se ocupa".

Considerado desde tales puntos de vista, *El Diablo Mundo* aparece como un poema que tiene una unidad profunda, que las comparaciones superficiales no permitían descubrir, como "una sorta di epopea umoristica [...] un fedele riflesse del gran teatro del mondo, ove si rappresentano spettacoli nei quali il riso —ora festoso, ora rassegnato, ora amaro— di gran lunga prevale sugli altri moti dell' animo".[81]

* * *

[80] ID., *ibid.*, p. 101. Remitimos al capítulo de este libro (pp. 101-119) titulado *Funzione critica e funzione narrativa dell'umorismo.*

[81] ID., *ibid.*, pp. 136-137.

Confirma esta interpretación un texto que Martinengo no tuvo en cuenta, y que es tan importante como el prólogo de Ros de Olano, ya que nos permite conocer la concepción que Espronceda tenía de la poesía y del papel del poeta cuando estaba componiendo *El Diablo Mundo*. Este texto es la ya citada reseña, publicada por Enrique Gil, de la primera conferencia de literatura moderna comparada dictada por nuestro poeta en el Liceo de Madrid a principios de abril de 1839.[82] Coinciden su división de la historia del mundo en épocas y su caracterización de las correspondientes literaturas con las que propuso Ros de Olano en el prólogo del poema. Destacan en la lección inaugural de Espronceda dos ideas importantes: las contradicciones provocadas por la constante tensión entre el espíritu y la materia, teniendo en cuenta que "las diversas condiciones morales o religiosas en que vive [el hombre] no pueden alterar su esencia"; así, pues, en la edad moderna más que en la antigua "presenciamos [...] el espectáculo de la lucha del ser físico con el moral". La solución de este conflicto puede encontrarse en la sumisión al orden divino prescrita por la moral católica o bien, en sentido contrario, en la rebelión titánica. La segunda actitud supone que quien la adopta no se conforma con la existencia del mal ni acepta la manera tradicional de explicar su presencia y de combatirlo en el mundo de los hombres. Posición ésta poco cómoda, ya que produce en el espíritu un desasosiego y una ansiedad que precisamente son las características de la mentalidad romántica (que desde luego no tiene nada que ver con el romanticismo seudohistórico practicado por los redactores de *El Artista* y por el conformista Zorrilla) encarnada en España en dos escritores, Larra y Espronceda. Según éste, las épocas de la humanidad están marcadas sea por grandes acontecimientos, sea por grandes hombres que ofrecen a los seres humanos la posibilidad de "salir de sí mismo para llenar con ideas más nobles el vacío de su corazón". El caudillaje de la humanidad pertenece al bardo y al soldado

[82] Véase la nota 30 bis.

alternativamente; ambos "marcan lo mismo [...] sus épocas en la historia, con la diferencia, sin embargo, de que el poeta no ha menester más ejércitos ni compañeros que su inspiración para cumplir su misión sobre la tierra". Al poeta, "hay una voz que desde el porvenir le llama", porque a él toca, en la época moderna, ser el que muestra e ilumina el camino que debe seguir la multitud para llegar al progreso y a la felicidad.

Según Espronceda, "los grandes poetas modernos son [...] Dante, Shakespeare, Cervantes, Goethe y Byron", en lo que coincide otra vez con Ros de Olano (aunque éste no cita, en su prólogo, al autor del *Quijote*). Interesantísima es la opinión de Espronceda sobre los dos últimos escritores: "consideró a Goethe como el completador de la lengua y poesía moderna alemana, y como el primero que ascendió el yugo de la literatura francesa, y finalmente miró en Lord Byron la expresión fidelísima y cabal de este deseo vago, de esta ansiedad y de esta duda que trabajan y devoran a la actual sociedad, haciéndole volver los ojos llenos de lágrimas hacia lo pasado que no ha de tornar y hacia el porvenir cubierto de nubes todavía". Esto ayuda a comprender por qué Espronceda concibió *El Diablo Mundo* como obra destinada a ser una versión española, pero en ningún caso una imitación servil, del *Faust* de Goethe y del *Manfred* o el *Caín* de Byron, combinando en una síntesis original los aspectos visionarios de la primera con el titanismo y el humorismo sarcástico de las segundas, y pasando progresivamente del mundo de las ideas puras al de la realidad, incluso de la más sórdida.

No hay, pues, contradicción, sino continuidad en estos sucesivos y distintos aspectos del poema: "La gran emoción, la salvación del Romanticismo es poder creer, es saber que junto a lo normal y lo regular se vive en lo excepcional y lo extraordinario".[83] Esta dualidad de lo vivido se refleja

[83] J. Casalduero, *op. cit.*, p. 230. No nos es posible, en esta breve introducción, estudiar todos los aspectos de *El Diablo Mundo* y todos los problemas que plantea. El análisis más detenido y más acertado del poema es el que publicó el mismo Casalduero en su excelente libro *Forma y visión de "El Diablo Mundo" de Espronceda*, Madrid, 1951, al cual remitimos. (Hay una 2.ª ed. de 1975.) El

en la dualidad continua del poema y ya aparece en su título, que enuncia como un postulado la permanencia del mal entre los hombres.

El Diablo Mundo DENTRO DEL ROMANTICISMO ESPAÑOL

"A pesar de sus fallos y del innegable matiz provinciano de sus pretensiones trascendentales, *El Diablo Mundo* es, sin duda, la obra más interesante del romanticismo español, merecedora de un puesto de honor en la historia de nuestra poesía que actualmente no muchos le otorgan". Así se expresa Jaime Gil de Biedma,[84] al poner de relieve los aspectos originales de la obra inacabada de Espronceda, que supo, a partir de su experiencia personal, expresar "la experiencia y la conciencia de la Humanidad". Ello explica que haya sido comparado con Byron, al faltar los puntos de referencia en la tradición literaria indígena. Si, como lo han demostrado varios críticos, es evidente que existe una innegable afinidad entre el vate inglés y el escritor castellano, no es porque, como lo han pensado algunos, éste se propusiera ser un imitador de aquél. Cotejar algunos aspectos literarios o estilísticos puramente formales constituye un análisis superficial, ya que se reduce a un simple mimetismo lo que en realidad responde a una visión del mundo en gran parte común a dos escritores, que si bien se expresan por medios que inevitablemente tienen entre sí algunas semejanzas, es cierto que no basta levantar acta de ellas para esgrimir argumentos a favor o en contra de la originalidad de Espronceda.

Por otra parte, se suele considerar lo que se llama "romanticismo español" según una perspectiva unitaria que no permite discernir los caracteres propios de cada uno de sus representantes. Si bien se admite que el costumbrismo

---

comentario sumamente detallado del eminente crítico es imprescindible para quien quiera hacer una lectura meditada del poema.

[84] En su prólogo a una antología de Espronceda, Madrid, Alianza Editorial, (1966), pp. 18-19.

crítico practicado por Larra es totalmente distinto del costumbrismo conformista de Mesonero o Estébanez Calderón, en cambio se acostumbra situar al mismo nivel poetas tan diferentes entre sí como Martínez de la Rosa, Rivas, Espronceda y Zorrilla. Las tímidas concesiones del primero no representan sino un intento de establecer un imposible término medio entre el neoclasicismo y el gusto nuevo. La obra de Rivas se sitúa en la línea del romanticismo de cuño schlegeliano defendido por Agustín Durán en su famoso *Discurso* de 1828, y que tiende a la exaltación de las tradiciones nacionales que el mismo Lista, entre 1828 y 1833, acabó por aceptar porque vio en ella una eficaz barrera contra el "liberalismo democrático y revolucionario" (según escribía en la *Gaceta de Bayona*) al que se venía identificando el movimiento romántico francés. Zorrilla, por su parte, es el versificador fecundo que se definió a sí mismo como el trovador de "lo español" y "lo cristiano", que cantó los "valores eternos" de su patria en una poesía perfectamente intranscendente cuyos caracteres evidentes son las más de las veces la afectación y el nacionalismo obtuso. *La Conjuración de Venecia*, *Don Álvaro*, las *Poesías* de Zorrilla pertenecen a lo que Larra llamó "una literatura reducida a las galas del decir, al son de la rima [...] que concede todo a la expresión y nada a la idea",[85] obra de escritores que no supieron o no quisieron "sacudir las cadenas de la rutina"; y "Fígaro" concluía: "Nuestro Siglo de Oro ha pasado ya, y nuestro siglo XIX no ha llegado todavía".[86] Frase importante, porque revela que Larra se daba cuenta de que el romanticismo monárquico y tradicionalista tal como lo entendían Durán, los redactores de *El Artista* y el mismo Rivas era, en 1835-1836, una concepción anticuada, que condenaba la literatura a un formalismo tan dañino como el de los neoclásicos, porque no correspondía al estado de la sociedad española. Lo que Larra deseaba era "una literatura hija de la experiencia

[85] "Literatura", *El Español*, 18 enero 1836; B.A.E., t. CXXVIII, p. 134.
[86] Reseña de las *Poesías* de J. B. Alonso, *Revista Española*, 19 febrero 1835; B.A.E., t. CXXVII, p. 456.

y de la historia y faro, por lo tanto, del porvenir; estudiosa, analizadora, filosófica, profunda, pensándolo todo, diciéndolo todo en prosa, en verso" y también "al alcance de la multitud ignorante aún; apostólica y de propaganda; mostrando al hombre no *como debe ser*, sino *como es* para conocerle; literatura, en fin, expresión de la ciencia de la época, del progreso intelectual del siglo".[87] Al contrario, Lista escribía hacia 1839: "No puede haber *belleza* en una composición contraria a las buenas costumbres; porque la deformidad moral es la mayor de todas, y basta a destruir todos los rasgos del cuadro mejor acabado".[88] Para él, pues el escritor debe conformarse con las reglas de un "buen gusto" cuyos límites son los mismos que los de un código de moralidad del que quedan excluidas a priori cualquier forma de inquietud metafísica, cualquier problemática social o intelectual heterodoxas (en la acepción más estrecha de la palabra). Tal concepción está en completo desacuerdo con la mentalidad romántica, nacida de la crisis de conciencia que empezó a manifestarse a lo largo del siglo XVIII en Europa, menos en España, donde la tradición moral y el dogmatismo, el absolutismo político y religioso impidieron la propagación de las ideas de progreso, según lo demostró muy bien Larra en la primera parte de su artículo *Literatura* ya citado, en que se encuentra el eco de los escritos de Henri Heine, y unas definiciones del papel del escritor inspiradas en las teorías sansimonianas.[89] El literato, y en especial el poeta, debe ser el guía que conduce los hombres por la vía del progreso, que ilumina el camino hacia el porvenir. "Un grande hombre —dijo Espronceda en su primera conferencia de literatura comparada pronunciada en 1839— es la idea general de su siglo, más una idea propia y peculiar que

[87] *Art. cit.* en la nota 85.

[88] A. Lista, "De la supuesta misión de los poetas", en *Ensayos literarios y críticos*, Sevilla, 1844, t. I, pp. 168-169.

[89] Estudiamos más detenidamente estos aspectos de la obra de Larra y de Espronceda, y en general la problemática del romanticismo español en nuestra tesis doctoral (citada en la nota 1 de la presente *Introducción crítica*), cuyas conclusiones sólo podemos brevemente resumir aquí.

ordene y dirija el impulso de la primera". Esta concepción coincide con las de Víctor Hugo, Lamartine y Vigny después de 1830 y con la del mismo Heine. Mientras tanto, Ochoa y sus amigos en 1835-1836, y más tarde Zorrilla, defienden un romanticismo seudo-histórico y arcaizante derivado de la primitiva *Romantik* alemana, y artificial porque es puramente esteticista, del que decididamente se apartó Espronceda a partir de la *Canción del pirata*. Recordemos las definiciones de J. Aynard: "Nous appellerons romantiques ceux qui ont montré une sensibilité douloureuse excitée par le sentiment de la fin d'un monde"; el romanticismo "est né avec la désillusion [...] Ce qui est commun à tous les romantiques, c'est l'inquiétude morale, religieuse ou métaphysique, c'est un manque de foi et non une foi".[90]

Las canciones de 1835 y *El Estudiante de Salamanca* ilustran esta actitud de rebelión contra los valores tradicionales y la sociedad, que provoca la duda en el hombre y le lleva a rechazar todo lo que impone límites a la curiosidad intelectual, o trabas a la libertad del espíritu. Así Lisardo es el símbolo de "el alma rebelde"; es

> el hombre, en fin, que en su ansiedad quebranta
> su límite a la cárcel de la vida.

Esta definición también puede ser la del Adán de *El Diablo Mundo*. Personaje sin pasado ni recuerdos, el viejo rejuvenecido se encuentra de pronto enfrentado a una sociedad regida por el mal; en ella imperan la hipocresía, el prosaísmo, la codicia, el afán de gloria, la indiferencia al dolor, la mezquindad, que denunciara Espronceda en el *Canto del Cosaco*, *A la traslación de las cenizas de Napoleón*, el *Dos de Mayo*, y en sus artículos *Política general.*[91] En todos estos escritos en verso o en prosa, el poeta describe efecti-

[90] J. Aynard, "Comment définir le romantisme?", *Revue de littérature comparée*, 5.ᵉ année, 1925, pp. 641-658. Véase también, sobre el romanticismo seudo-histórico, Clásicos Castalia, 20, *Introducción biográfica y crítica*, páginas 35-36.

[91] Véase Clásicos Castalia, 20, *Introducción biográfica y crítica*, pp. 39-41.

vamente "al hombre no *como debe ser*, sino *como es*", según lo deseaba Larra. En el canto III de su poema, Espronceda ofrece una revista de la sociedad madrileña pintada sin la menor indulgencia al referir las reacciones provocadas por la aparición de Adán desnudo. Nos muestra al pintor que a Dios pide "no inspiraciones [...] sino doblones"; al escritor que reparte su actividad entre la redacción de artículos de noticias para ganarse la vida y el trato de las Musas; al tendero imbuido de su importancia y muy pagado de sí mismo por la autoridad que le da su cargo de regidor; a los defensores de la moralidad pública, a los gobernantes que se apresuran a publicar bandos en la *Gaceta* para fustigar la "anarquía"; a los pequeños burgueses miedosos revistiendo su uniforme de urbanos; a la "canalla odiosa", a la "turba de viejos que ha mandado y manda" prontos a asustarse cuando surge cualquier acontecimiento capaz de perturbar "el orden". Muy lejos estamos aquí de la literatura a ras de tierra que ilustran Bretón, Mesonero, López Pelegrín o Segovia, campeones de las virtudes burguesas e incansables anatematizadores de todo cuando podría empañarlas o mermarlas. En aquellos años 1836-1839, la monarquía y la sociedad de la Francia de Luis Felipe son un modelo ideal para los monárquico-constitucionales moderados que están en el poder. En la medida en que lo permiten los medios económicos de España, los moderados intentan adaptar el ejemplo del país vecino, pero no quieren que pasen los Pirineos los gérmenes destructores que la monarquía de Julio lleva en sí, trátese de las doctrinas de la oposición socializante o republicana, o en otro nivel de las obras literarias que las predican o las fortalecen por las críticas, implícitas o explícitas, que contienen. En las columnas de su *Semanario pintoresco*, Mesonero Romanos combate sin cesar lo que por su parte Durán y Lista llaman y seguirán llamando el "romanticismo malo" de la "exagerada escuela" de Víctor Hugo, George Sand, Alexandre Dumas, oponiéndole el "romanticismo bueno" de ascendencia schlegeliana y nacionalista. Así nacen entonces, aparte de las inconsistentes comedias de Bretón, aquellos dramas híbridos en los que las más veces triunfa el idealismo remilgado y el patrioterismo ramplón; aquellos cuadros de costumbres superficiales, raquíticos y conformistas; aquellas poesías en que Zorrilla y sus émulos pierden el aliento para dar por sublime la hinchazón de un estilo rimbombante y declamatorio. En esa literatura, no aparece ni una chispa de verdadera pasión, de inquietud por el porvenir o siquiera por el presente, en una palabra, nada de lo que forma la esencia del espíritu romántico. Lo mismo que el neoclasicismo moratiniano respondía a las necesidades políticas del absolutismo borbónico,[92] este "nacional-romanticismo" aburguesado está al servicio del liberalismo moderado, mercantilista y "bien-pensant".

Considerar a Espronceda como un "poeta maldito" a lo Rimbaud sería un anacronismo; *El Diablo Mundo* nada tiene que ver con *Une saison en enfer*, y los propósitos de ambos escritores son distintos. Para el poeta español, se trata de demostrar, como lo indica claramente el título de su última obra inacabada, que el mal reina en el mundo y en el corazón del hombre. Recuérdense las palabras del ángel caído en la *Introducción*:

> Tú me engendraste, mortal,
> y hasta me distes un nombre;
> pusiste en mí tus tormentos,
> en mi alma tus rencores,
> en mi mente tu ansiedad,
> en mi pecho tus furores,
> en mi labio tus blasfemias
> e impotentes maldiciones;
> me erigiste en tu verdugo,
> me tributaste temores,
> y entre Dios y yo partiste
> el imperio de los orbes.
> Y yo soy parte de ti,
> soy este espíritu insomne
> que te excita y te levanta

[92] Véase el excelente libro de R. Andioc, *Sur la querelle du théâtre au temps de Leandro Fernández de Moratín*, Tarbes, 1971.

de tu nada a otras regiones,
con pensamientos de ángel,
con mezquindades de hombre. (V. 424-441.)

Algunos poetas han ilustrado este combate interior por medio del mito de Prometeo, encarnación de la criatura humana en lucha contra Dios —o los dioses; para otros, Satán representa el espíritu en rebelión contra la ignorancia sostenida por el fanatismo. En el poema de Espronceda, el mal forma parte del hombre y, por consiguiente, de la sociedad de los hombres, del mundo. Frente a este problema, existen dos actitudes: la primera consiste en refugiarse en la acción o en la contemplación; la segunda —la de Espronceda—, en demostrar la imposibilidad de escapar al mal.[93] Por eso la aventura de Adán se anuncia desde el principio como un fracaso:

Del falso mundo al engañoso cebo
corre y brinda bondad, brinda cariño,
y el mundo que al placer falaz provoca,
dolor da en cambio al alma que lo toca. (V. 2969-2972.)

El mundo no conoce ni admite la inocencia y los sentimientos puros; así el amor es también un imposible, porque es un mal condenado como tal por los hombres. Desde este punto de vista, no sólo se explica el fracaso de la pasión de la Salada por Adán, sino que cobra su verdadero sentido el *Canto a Teresa*, en el cual Espronceda expresa su rebelión contra todo lo que ha hecho de esta mujer, al principio "cristalino río, / manantial de purísima limpieza", un "estanque, en fin, de aguas corrompidas". Para vivir plenamente su amor, ella tuvo que infringir las reglas de la sociedad:

Mas ¡ay! que es la mujer ángel caído
o mujer nada más y lodo inmundo,
hermoso ser para llorar nacido

[93] Sobre estas cuestiones, véase V. Černý, *Essai sur le titanisme...*, Prague, 1935.

> o vivir como autómata en el mundo;
> sí, que el demonio en el Edén perdido
> abrasara con fuego del profundo
> la primera mujer, y ¡ay! aquel fuego
> la herencia ha sido de sus hijos luego. (V. 1707-1715.)

Teresa, lo mismo que toda mujer, sigue siendo culpable del pecado original, cuyas consecuencias no le queda más remedio que asumir; pero Teresa no quiso resignarse a "vivir como autómata", porque era

> espíritu indomable, alma violenta,
> en ti, mezquina sociedad, lanzada
> a romper tus barreras turbulenta. (V. 1773-1775.)

Como la Elvira de *El Estudiante de Salamanca*, prefirió ceder a su pasión, lo que le valió el desprecio de la sociedad, el progresivo hundimiento moral del que sólo la muerte la podía libertar. En cuanto al hombre que se arroja lleno de esperanza "en alas de [su] ardiente fantasía", no tarda en perder sus ilusiones, porque no encuentra nada que pueda colmar sus anhelos infinitos:

> Yo me lancé, con atrevido vuelo
> fuera del mundo en la región etérea,
> y hallé la duda, y el radiante cielo
> vi convertirse en ilusión aérea.
>
> Luego en la tierra la virtud, la gloria
> busqué con ansia y delirante amor,
> y hediondo polvo y deleznable escoria
> mi fatigado espíritu encontró.[94]

La indiferencia que encuentra lo mismo en la tierra que en el cielo es una idea que aparece varias veces como un leit-motiv doloroso en las últimas obras de Espronceda. La pregunta "¿Quién es Dios?" de la *Introducción* de

[94] *A Jarifa en una orgía*, vv. 61-68. Clásicos Castalia, 20, p. 261.

El Diablo Mundo no tiene respuesta, y de aquí nace la angustia que sólo con el sarcasmo el poeta llega a superar:

> mi propia pena con mi risa insulto,
> y me divierto en arrancar del pecho
> mi mismo corazón pedazos hecho. (V. 1841-1843.)

Espronceda es el único escritor de su generación que demuestra la imposibilidad de conciliar la experiencia terrestre con la creencia en un mundo justo y armonioso. Para ello, como ya lo dijo Larra, habría que rechazar unas tradiciones caducas, que cambiar radicalmente las costumbres, que establecer una ética nueva conforme con la problemática del progreso y de la libertad individual, política, industrial, estética. Fue también el solo poeta que supo expresar el "desasosiego mortal" de que hablaba "Fígaro". Según escribió un excelente estudioso del romanticismo español: "Despite the sheers of Peers and others at Espronceda as a thinker, the poet here [en *El Diablo Mundo*] reveals himself fully conscious of the metaphysical crisis of his times and in possession of a clearly defined intellectual response to it".[95] Puesto que el romanticismo es revolucionario por esencia, no pueden ser calificadas de románticas las obras que lo son sólo por fuera, es decir, aparentemente y bajo el aspecto estético, tales como las de Zorrilla y de Rivas (aunque *El Moro expósito*, y sobre todo los *Romances históricos* son de una refinada elegancia que no logró nunca alcanzar el autor de los *Cantos del Trovador*). La poesía tal como la conciben estos dos poetas no puede ser más que verbalista, porque su calidad reside en la virtuosidad del artista en desarrollar motivos y temas rebatidos. Los sentimientos expresados son sentimientos positivos, cuando no superficiales, que no traducen nunca una auténtica y perdurable inquietud espiritual; la felicidad

[95] Donald L. Shaw, "Towards the Understanding of Spanish Romanticism", *The Modern Language Review*, 1963, vol. LVIII, pp. 190-195. Véase también, del mismo autor, "The Anti-Romantic Reaction in Spain", *ibid.*, 1968, vol. LXIII, pp. 606-611.

o la desdicha están descritas como manifestaciones provisionales de la condición humana a priori aceptada como tal. En una palabra, esta poesía es edificante, ejemplar, ortodoxa. Según ella, cualquier conflicto entre el hombre y la sociedad tiene su origen en el hombre mismo, quien por hipótesis no tiene derecho a rechazar el sistema moral que sustenta el orden político y social. En el "nacional-romanticismo" zorrillesco, en el costumbrismo de Mesonero, la realidad no es objeto de discusión, ni puede serlo. Ya que el mundo es así por la voluntad de Dios, es impío el que recusa el orden, en el plano cósmico o en el plano de lo cotidiano. Pero el hombre romántico no considera el mundo como una máquina perfecta, sino como un misterio, un enigma cuya clave posee el ser supremo a quien se dirige no para adorarle, sino para interrogarle sobre sus secretos designios. En Espronceda, la rebelión contra la realidad responde al profundo impulso vital del hombre tal como lo concibió la mentalidad romántica, y no es sólo gesticulación y palabrería. Y en este sentido, *El Diablo Mundo* es el único verdadero poema romántico español.[96]

ROBERT MARRAST

[96] No deja de sorprender que el joven investigador Domingo Ynduráin saque de su estudio estilístico de fragmentos de algunas obras de nuestro poeta (*Análisis formal de la poesía de Espronceda*, Madrid, 1971), conclusiones injustificadas sobre el "señoritismo" y la afectación del poeta, fundadas en posiciones tan apriorísticas como las que él mismo recusa en otros críticos. Todo ello por desconocimiento —¿o deliberada ignorancia?— de la evolución de Espronceda, de los escritos en que define muy claramente su ética y su ideario económico, social y político; y —lo que es más grave— por una visión superficial y errónea del romanticismo europeo, del español en particular. El trabajo lingüístico de Ynduráin, muy loable en sí, desemboca en conclusiones muy apresuradas basadas en un conocimiento muy flojo de la sociología de la literatura; y el constante afán en demostrar la insignificancia, para no decir más, del autor de *El Diablo Mundo*, calificado de "señorito chisgarabís" en el prólogo del libro quita, por lo tanto, a éste el debido rigor científico.

NOTICIA BIBLIOGRÁFICA

MANUSCRITOS

1) Borrador autógrafo de los vv. 1301-1332 de *El Estudiante de Salamanca*. Una cuartilla recto-verso.
   Arch. particular de D. Manuel Núñez de Arenas, Burdeos.

2) Borrador autógrafo de los vv. 633-651 de *El Diablo Mundo*. Una cuartilla incompleta; al margen, de puño y letra de la hija del poeta: "De mi padre" y la firma: "Blanca de Espronceda".
   Biblioteca del Museo Romántico de Madrid, Vega-Inclán, Int-59, núm. 722.

3) Borrador autógrafo de los vv. 936-979 de *El Diablo Mundo*. Una hoja de papel sellado 4.º de 40 mrs., año de 1823.
   Arch. particular de D. Manuel Núñez de Arenas, Burdeos.

4) Borrador autógrafo de los vv. 33-64 de los fragmentos del *Canto VII* de *El Diablo Mundo*. Una cuartilla recto-verso.
   Archivo Histórico Nacional, Madrid. Diversos, Autógrafos, leg. 6, núm. 270 (Colección Sanjurjo).

5) Copia autógrafa de los vv. 69-83 de *El Ángel y el poeta*, precedidos del título *Fragmento*; al pie, la fecha: "1840" y la firma "José de Espronceda". Una hoja doblada apaisada de papel vitela, que parece haber formado parte de un álbum.

[1] Únicamente describimos aquí los manuscritos que contienen fragmentos de los dos poemas editados en el presente libro. Ignoramos el paradero actual del manuscrito del *Canto a la Inmortalidad* de *El Diablo Mundo* (es decir, de los vv. 1104-1283) que poseía en 1884 el periodista Acacio Cáceres Prat, el cual indicó en una nota de su artículo "Espronceda" publicado en *La Época* del 22 de mayo de dicho año, que el tal manuscrito le había sido regalado por la hija del poeta.

Ms. descrito y publicado por Churchman ("[Espronceda] More inédita", *Revue hispanique*, t. XVII, 1907, pp. 706 y 733-734; el facsímil, en una lám. fuera del texto entre las páginas 704 y 705).

Biblioteca Nacional, Madrid, Ms. 1863,30

6a) Borrador autógrafo de los vv. 1554-1688 de *El Estudiante de Salamanca*. Dos cuartillas recto-verso.

Posesión de D. Enrique Montero, Librería El Callejón, Madrid.

6b) Borrador autógrafo del *Canto a Teresa* [Canto II de *El Diablo Mundo*]. Ocho hojas en folio, 31 × 21 cm.

Posesión de D. Enrique Montero. Encuadernado con el anterior, en tela roja, con adornos dorados en las tapas. Sobre la tapa superior, tiene, en letras de oro, de menor a mayor, la siguiente inscripción: CANTO A TERESA / AUTÓGRAFO COMPLETO / DE / ESPRONCEDA. Entre las hojas de respeto después de la segunda, tiene un papel pequeño pegado que dice: "Canto a Teresa, autógrafo completo de José de Espronceda. 1810 [sic]-1842 = pesetas 1.250". [1 bis]

FRAGMENTOS SUELTOS

Fragmentos de *El Estudiante de Salamanca*
publicados antes de la primera edición de las *Poesías*

El Estudiante de Salamanca, cuento, en *El Español* (Madrid), 7 marzo 1836. Firma: "José de Espronceda".

[1 bis] Teníamos ya preparada la presente edición cuando tuvimos noticia, por el hijo de su poseedor, de la existencia de los manuscritos que acabamos de describir [6a) y 6b)]. Don Enrique Montero, en carta del 10 de junio de 1976, nos facilitó con su conocida generosidad los datos que damos aquí sobre los manuscritos de su posesión, y puso a nuestra disposición una fotocopia de los mismos, autorizándonos a utilizarla para nuestra edición. Estamos convencidos de que se trata del primer borrador del poema quizá más famoso de Espronceda, y por ello queremos hacer constar aquí nuestro más profundo agradecimiento al señor don Enrique Montero: escasos son, en efecto, los detentores de manuscritos de grandísimo interés que aceptan, hoy día, comunicarlos a los estudiosos. Añadiremos que el señor Montero, a nuestra petición, tuvo además la gentileza de mandar hacer un dibujo de las filigranas del papel de dicho manuscrito; desgraciadamente, en la filigrana no consta fecha de fabricación ninguna (lo que hubiera sido de sumo interés para fijar la fecha de composición); únicamente se compone de una P dentro de una orla de follaje.

Son los vv. 175 y 75a-75d.[2] Fragmento reproducido en los periódicos de Barcelona *El Guardia Nacional* (2 mayo 1836) y *El Vapor* (11 julio 1836).

El Estudiante de Salamanca, en *Museo artístico literario* (Madrid), núm. 4, 22 junio 1837, pp. 26-28. Firma: "José de Espronceda".

Comprende toda la *Parte primera*, es decir los vv. 1-179 (incluidos los vv. 75a-75d). Va precedido de la siguiente advertencia de los editores de la revista: "Los cuatro primeros párrafos de la composición que insertamos han visto ya la luz pública, en el *Español*, hace muchos meses. La aprobación que merecieron al público nos ha movido a rogar al autor, nuestro amigo D. José de Espronceda, que nos facilitara el resto de la composición, que hoy ofrecemos a nuestros lectores; con la seguridad de que nos agradecerán haberles proporcionado estos versos, suaves, armoniosos, y valientes como todos los de su joven y estimable autor".

Fragmento del cuento del Estudiante de Salamanca, en *La Alhambra* (Granada), t. II, núm. 3, 30 junio 1839, p. 33. Firma: "J. de Espronceda".

Son los vv. 180-257 del poema, es decir, los primeros de la *Parte segunda* (faltan los vv. 232-233). Hay la siguiente nota al título: "Habiéndose presentado en la Asociación [literaria de Granada] los distinguidos literatos don José Espronceda y don Miguel de los Santos Álvarez, admitidos en la misma por aclamación, tuvieron la bondad de franquear las dos poesías que nos apresuramos a insertar, y cuyo mérito conocerán los lectores".[3] En su artículo "Bibliographical Notes" (*Hispanic Review*, t. IV, 1936, pp. 283-287), M. A. Buchanan reprodujo en facsímil la página de la revista que contiene este fragmento. En Carratraca, el 7 de setiembre de 1838, Espronceda había transcrito estos mismos versos en el álbum de doña María de los Dolores Massa y Grano de Heréns.[4]

Fragmentos de *El Diablo Mundo* publicados
antes de la edición llamada "de lujo" (1841), o póstumamente

El Ángel y el poeta. Fragmento inédito del Diablo Mundo, en *El Iris* (Madrid), núm. 1, 7 febrero 1841, pp. 23-24. Firma: "José de Espronceda".

[2] Véase la nota 2 de *El Estudiante de Salamanca*.

[3] La página 34 contiene el poema de Álvarez titulado *¡Pobres niños!* Sobre el viaje a Granada de los dos amigos, véase nuestro folleto *Espronceda, articles et discours oubliés...*, París, 1966, pp. 12-13.

[4] Véase *supra*, p. 32.

El ms. 5 descrito más arriba contiene los vv. 69-83 de este fragmento, que no fue incluido ni en la ed. del poema por entregas de 1840-1841, ni en la de 1841. No se sabe, pues, si formaba parte de una primera redacción de la *Introducción*, o bien si estaba destinado a un canto que Espronceda proyectaba componer cuando le sorprendió la muerte. Fue recogido por primera vez en el folleto titulado *Obras de don José de Espronceda* (Sevilla, Imp. de S. Acuña y Cía, 1869),[5] y luego en las *Páginas olvidadas de D. José de Espronceda* publicadas por Gumersindo Laverde (Madrid, Medina y Navarro, s.a. [pero 1873]; reimpresiones: Madrid, Simón y Osler, 1875 y 1882). Luego se incluyó en todas las ediciones posteriores.

El Diablo Mundo. I Fragmento [vv. 1852-1920]. *II Fragmento* [vv. 2114-2156], en *El Pensamiento*, núm. 1, 15 mayo 1841, pp. 18b-20a. Firma: "José de Espronceda".

Son dos fragmentos del principio del canto III.

Fragmentos de El Diablo Mundo. Canto V, cuadro II, escena I, en *El Pensamiento*, núm. 2, 31 mayo 1841, pp. 33b-38a. Firma: "José de Espronceda".

Son los vv. 4336-4687 del canto V.

[Ocho octavas inéditas de *El Diablo Mundo* incluidas por Miguel de los Santos Álvarez en su continuación del poema de Espronceda], en *Semanario pintoresco español*, 9 enero 1853, p. 15b.

Son los vv. 1-64 de los *Fragmentos del Canto VII*, acompañados de la nota siguiente de Álvarez: "Las ocho octavas que van en letra bastardilla, son acaso los últimos versos que escribió Espronceda. Son las únicas que gracias al cuidado de un cariñoso amigo que las guardaba, he podido hallar, de algunas, no muchas, que pudo escribir Espronceda en sus *últimos* días, principiando este canto, del cual no habíamos hablado y que al tiempo de nuestra separación tenía sólo dos octavas, ajenas del todo a la historia de Lucía. A los once días de mi salida de Madrid, murió Espronceda. El cariño es supersticioso y expansivo; ahora va a saber el lector el motivo de estos detalles y de esta nota. Concluida ya mi continuación, cuando he encontrado este fragmento, he podido introducirle en el texto, sin quitar ni poner una letra en los últimos pensamientos del amigo querido, ni en los versos míos. Esta perfecta y misteriosa simpatía en la intención, es para

[5] Véase la descripción detallada de este folleto en nuestra edición de las *Poésies lyriques et fragments épiques* de Espronceda, París, 1969, pp. 57-59.

mí un gozo íntimo inexplicable, que no será turbado en lo más leve, por la idea que me asalta de la diferencia traidora que ha de nacer y alimentarse en el desempeño de la obra. No es el amor propio, es el cariño, la inspiración de mi canto, que más que al público, va dirigido en ofrenda a una sombra más santa y más querida de mi corazón que la de la gloria". (Nota reproducida en la p. 21 del t. III de las *Tentativas literarias, versos*, por M. de los S. Álvarez, Madrid, Biblioteca Universal, 1888 y reimpresiones posteriores). Los vv. 33-64 figuran en el ms. 4 descrito más arriba. Estas ocho octavas fueron recogidas en el folleto ya citado (*Obras de don José de Espronceda*) impreso en Sevilla en 1869, y luego por Laverde en sus *Páginas olvidadas* (1873).

Fragmento del canto VII de El Diablo Mundo, en *Páginas olvidadas de don José de Espronceda* [recogidas por G. Laverde], Madrid, Medina y Navarro, s.a. [pero 1873], pp. 40-45.

Comprenden los 64 versos publicados por Álvarez en 1853 (véase el artículo anterior), seguidos de 5 octavas inéditas y el primer verso inacabado de la sexta. Nota de Laverde: "Dio a luz el primero de estos trozos el Sr. D. Miguel de los Santos Álvarez en su notable continuación del poema de Espronceda; debemos el segundo a la bondad del Sr. de Cueto, quien lo hubo del Sr. D. José de Zaragoza, en cuyo poder obraba el original autógrafo, escrito por el célebre poeta pocos días antes de su fallecimiento. No es fácil adivinar el orden en que los habría colocado Espronceda".

Fragmento [de *El Ángel y el poeta*], en *Revue hispanique*, t. XVII, 1907; pp. 733-734.

Son los vv. 69-83 publicados por Churchman según el ms. de la B.N.M. descrito más arriba (núm. 5).

Principales ediciones

En la *Noticia bibliográfica* de nuestra edición de las *Poesías líricas y fragmentos épicos* de Espronceda (Clás. Castalia, t. XX, páginas 47-50) dimos una lista comentada de las ediciones más importantes de sus *Poesías* seguidas de *El Estudiante de Salamanca*, y de las de sus *Obras poéticas* (todas póstumas) que contienen además *El Diablo Mundo*. Remitimos al lector a dicha lista, presentando a continuación la descripción abreviada de las ediciones incluidas en ella:

Poesías de don José de Espronceda. Madrid, Imp. de Yenes, 1840 (ed. príncipe de *El Estudiante de Salamanca*); París, Imp. de

H. Fournier, 1840; Madrid, Imp. de D. Antonio Yenes, 1846; Madrid, Imp. de D. Cipriano López, 1857; Madrid, Imp. de Policarpo López, 1874.[6]

Obras poéticas de don José de Espronceda ordenadas y anotadas por J. E. Hartzenbusch. París, Baudry, 1848, 1851, 1856, 1858, 1862, 1865, 1867, 1870 y s.f. [pero 1879].

Obras poéticas de don José de Espronceda. París, Garnier hermanos, 1869, 1871, 1873, 1876, 1882, 1885, 1889, 1900, 1920, 1923.

José de Espronceda. *Obras poéticas y escritos en prosa*. Colección [...] ordenada por D. Patricio de la Escosura. Madrid, E. Mengíbar, 1884; Buenos Aires-Madrid, J. Roldán y Cía, 1926.

José de Espronceda. *Obras poéticas*. Colección [...] dirigida [...] por José Cascales Muñoz. Madrid, Rivadeneyra, s.f. [pero 1923].

José de Espronceda. *Obras poéticas I. Poesías* y *El Estudiante de Salamanca*. Edición [...] de J. Moreno Villa. Madrid, La Lectura, 1923 (Clásicos castellanos, 47); Madrid, Espasa-Calpe, 1933, 1942 y 1952.

José de Espronceda. *Obras poéticas completas*. Recopilación de J. J. Domenchina. Madrid, M. Aguilar, 1936, 1942, 1945, 1951, 1959 y 1972.

Obras completas de D. José de Espronceda. Edición [...] de D. Jorge Campos. Madrid, Ed. Atlas, 1954 (Biblioteca de Autores Españoles, continuación, t. LXXII).

José de Espronceda. *El Diablo Mundo. El Estudiante de Salamanca. Poesías*. Edición, prólogo y notas de Jaime Gil de Biedma. Madrid, Alianza Editorial, 1966. (Col. "Libro de bolsillo".)

José de Espronceda. *Poesías completas*. Edición a cargo de don Juan Alcina Franch, catedrático. Barcelona, Ed. Bruguera, 1968.

José de Espronceda. *El Estudiante de Salamanca. El Diablo Mundo*. Madrid, Ed. J. Pérez del Hoyo, 1970.

José de Espronceda. *Obras poéticas. El Pelayo. Poesías líricas. El Estudiante de Salamanca. El Diablo Mundo*. Prólogo de Juana de Ontañón. México, Porrúa, 1972. (Col. "Sepan cuantos...", núm. 202).

Ediciones de *El Estudiante de Salamanca*

El Estudiante de Salamanca, por D. José Espronceda. Madrid, Impr. y libr. de Gaspar, 1876, ilustr. (Bibl. ilustrada de Gaspar y Roig). Reimpresiones: 1881[7] y 1888. (Con un prólogo anónimo.)

[6] La tirada de la edición de 1874 fue de 500 ejemplares (Registro General de la Propiedad Intelectual, libro 18, folio 425, inscripción núm. 8925).

[7] Tirada de 4000 ejemplares (*Ibid.*, libro 11, folio 38, inscripción núm. 5038).

El Estudiante de Salamanca, and other Selections from Espronceda. Edited by George Tyler Northup. Boston, Ginn and C.°, (1919). (International Modern Language Series); segunda ed., 1926.

Contiene, además del *Cuento*, una selección de poesías líricas y el *Canto a Teresa*. Es la primera edición comentada de *El Estudiante de Salamanca.*

Espronceda, *El Estudiante de Salamanca* (precedido de una *Note* por E. Allison Peers). Cambridge, At the University Press, 1922 (Cambridge Plain Texts); reimpresión: 1957.

José de Espronceda, *El Estudiante de Salamanca.* Barcelona, Ed. de Javier Garriga, 1947. Ed. de X + 400 ej. numerados.

José de Espronceda, *El Estudiante de Salamanca.* Edición, prólogo y notas de José Fradejas Lebrero. Ceuta, Ed. Cremades, 1961 (Bibl. Clásicos Bachillerato, núm. 15).

José de Espronceda, *El Estudiante de Salamanca.* Edición, prólogo y notas por Carlos Beceiro. (Madrid), Aguilar, (1965). (Bibl. de iniciación hispánica.)

José de Espronceda, *El Estudiante de Salamanca.* Edición de Benito Varela Jácome. Salamanca, Anaya, (1966). (Bibl. Anaya. Serie "Textos españoles", 71); [segunda edición, revisada y aumentada], Madrid, Ediciones Cátedra, S. A., (1974). (Col. "Letras Hispánicas".)

José de Espronceda, *El Estudiante de Salamanca.* Prólogo de Joaquín del Moral Ruiz. Madrid, Col. "Libra", 1971.

Ediciones de *El Diablo Mundo*

El Diablo Mundo, Poema de D. José de Espronceda. Madrid, Imp. de Boix, editor, 1840.

Edición llamada "por entregas". El ejemplar de la Bibl. de don Antonio Rodríguez Moñino, así como el conservado en la Bibl. del Museo Romántico de Madrid, contienen: pp. I-XXIX, *Prólogo* de Ros de Olano; páginas 1-127, *Introducción, Canto primero, Canto segundo.* Bajo el núm. 83073, Palau describe en su *Manual del librero* un ej. de 178 páginas, es decir, conteniendo quizá el *Canto tercero* o parte de él.

El Diablo Mundo, Poema de don José de Espronceda. Madrid, I. Boix, editor, 1841.

El tomo I (214 pp.) contiene: el *Prólogo* de Ros de Olano, la *Introducción* y los cantos I, II, III y IV; el tomo II (88 pp.), los cantos V y VI. Los dos tomos están encuadernados juntos. Reimpresiones: Madrid, Lib. de A. Boix, hermano y Cía, ed., 1848 (Imp. de Mariano Díaz y Cía), y 1849.

El Diablo Mundo, Poema de D. José de Espronceda. Dedicólo a su amigo don Antonio Ros de Olano. Madrid, Impr. de Gaspar y Roig, 1852. (Bibl. ilustrada de Gaspar y Roig.) Reimpresiones: 1861, 1865, 1868, 1869, 1872, 1875, 1880 y 1882.[8]

Precedido de un prólogo anónimo, e ilustrado con grabados por Bravo.

El Diablo Mundo, Poema de don José de Espronceda. Madrid, Perlado, Páez y Cía, 1875. (Col. de los mejores aut. ant. y mod. nac., y extr., t. XIX [Bibl. Universal].) Reimpresiones: 1882, 1899, 1903, 1908 y 1919; en la misma col., pero por la editorial Hernando: 1924, 1932 y 1935.

Espronceda. II. *El Diablo Mundo*. Edición y prólogo de José Moreno Villa. Madrid, La Lectura, 1923. (Clásicos castellanos, 50). Reimpresiones: 1938 y 1955.

Adaptaciones y parodias

Parodia cachonda de El Diablo Mundo, por Alejo de Montado, miembro robusto y erguido de la "Sociedad Virguera" del Olimpo, catedrático por oposición en la Universidad libre de Sodoma; socio corresponsal del Instituto culográfico de Nápoles; presidente honorario de la Academia del "Bello Placer", caballero gran cruz de la empinada orden de "Príapo"; cruz y placa de la del "Monte Venus"; cruz sencilla del mérito rojo del menstruo de la casta Susana; cojonudo autor de varias obras morales, etc..., etc. Olimpo, Imprenta Mitológica, 1880.

Hemos visto un ejemplar de este rarísimo libro en la Biblioteca de don Antonio Rodríguez-Moñino; lleva un ex-libris a nombre de Antonio Pérez Gómez. Contiene la *Introducción* y los cantos 1.ª y 2.º. Ignoramos quién se escondía bajo el seudónimo de "Alejo de Montado"; la impresión es de Madrid.[9]

Martín de Samos [seudónimo de Mariano Miguel de Val y Samos, y Adolfo Bonilla y San Martín], *El Burlador de Salamanca*, leyenda lírica de José de Espronceda, adaptada la escena en dos

[8] La edición de 1882 tuvo una tirada de 500 ejemplares (*Ibid.*, libro 11, folio 40, inscripción núm. 5040).

[9] N. Rivas Santiago, en su libro *Anécdotas y narraciones de antaño...* (Barcelona, Ed. Juventud, 1943, pp. 144-148) habla de una parodia del principio del *Canto a Teresa* escrita en Cauterets (Francia) por S. Granés, en el año de 1879 o 1880. Para la bibliografía de los continuadores de *El Diablo Mundo*, véase el artículo de N. Alonso Cortés citado en nuestra *Bibliografía selecta*.

actos, en *Ateneo*, año tercero, 1908, t. I, pp. 203-233; y Madrid, (Imp. Bernardo Rodríguez), 1908.[10]
Prólogo fechado en 20 de abril de 1907. Dicen los adaptadores: "En esta refundición hemos conservado *rigurosamente* el pensamiento de Espronceda, aprovechando también algunas estrofas de *El Diablo Mundo*, y la poesía *A una dama burlada*; los versos que hemos añadido van marcados con un asterisco."

Ignoramos si las siguientes obras líricas (que no nos ha sido posible consultar) tienen relación con el poema de Espronceda: *El Estudiante de Salamanca*, de Manuel Merino y Ceferino R. Avecilla, música de Luis Pujol; *Un estudiante de Salamanca*, zarzuela de Oudrid, representada en 1867 en los Bufos de Madrid.

La emisión en dos partes de Michel Mitrani, basada en una idea de José Bergamín, titulada *Les anges exterminés* (Los ángeles exterminados), y presentada en el canal 1 de la Televisión Francesa los 15 y 18 de enero de 1968 (duración total: 2 h. 30) comprendía, además de varios extractos de obras dramáticas o literarias españolas, una escenificación de los cuadros IV y V de *El Estudiante de Salamanca*. Todos los textos fueron traducidos por André Camp; existe una versión castellana de la misma emisión, que queda todavía inédita.[11]

[10] Tirada de 500 ejemplares (Registro General de la Propiedad Intelectual, libro 74, folio 161, inscripción núm. 30909).
[11] Debemos estos datos a nuestro amigo André Camp, a quien damos aquí otra vez las más expresivas gracias.

BIBLIOGRAFÍA SELECTA

SOBRE *El Estudiante de Salamanca* Y *El Diablo Mundo*[1]

Allen Jr., Rupert C. "El elemento coherente de *El Estudiante de Salamanca*: la ironía", *Hispanófila*, año sexto, segundo número, 17, enero, 1963, pp. 105-115.

Alonso Cortés, Narciso. *Anotaciones literarias*. Valladolid, Impr. Vda. de Montero, 1922. (En las pp. 96-112: *Los continuadores de "El Diablo Mundo"*.)

Argüello, Alberto L. "Zorrilla y *El Diablo Mundo*". *Bol. de la Bibl. Menéndez y Pelayo*, 1931, núm. extraordinario en homenaje a D. Miguel Artigas, I, pp. 112-118.

Banal, Luisa. "Il pessimismo di Espronceda e alcuni raporti col pensiero di Leopardi". *Rev. crítica hispano-americana*, IV, 1918, pp. 89-134.

Baxter Roberts, Graves. *The Epithet in Spanish Poetry of the Romantic Period*. University of Iowa Studies, 1936.

Buchanan, Milton A. "Bibliographical Notes". *Hispanic Review*, 1936, IV, pp. 283-287.

Caballero, J. A. "El amor en Bécquer y en Espronceda". *Poesía Española*, 1970, núm. 216.

Caravaca, Francisco. " 'Dramatis personae' en *El Diablo Mundo* de Espronceda", *Cuadernos Hispanoamericanos*, núm. 177, septiembre 1964, pp. 356-372.

[1] Sólo damos aquí una lista de los más interesantes estudios sobre los dos poemas publicados en el presente volumen. Aunque los citamos, a veces, en nuestra *Introducción* crítica, no repetimos las referencias de los libros y artículos referentes a la vida y obra en general de nuestro poeta citados de la *Bibliografía selecta* de nuestra edición de las *Poesías líricas y fragmentos épicos* (Clásicos Castalia, t. 20, pp. 51-53).

——. "Notas sobre el humorismo de Espronceda en *El Diablo Mundo*". *Revista hispánica moderna*, 30, 1964, pp. 119-125.

——. "Romanticismo y románticos españoles (VII). Espronceda y el mundo caótico de *El Diablo Mundo*", *Les Langues néo-latines*, núm. 172, mars-avril. 1965, pp. 41-64.

——. "Las posibles fuentes literarias de Espronceda en 'El Diablo Mundo' ". *Bol. de la Bibl. Menéndez y Pelayo*, XLV, 1969, pp. 271-325.

Carnero, Guillermo. *Espronceda*. (Madrid), Ediciones Júcar, (1974). (Col. "Los poetas", 11.)

Casalduero, Joaquín. *Forma y visión de "El Diablo Mundo" de Espronceda*. Madrid, Ínsula, 1951; [segunda edición], Madrid, Ediciones José Porrúa Turarzas, S. A., (1975).

——. "El arte de Espronceda" [sobre *El Estudiante de Salamanca*]. *Los Sesenta* (México), núm. 1, 1964, pp. 93-98.

Castro, Américo. "Acerca de *El Diablo Mundo*, de Espronceda". *Rev. de filología española*, VII, 1920, pp. 374-378.

Černy, Václav. "Quelques remarques sur les sentiments religieux chez Rivas et Espronceda", *Bulletin hispanique*, t. XXXVI, 1934, pp. 71-87.

Coello y Quesada, Diego. "Poesías de don José Espronceda. Artículo 3.º y último. *Poesías líricas*. *El Estudiante de Salamanca*, cuento". *El Corresponsal*, 27 mayo 1840.

Entrambasaguas, Joaquín de. "Ascendencia y descendencia de 'El Estudiante de Salamanca' ". *Sí* (Suplemento de *Arriba*), 23 mayo 1942.

Esquer Torres, Ramón. "Presencia de Espronceda en Bécquer". *Rev. de filología española*, XLVI, 1963, pp. 329-341.

Foster, David William. "A Note on Espronceda's Use of Romance Meter in *El Estudiante de Salamanca*". *Romance Notes*, VII, 1965-1966, pp. 16-20.

Frutos, Eugenio. "En torno a 'El Diablo Mundo' (Glosas a un libro de Casalduero)". *Ínsula*, núm. 118, 15 octubre 1955.

García Lorca, Francisco. "Espronceda y el Paraíso". *The Romanic Review*, XLIII, 1952, pp. 198-204.

[García de Villalta, José]. "Literatura: Poesía. *El Diablo Mundo*, poema de don José de Espronceda". *El Labriego*, t. II, núm. 51, 7 octubre 1840, pp. 431-433. (Art. anónimo, pero atribuible al director del periódico.)

Gauthier, Michel. *Espronceda et le Romantisme brésilien*. Tesina de licenciatura dirigida por los profs. Robert Ricard y U. T. Rodrigues. París, 1954 (ejemplares mecanografiados).

Haemel, Angela. "Der Humor bei José de Espronceda". *Zeitschrift für Romanische Philologie*, XLI, 1921, pp. 389-407 y 648-677.

Hafter, Monroe Z. "*El Diablo Mundo* in the light of Carlyle's *Sartor Resartus*." *Rev. Hisp. Mod.*, XXXVIII, 1972-1973, pp. 46-55.

Hatzfeld, Helmut. "La expresión de lo santo en el lenguaje poético del romanticismo español". *Anuari de l'Oficina Románica*, II, 1929, pp. 271-336.

Henríquez Ureña, P[edro]. "Espinosa y Espronceda". *Rev. de filología española*, VI, 1919, p. 309.

Hutman, Norma Louise. "Dos círculos en la niebla. 'El Estudiante de Salamanca' y 'El Diablo Mundo' ". *Papeles de Son Armadans*, tomo LIX, núm. CLXXV, 1970, pp. 5-29.

Iza Zamácola, Antonio de. "*El Diablo Mundo*, poema de don José de Espronceda". *El Entreacto*, [20 agosto] 1840, p. 90.

León, María Teresa. "Canto a Teresa". *Pliego literario* (Caracas), 24 noviembre 1955.

Lidia Santelices, V. "El *Don Juan* de Byron y *El Estudiante de Salamanca*, de Espronceda". *Anales de la Universidad de Chile*, 3.ª serie, I, 1931, pp. 167-189 y 271-296.

López, Joaquín María. *Colección de discursos parlamentarios, defensas forenses y producciones literarias...* Madrid, Imp. de Manuel Minuesa, 1857. Tomo VI, pp. 13-21: "La soledad y la poesía". [Sobre *El Diablo Mundo*.]

Marrast, Robert. *José de Espronceda en son temps. Littèrature, politique et societé au temps du romantisme*. París, Ed. Klincksieck, 1974.

Martinengo, Alessandro. *Polimorfismo nel "Diablo Mundo" d'Espronceda*. Torino, Bottega d'Erasmo, 1962.

Muñoz, J. A. "Biografía y crítica de D. José de Espronceda". *Revista de Estudios Extremeños*, 26, 1970, pp. 299-340.

Peers, E. Allison. "Light-imagery in 'El Estudiante de Salamanca' ". *Hispanic Review*, IX, 1941, pp. 199-209.

Munford, Elisabeth M. and Peers, E. Allison. "Colour and Light in the Poetry of Espronceda". *Liverpool Studies in Spanish Literature. First Series: From Cadalso to Rubén Darío*, 1940, pp. 101-125.

Peñalosa, Joaquín Antonio. "Don Juan en la versión de Espronceda". *Estilo* (San Luis Potosí), 8, núm. 32, octubre-diciembre 1954, pp. 195-204.

Pérez Ferrero, Miguel. "Espronceda o la rebeldía". *Problemas de la Nueva Cultura* (Valencia), núm. 1, abril 1936, pp. 42-45.

Rivas Santiago, Natalio. *Anécdotas y narraciones de antaño*... Barcelona, Ed. Juventud, (1943). Pp. 144-148: "Rasgos de ingenio" [Sobre una parodia del *Canto a* Teresa por S. Granés].

——. *Anecdotario histórico contemporáneo*... Madrid, Ed. Nacional, 1944, pp. 91-93: "El velador de Espronceda"; pp. 105-114: "Las primicias de *El Estudiante de Salamanca*".

Rodríguez, Alfred. "Unas resonancias interesantes en la poesía de Espronceda". *Homenaje a Sherman H. Eoff*, (Madrid), 1970, pp. 237-245.

Romero Tobar, Leonardo. "Bibliografía de ediciones de Espronceda". *Cuadernos bibliográficos* (Madrid), vol. 28, 1972.

Roso de Luna, Mario. "Espronceda místico". *Ateneo*, año tercero, 1908, t. I, pp. 232-237.

Shaw, D. L. "*Humorismo* and *angustia* in Modern Spanish Literature". *Bulletin of Hispanic Studies*, XXXV, 1958, pp. 165-176.

Templin, Ernest G. "The Romantic Nostalgia of José Espronceda". *Hispania* (California), XIII, 1930, núm. 1, pp. 1-6.

Torre Pintueles, Elías. "García de Villalta y Espronceda: Un inmediato antecedente de 'El Estudiante de Salamanca' ". *Ínsula*, núm. 132, noviembre 1957. Artículo refundido bajo el título "¿Un antecedente de 'El Estudiante de Salamanca?", en el libro del mismo autor *Tres estudios en torno a García de Villalta*, Madrid, Ínsula, 1965, pp. 117-130.

Torre, Guillermo de. *Del 98 al Barroco*. (Madrid), Ed. Gredos, (1969). Pp. 308-333: 'Espronceda y el romanticismo".

Vasari, Stephen. *Interpretación temática y simbólica de "El Diablo Mundo" de Espronceda*. Tesis [inédita], University of California, Los Ángeles, 1970.

Wardropper, Bruce W. "Espronceda's *Canto a Teresa* and the Spanish Elegiac Tradition". *Bulletin of Hispanic Studies*, XL, 1963, pp. 89-100.

Ynduráin, Domingo. *Análisis formal de la poesía de Espronceda*. Prólogo de Rafael Lapesa. (Madrid), Taurus, (1971).

[illegible]
Rodríguez, Alfred. [illegible]
[illegible] Leonardo. [illegible] Madrid, [illegible]
[illegible]
Shaw, [illegible] Spanish [illegible]
[illegible] The [illegible]
[illegible] de Villena [illegible]
[illegible]
[illegible]
[illegible] Wardropper, Bruce W. [illegible] Spanish [illegible]
[illegible]

NOTA PREVIA

Reproducimos el texto de *El Estudiante de Salamanca* tal como figura en la edición de las *Poesías* de 1840 (Madrid, Imp. de Yenes), única publicada en vida del autor, haciendo constar en las notas de pie de páginas las variantes de los manuscritos 1 y 6a), y de los fragmentos impresos en periódicos y revistas antes de la fecha de la citada edición príncipe.

Para la *Introducción* y los cantos I a VI de *El Diablo Mundo*, seguimos la edición llamada "de lujo" (Ed. 1841), apuntando en las correspondientes notas: 1) las variantes de los mss. 2, 3 y 6b), de los fragmentos insertados en *El Pensamiento*; 2) las variantes de la edición "por entregas" (Ed. 1840), pero sólo las de la *Introducción*, y de los cantos I y II, así como del *Prólogo* de Ros de Olano, que forman el contenido del ejemplar que tuvimos a la vista. Al final, después del canto VI, van: 1) los versos destinados al canto VII y publicados póstumamente, parte por Miguel de los Santos Álvarez en su continuación del poema (1853), parte por Gumersindo Laverde en sus *Páginas olvidadas* de don José de Espronceda (Madrid, [1873]); 2) el fragmento titulado *El ángel y el poeta*, tal como apareció en *El Iris* en 1841.[1]

No señalamos las "variantes" de las ediciones póstumas de los dos poemas, porque en realidad son erratas de copistas o de impresores, que en la mayoría de los casos se han venido repitiendo hasta las más recientes. Modernizamos la ortografía y la puntuación,

[1] Es decir, corrigiendo las erratas introducidas por Laverde en su libro citado y que han repetido todas las ediciones modernas, según advirtió Martinengo en su artículo "Para una nueva edición de Espronceda", *Thesaurus, Boletín del Instituto Caro y Cuervo* (Bogotá), núm. 1, t. XIX, 1964, p. 152. Expresamos nuestro cariñoso agradecimiento a nuestro amigo y colega Francisco Olmos García por haberse tomado la molestia de leer la presente *Introducción* y de revisar su versión castellana.

conservando sólo las grafías originales de valor fonético. Sólo en muy contados versos proponemos alguna que otra corrección a las ediciones que utilizamos.

En el *Apéndice*, copiamos los juicios críticos de las primeras ediciones publicados en la prensa contemporánea.

R. M.

POESIAS

DE

D. JOSE DE ESPRONCEDA.

MADRID:

EN LA IMPRENTA DE YENES,

CALLE DE SEGOVIA, NÚM. 6.

1840.

Portada facsímil de la primera edición de las *Poesías* de Espronceda.

EL ESTUDIANTE
DE
SALAMANCA.

PARTE PRIMERA.

Sus fueros sus brios,
Sus premáticas su voluntad.
QUIJOTE.—*Parte primera.*

Portadilla de «El estudiante de Salamanca» en *Poesías* de Espronceda. Madrid, 1840.

EL ESTUDIANTE DE SALAMANCA

CUENTO

PARTE PRIMERA

Sus fueros sus bríos
sus premáticas su voluntad.
Quijote. Parte Primera.[1]

Era más de media noche,[2]
antiguas historias cuentan,
cuando en sueño y en silencio
lóbrego, envuelta la tierra,
los vivos muertos parecen 5

[1] Palabras sacadas del violento apóstrofe de don Quijote a los cuadrilleros de la Santa Hermandad que pretendía arrestarle: "Venid acá, ladrones en cuadrilla, que no cuadrilleros, salteadores de caminos con licencia de la Santa Hermandad, decidme ¿quién fue el ignorante que firmó mandamiento de prisión contra un tal caballero como soy yo? ¿quién el que ignoró que son exentos de todo judicial fuero los caballeros andantes, y que su ley es su espada, sus fueros sus bríos, sus premáticas su voluntad? [*etc.*]" (I, capítulo XLV). El epígrafe no figura ni en *El Español* ni en *Museo artístico literario*.

[2] Los vv. 1-75, seguidos de una estrofa suprimida en la edición de 1840, se publicaron en *El Español* del 7 marzo 1836; la *Parte primera* (vv. 1-179 de la edición de 1840, y en su correspondiente lugar la misma estrofa suprimida), en *Museo artístico literario*, núm. 4, 22 junio 1837, pp. 26-28.

Notemos que el poema empieza como la *Despedida del patriota griego...*:

Era la noche; en la mitad del cielo
su luz rayaba la argentada luna...

y el *Canto del cruzado*:

Ya tarde en la noche la luna escondía...

(Clásicos Castalia, 20 pp. 183 y 208.)

los muertos la tumba dejan.[3]
Era la hora en que acaso
temerosas voces suenan
informes, en que se escuchan
tácitas pisadas huecas, 10
y pavorosas fantasmas[4]
entre las densas tinieblas
vagan, y aúllan los perros
amedrentados al verlas;
en que tal vez la campana 15
de alguna arruinada iglesia
da misteriosos sonidos
de maldición y anatema,
que los sábados convoca
a las brujas a su fiesta. 20
El cielo estaba sombrío,
no vislumbraba una estrella,
silbaba lúgubre el viento,
y allá en el aire, cual negras
fantasmas, se dibujaban 25

[3] El principio de este cuadro nocturno recuerda el del romance *Fíngese una visión que representa la caida y muerte de Don Álvaro de Luna* (núm. 1006 de Durán), cuyo primer verso reproduce textualmente Espronceda:

Era más de media noche,
cuando en profundo silencio
dan descanso los mortales
a los fatigados cuerpos,
cuando el cansancio diurno
se restaura con el sueño
y todo duerme y reposa
y tan sólo ladra el perro
que con mortales aullidos
da mucho espanto a los ecos
como que anuncia ruina
del verdadero suceso.

(B.A.E., t. XVI, p. 97b.)

También pensamos aquí en la elegía de Meléndez Valdés, *El Melancólico*, que empieza:

Cuando la sombra fúnebre y el luto
de la lóbrega noche el mundo envuelven
en silencio y horror; cuando en tranquilo
reposo los mortales las delicias
gustan de un blando saludable sueño...

(B.A.E., t. LXIII, p. 250.)

[4] V. 11 *El Español* y *Museo art. lit.*: "Y temerosas fantasmas".

las torres de las iglesias,
y del gótico castillo
las altísimas almenas,
donde canta o reza acaso
temeroso el centinela. 30
Todo en fin a media noche
reposaba, y tumba era
de sus dormidos vivientes
la antigua ciudad que riega
el Tormes, fecundo río 35
nombrado de los poetas,
la famosa Salamanca,
insigne en armas y letras,
patria de ilustres varones, [5]
noble archivo de las ciencias. 40

Súbito rumor de espadas
cruje y un "¡ay!" se escuchó;
un "¡ay!" moribundo, un "¡ay!"
que penetra el corazón, [6]
que hasta los tuétanos hiela 45
y da al que lo oyó temblor.
Un "¡ay!" de alguno que al mundo
pronuncia el último adiós.

El ruido
cesó, 50
un hombre
pasó
embozado,
y el sombrero
recatado 55
a los ojos
se caló.
Se desliza
y atraviesa

[5] V. 39 *El Español*: "Patria de ilustres ingenios".
[6] V. 44 *El Español*: "que penetra al corazón".

junto al muro 60
de una iglesia,
y en la sombra
se perdió.

Una calle estrecha y alta,
la calle del Ataúd, 65
cual si de negro crespón
lóbrego eterno capuz
la vistiera, siempre oscura
y de noche sin más luz
que la lámpara que alumbra[7] 70
una imagen de Jesús,
atraviesa el embozado,
la espada en la mano aún,
que lanzó vivo reflejo
al pasar frente a la cruz.[8] 75

Cual suele la luna tras lóbrega nube
con franjas de plata bordarla en redor
y luego si el viento la agita, la sube
disuelta a los aires en blanco vapor,

así vaga sombra de luz y de nieblas, 80
mística y aérea dudosa visión,
ya brilla o la esconden las densas tinieblas,
cual dulce esperanza, cual vana ilusión.[9]

[7] V. 70 *Museo art. lit.*: "Que una lámpara que alumbra".

[8] Parecido juego de luz y de sombras aparecía ya en los vv. 13-16 del *Canto del cruzado*:

> Tal vez a su paso con viva vislumbre
> la cruz en su escudo radiante brilló;
> mas luego en tinieblas la rápida lumbre
> el hombre y caballo consigo ocultó.
>
> (Clásicos Castalia, 20, p. 209.)

Después del v. 75, en *El Español* y *Museo art. lit.* viene la estrofa siguiente:

> Tan tarde, de noche, sola y a tal hora
> al pie de la imagen prosternada allí
> envuelta en su manto se siente que llora
> mujer misteriosa rezando entre sí.

con la que termina el fragmento publicado en *El Español*. Esta estrofa fue suprimida en la edición de 1840.

[9] Espronceda usó de una comparación semejante en los vv. 100-107 de *Oscar y Malvina*:

La calle sombría, la noche ya entrada,
la lámpara triste ya pronta a expirar, 85
que a veces alumbra la imagen sagrada,
y a veces se esconde la sombra a aumentar;

el vago fantasma que acaso aparece,
y acaso se acerca con rápido pie,
y acaso en las sombras tal vez desparece, 90
cual ánima en pena del hombre que fue,

al más temerario corazón de acero[10]
recelo inspirara, pusiera pavor;
al más maldiciente feroz bandolero[11]
el rezo a los labios trajera el temor. 95

Mas no al embozado, que aun sangre su espada
destila, el fantasma terror infundió,
y el arma en la mano con fuerza empuñada,
osado a su encuentro despacio avanzó.

Segundo don Juan Tenorio[12] 100
alma fiera e insolente,
irreligioso y valiente,
altanero y reñidor,
siempre el insulto en los ojos,[13]
en los labios la ironía, 105
nada teme y todo fía
de su espada y su valor.

Cual por nubes la luna silenciosa
su luz quebrada envía
trémula sobre el mar que la retrata
que ora se ve brillar, ora perdida,
pardo vellón de nube la arrebata,
cielo y tierra en tinieblas sepultando;
así, a veces, Oscar brilla y se pierde
la selva atravesando.

(Clásicos Castalia, 20 p. 175.)

El mismo tema vuelve a aparecer en la *Parte cuarta*, a partir del v. 719.

10 V. 92 *Museo art. lit.*: "al más temerario, corazón de acero".

11 V. 94 *Museo art. lit.*: "al menos creyente y audaz bandolero".

12 V. 100 *Museo art. lit.* "Nuevo don Juan de Marana".

13 V. 104 *Museo art. lit.*: "Lleva el insulto en los ojos".

Corazón gastado, mofa
de la mujer que corteja,
y hoy despreciándola deja 110
la que ayer se le rindió.
Ni el porvenir temió nunca,
ni recuerda en lo pasado
la mujer que ha abandonado,
ni el dinero que perdió. 115

Ni vio el fantasma entre sueños
del que mató en desafío,
ni turbó jamás su brío
recelosa previsión.
Siempre en lances y en amores, 120
siempre en báquicas orgías,
mezcla en palabras impías
un chiste a una maldición.

* * *

En Salamanca famoso
por su vida y buen talante, 125
al atrevido estudiante
le señalan entre mil;
fueros le da su osadía,
le disculpa su riqueza,
su generosa nobleza, 130
su hermosura varonil.

Que su arrogancia y sus vicios,[14]
caballeresca apostura,
agilidad y bravura
ninguno alcanza a igualar; 135
que hasta en sus crímenes mismos,
en su impiedad y altiveza,[15]
pone un sello de grandeza
don Félix de Montemar.

* * *

[14] V. 132 *Museo art. lit.*: "Que su arrogancia, sus vicios".
[15] V. 137 *Museo art. lit.*: "en su impiedad altiveza".

Bella y más pura que el azul del cielo 140
con dulces ojos lánguidos y hermosos,
donde acaso el amor brilló entre el velo
del pudor que los cubre candorosos;[16]
tímida estrella que refleja al suelo
rayos de luz brillantes y dudosos, 145
ángel puro de amor, que amor inspira,
fue la inocente y desdichada Elvira.

Elvira, amor del estudiante un día,
tierna y feliz de su amante ufana,
cuando al placer su corazón se abría, 150
como al rayo del sol rosa temprana;
del fingido amador que la mentía,
la miel falaz que de sus labios mana
bebe en su ardiente sed, el pecho ajeno
de que oculto en la miel hierve el veneno. 155

Que no descansa de su madre en brazos
más descuidado el candoroso infante,
que ella en los falsos lisonjeros lazos
que teje astuto el seductor amante;
dulces caricias, lánguidos abrazos, 160
placeres ¡ay! que duran un instante
que habrán de ser eternos imagina
la triste Elvira en su ilusión divina.

Que el alma virgen que halagó un encanto
con nacarado sueño en su pureza,[16 bis] 165
todo lo juzga verdadero y santo,
presta a todo virtud, presta belleza.
Del cielo azul al tachonado manto,

[16] Compárense los vv. 140-143 con los vv. 17-24 y 29-32 de *A Matilde*, y todo el final de esta *Parte primera* con los vv. 9-28 de *A una estrella* (Clásicos Castalia, 20. pp. 192 y 249-250). En una situación parecida, descrita con motivos idénticos, se encuentra también Zoraida en el cap. IX de *Sancho Saldaña* (B.A.E., t. LXII, especialmente pp. 359b-360a).

[16 bis] Vv. 164-165 *Museo art. lit.*: "Que el alma virgen que halagó el encanto / con nacarado ensueño en su pureza".

del sol radiante a la inmortal riqueza.
Al aire, al campo, a las fragantes flores 170
ella añade esplendor, vida y colores.

Cifró en don Félix la infeliz doncella
toda su dicha, de su amor perdida;
fueron sus ojos a los ojos de ella
astros de gloria, manantial de vida. 175
Cuando sus labios con sus labios sella,
cuando su voz escucha embebecida,
embriagada del dios que la enamora,
dulce le mira, extática le adora.[17]

PARTE SEGUNDA

...Except the hollow sea's,
Mourns o'er the beauty of the Cyclades.
Byron, *Don Juan*, canto 4.[18]

Está la noche serena[19] 180
de luceros coronada,[20]
terso el azul de los cielos
como trasparente gasa.

Melancólica la luna
va trasmontando la espalda 185
del otero, su alba frente
tímida apenas levanta.

[17] Compárense los vv. 172-179 con los vv. 1-14 de "Suave es tu sonrisa, amada mía" (Clásicos Castalia, 20, pp. 200-201, y las notas. Cf., las notas 106 y 222 de *El Diablo Mundo*).

[18] Tal como aparecen en la edición de 1840, resultan sin sentido estos dos versos por faltarles las dos primeras palabras. Escribió Byron en su descripción de la tumba de Haydée (*Don Juan*, canto 4, estrofa LXXII):
No dirge except the hollow sea's
Mourns o'er the beauty of the Cyclades.

[19] Los vv. 180-257 se publicaron en *La Alhambra* (Granada), t. II, número 3.°, [30 junio] 1839, p. 33 (sin el epígrafe de Byron). El 7 de septiembre de 1838, en Carratraca, Espronceda los había transcrito en el álbum de doña María de los Dolores y Grano de Heréns (véase *Bibliografía*, pp. 80-81).

[20] Verso de *Rosana en los fuegos* de Meléndez Valdés (B.A.E., t. LXIII, página 132c), según apuntó Foulché-Delbosc ("Quelques réminiscences...", *Revue hispanique*, t. XXI, p. 667).

Y el horizonte ilumina,
pura virgen solitaria,
y en su blanca luz süave 190
el cielo y la tierra baña.

Deslízase el arroyuelo
fúlgida cinta de plata
al resplandor de la luna,
entre franjas de esmeralda. 195

Argentadas chispas brillan
entre las espesas ramas,
y en el seno de las flores
tal vez se aduermen las auras,

tal vez despiertas susurran, 200
y al dcsplcgarsc sus alas,
mecen el blanco azahar,
mueven la aromosa acacia,

y agitan ramas y flores
y en perfumes se embalsaman: 205
tal era pura esta noche
como aquella en que sus alas

los ángeles desplegaron
sobrc la primcra llama
que amor encendió en el mundo, 210
del Edén en la morada.

¡Una mujer! ¿Es acaso
blanca silfa[20 bis] solitaria,
que entre el rayo de la luna
tal vez misteriosa vaga? 215

[20 bis] Forma femenina de *silfo* (cuyo femenino usual es *sílfide*) ya usada por Espronceda en el v. 786 del *Pelayo* (Clásicos Castalia, 20, p. 109).

Blanco es su vestido, ondea
suelto el cabello a la espalda;[21]
hoja tras hoja las flores
que lleva en su mano arranca.

Es su paso incierto y tardo, 220
inquietas son sus miradas,
mágico ensueño parece
que halaga engañoso el alma.

Ora, vedla, mira al cielo,
ora suspira, y se para 225
una lágrima sus ojos
brotan acaso y abrasa

su mejilla; es una ola
del mar que en fiera borrasca
el viento de las pasiones 230
ha alborotado en su alma.

Tal vez se sienta, tal vez
azorada se levanta;[22]
el jardín recorre ansiosa,
tal vez a escuchar se para. 235

Es el susurro del viento,
es el murmullo del agua,
no es su voz, no es el sonido
melancólico del arpa.

Son ilusiones que fueron 240
recuerdos ¡ay! que te engañan,
sombras del bien que pasó...[22 bis]
ya te olvidó el que tú amas.

[21] Compárense los vv. 212-217 con los vv. 1596-1599 de *El Diablo Mundo*.
[22] Los vv. 233-234 faltan en *La Alhambra*. Cf. la nota 172 de *El Diablo Mundo*.
[22 bis] Los vv. 240-242 (el v. 240, transcrito "sus ilusiones fueron") sirven de segundo epígrafe (siendo el primero: "And was a sweet flower!", Percival)

Esa noche y esa luna
las mismas son que miraran 245
indiferentes tu dicha,
cual ora ven tu desgracia.

¡Ah!, llora, sí, ¡pobre Elvira!,
¡Triste amante abandonada!
Esas hojas de esas flores 250
que distraida tú arrancas,

¿sabes a dónde, infeliz,
el viento las arrebata?
Donde fueron tus amores,
tu ilusión y tu esperanza. 255

Deshojadas y marchitas,
¡Pobres flores de tu alma![23]

* * *

Blanca nube de la aurora,
teñida de ópalo y grana,
naciente luz te colora, 260
refulgente precursora
de la cándida mañana.

Mas ¡ay! que se disipó
tu pureza virginal,
tu encanto el aire llevó 265
¡cual la ventura ideal
que el amor te prometió!

Hojas del árbol caídas
juguete del viento son;
las ilusiones perdidas 270

---

al poema *A una rosa deshojada en manos de una dama*, de Antonio Vinajeras, publicado en *El Correo de Ultramar* (París), año 14, núm. 205.

[23] La comparación hojas que se lleva el viento / ilusiones y esperanzas, se encuentra ya en el soneto "Fresca, lozana, pura y olorosa" (Clásicos Castalia, 20, pp. 121-122).

¡ay! son hojas desprendidas
del árbol del corazón.[24]

¡El corazón sin amor!
¡triste páramo cubierto
con la lava del dolor, 275
oscuro inmenso desierto
donde no nace una flor!

Distante un bosque sombrío,
el sol cayendo en la mar,

[24] Compárese esta quintilla con los vv. 113-116 del *Pelayo*, y con los versos 51-54 de *Al sol, himno*, y los vv. 9-14 de "Fresca, lozana, pura y olorosa" (Véase la nota 89, p. 180 de Clásicos Castalia, 20). Alfred Rodríguez ("Unas resonancias interesantes...", *Homenaje a Sherman E. Eoff*, 1970, p. 240) señala como fuente posible estos versos de Jovellanos en *De Jovino a Anfriso*:

Con blando impulso el céfiro süave
las copas de los árboles moviendo,
recrea el alma con el manso ruido;
mientras al leve soplo desprendidas
las agostadas hojas, revolando,
bajan en lentos círculos al suelo;
cúbrenle en torno, y la frondosa pompa
que el árbol adornara en primavera
yace marchita, y muestra los rigores
del abrasado estío y seco otoño.
¡Así también de juventud lozana
pasan, oh Anfriso, las livianas dichas!
Un soplo de inconstancia, de disgusto
o de capricho femenil las tala
y las derriba al suelo, cual las hojas
de los marchitos árboles caídas.

(*Poesías*, Oviedo, 1961, p. 178.)

Esta quintilla, una de las más conocidas del poema e incluso de toda la obra de Espronceda, sirve de epígrafe a la poesía de Enrique Gil *La caída de las hojas*, y a la composición de Julián Romea *A Elvira* (*Poesías*, Madrid, 1846, p. 119). Encontramos una prueba de su gran popularidad en las siguientes frases de una viajera francesa, en carta fechada en Murcia, 11 de mayo de 1850: "Comme musique, je lui préfère [à la grand messe à la cathédrale de Murcie] une sérénade que me donnèrent de pauvres aveugles s'accompagnant à la guitare; ils chantaient en chœur un air dont les mélancoliques paroles d'Espronzeda [sic] étaient si bien en rapport avec la musique! En voici un couplet: *Hojas del árbol caídas / juguete del viento son, / las ilusiones perdidas / [¡ay!] son las hojas desprendidas / del árbol del corazón*". (*Promenades en Espagne. Pendant les années 1849 et 1850*. Par Mme de Brinckmann née Dupont-Delporte. París, 1852, p. 281). Como se ve, la autora da a entender que esta famosa quintilla, con otras que la preceden o la siguen en el poema de Espronceda, formaba parte del repertorio de las canciones de ciegos; es de suponer que esta parte del poema, y quizás otras, se imprimieron en pliegos de cordel.

en la playa un aduar, 280
y a lo lejos un navío
viento en popa navegar,

óptico vidrio presenta
en fantástica ilusión,
y al ojo encantado ostenta 285
gratas visiones que aumenta
rica la imaginación.[25]

Tú eres, mujer, un fanal
trasparente de hermosura:
¡Ay de ti! si por tu mal 290
rompe el hombre en su locura
tu misterioso cristal.

Mas ¡ay! dichosa tú, Elvira,
en tu misma desventura,
que aún deleites te procura, 295
cuando tu pecho suspira,
tu misteriosa locura:

Que es la razón un tormento,
y vale más delirar
sin juicio, que el sentimiento 300
cuerdamente analizar,
fijo en él el pensamiento.[26]

* * *

Vedla, allí va que sueña en su locura
presente el bien que para siempre huyó;
dulces palabras con amor murmura, 305
piensa que escucha al pérfido que amó

[25] Hay cierta semejanza, ya advertida por Mazzei (*La poesia di Espronceda*, Firenze, s.a. [1935], p. 118) entre los motivos de estas tres quintillas y los del fragmento atribuido a Espronceda *Soledad del alma* (Clásicos Castalia, 20, páginas 287-288). Véase la nota 28.

[26] La identificación amor = delirio contrario a la razón reaparece en los versos 777-780. Véanse los vv. 2387-2388 de *El Diablo Mundo*.

Vedla, postrada su piedad implora
cual si presente le mirara allí:
vedla, que sola se contempla y llora,
miradla delirante sonreír. 310

Y su frente en revuelto remolino
ha enturbiado su loco pensamiento,
como nublo que en negro torbellino
encubre el cielo y amontona el viento;

y vedla cuidadosa escoger flores, 315
y las lleva mezcladas en la falda,
y, corona nupcial de sus amores,
se entretiene en tejer una guirnalda.

Y en medio de su dulce desvarío
triste recuerdo el alma le importuna, 320
y al margen va del argentado río,
y allí las flores echa de una en una;

y las sigue su vista en la corriente,
una tras otra rápidas pasar,
y confusos sus ojos y su mente 325
se siente con sus lágrimas ahogar:

Y de amor canta, y en su tierna queja
entona melancólica canción,
canción que el alma desgarrada deja,
lamento ¡ay! que llaga el corazón.[27] 330

* * *

¡Qué me valen tu calma y tu terneza,
tranquila noche, solitaria luna,
si no calmáis del hado la crudeza,
ni me dais esperanza de fortuna!
¡Qué me valen la gracia y la belleza, 335

[27] En los vv. 315-330 aparecen algunas semejanzas entre Elvira, la Ofelia de Shakespeare y la Margarita de Goethe. (Véase *Introducción*, p. 25).

y amar como jamás amó ninguna,
si la pasión que el alma me devora
la desconoce aquel que me enamora!

* * *

Lágrimas interrumpen su lamento,
inclina sobre el pecho su semblante, 340
y de ella en derredor susurra el viento
sus últimas palabras, sollozante.[28]

. . . .
. . . .
. . . .
. . . .

Murió de amor la desdichada Elvira,
cándida rosa que agostó el dolor,
süave aroma que el viajero aspira 345
y en sus alas el aura arrebató.[29]

Vaso de bendición, ricos colores
reflejó en su cristal la luz del día,
mas la tierra empañó sus resplandores,
y el hombre lo rompió con mano impía. 350

[28] Las líneas de puntos que van después del v. 342 en la edición de 1840 parecen indicar o bien que Espronceda tenía quizá intención de incluir aquí un monólogo de Elvira, o bien que si llegó a escribirlo, lo suprimió al dar el *Cuento* a la imprenta. Si el fragmento *Soledad del alma* es de nuestro poeta, y admitiendo que sea un monólogo, podría ser que constituyera un primer estado del este "lamento" de Elvira. Notemos que, al final del fragmento, aparece la misma imagen que en el v. 344:

cual abre el cáliz de fragancia lleno
cándida rosa en la estación florida.
(Clásicos Castalia, 20, p. 288.)

Pero no es más que una hipótesis. (Véase la nota 25, y en la *ed. cit.*, pp. 287-288, nuestro comentario a *Soledad del alma.*)

[29] La comparación de la juventud o la dicha perdida con la rosa es muy frecuente en la poesía española desde Rioja. La usó Espronceda en su soneto "Fresca, lozana, pura y olorosa", en el acto IV, esc. 4 de *Blanca de Borbón*, y, en forma algo distinta en los vv. 4320-4327 de *El Diablo Mundo*. Véase la nota 25 de nuestra edición en Clásicos Castalia, 20, p. 122.

Una ilusión acarició su mente,
alma celeste para amar nacida;
era el amor de su vivir la fuente,
estaba junto a su ilusión su vida.

Amada del Señor, flor venturosa, 355
llena de amor murió y de juventud;
despertó alegre una alborada hermosa
y a la tarde durmió en el ataúd.

Mas despertó también de su locura
al término postrero de su vida 360
y al abrirse a sus pies la sepultura,
volvió a su mente la razón perdida.

¡La razón fría! ¡La verdad amarga!
¡El bien pasado y el dolor presente!...[30]
¡Ella feliz que de tan dura carga 365
sintió el peso al morir únicamente!

Y conociendo ya su fin cercano,
su mejilla una lágrima abrasó;
y así al infiel con temblorosa mano,
moribunda su víctima escribió: 370

"Voy a morir; perdona si mi acento
vuela importuno a molestar tu oído:
Él es, don Félix, el postrer lamento
de la mujer que tanto te ha querido.
La mano helada de la muerte siento... 375
Adiós: ni amor ni compasión te pido...

[30] Tópico derivado de los conocidos versos de Dante:

...nessun maggior dolore
che ricordarsi del tempo felice
nella miseria...

(*Inferno*, canto V, vv. 121-123.)

Oye y perdona si al dejar el mundo,
arranca un ¡ay! su angustia al moribundo.

"¡Ah! para siempre adiós. Por ti mi vida
dichosa un tiempo resbalar sentí, 380
y la palabra de tu boca oída,
éxtasis celestial fue para mí.
Mi mente aún goza en la ilusión querida
que para siempre ¡mísera¡ perdí...
¡Ya todo huyó, desparcció contigo! 385
¡Dulces horas de amor, yo las bendigo!

"Yo las bendigo, sí, felices horas,
presentes siempre en la memoria mía,
imágenes de amor encantadoras
que aún vienen a halagarme en mi agonía. 390
Mas ¡ay! volad, huíd, engañadoras
sombras, por siempre; mi postrero día
ha llegado: perdón, perdón, ¡Dios mío!
si aun gozo en recordar mi desvarío.

"Y tú, don Félix, si te causa enojos 395
que te recuerde yo mi desventura,
piensa están hartos de llorar mis ojos
lágrimas silenciosas de amargura,
y hoy, al tragar la tumba mis despojos,
concede este consuelo a mi tristura: 400
estos renglones compasivo mira,
y olvida luego para siempre a Elvira.

"Y jamás turbe mi infeliz memoria
con amargos recuerdos tus placeres;
¡goces te dé el vivir, triunfos la gloria, 405
dichas el mundo, amor otras mujeres!
Y si tal vez mi lamentable historia
a tu memoria con dolor trajeres,
llórame, sí; pero palpite exento
tu pecho de roedor remordimiento. 410

"Adiós por siempre, adiós: un breve instante
siento de vida, y en mi pecho el fuego
aun arde de mi amor; mi vista errante
vaga desvanecida..., calma luego
¡oh muerte! mi inquietud... ¡Sola... expirante! 415
ámame; no, perdona: ¡inútil ruego!
adiós, adiós, ¡tu corazón perdí!
¡todo acabó en el mundo para mí!" [31]

Así escribió su triste despedida
momentos antes de morir, y al pecho 420
se estrechó de su madre dolorida,
que en tanto inunda en lágrimas su lecho.

Y exhaló luego su postrer aliento,
y a su madre sus brazos se apretaron
con nervioso y convulso movimiento, 425
y sus labios un nombre murmuraron.

Y huyó su alma a la mansión dichosa
do los ángeles moran... [32] Tristes flores
brota la tierra en torno de su losa;
el céfiro lamenta sus amores, 430

sobre ella un sauce su ramaje inclina,
sombra le presta en lánguido desmayo,
y allá en la tarde, cuando el sol declina,
baña su tumba en paz su último rayo...

[31] Compárense los vv. 379-418 con los vv. 111-130 de *Despedida del patriota griego...*, en que se encuentran un vocabulario y unas frases cortadas semejantes. (Clásicos Castalia, 20, pp. 186-187.)

[32] Cf. *Despedida del patriota griego...*, vv. 115-116:

Yo te hallaré donde perpetuas dichas
las almas de los ángeles disfrutan.

(Clásicos Castalia, 20, p. 186.)

PARTE TERCERA

(*Cuadro dramático*)

> *Sarg*. ¿Tenéis más que parar?
> *Franco* Paro los ojos
> . . . .
> Los ojos sí, los ojos: que descreo
> del que los hizo para tal empleo.
> Moreto. *San Franco de Sena* [33]

PERSONAS

D. FÉLIX DE MONTEMAR.
D. DIEGO DE PASTRANA.
SEIS JUGADORES. [34]

En derredor de una mesa [35] 435
hasta seis hombres están,
fija la vista en los naipes,
mientras juegan al parar; [36]

33 El texto exacto de estas dos réplicas de la comedia de Moreto es como sigue:

> *Sargento*
> ¿Tienes más que parar?
> *Franco*
> Tengo los ojos
> y los juego en lo mismo; que descreo
> de quien los hizo para tal emplco.
> (B.A.E., t. XXXIX, p. 134b.)

34 Quizá por descuido, Espronceda sólo hace intervenir cinco jugadores en los diálogos del presente cuadro.

35 Volvemos a encontrar en varias obras teatrales de Valle-Inclán este tipo de acotación escénica en verso. Sabemos por Juan Ramón Jiménez que el autor del *Ruedo Ibérico* tenía gran admiración a la poesía de Espronceda, y que recitaba de memoria *El Estudiante de Salamanca* "donde para él está ya Picasso, todo el cubismo [...] Dice que él es de alma otro Espronceda, que estuvo a punto de perderse, como Villaespesa, pero que Espronceda, con su españolismo genial, le salvó del d'Annunzio peor" (J. R. Jiménez, "Valle Inclán, castillo de quema", *El Sol*, 26 enero 1936).

36 "*Parar*, juego de naipes, que se hace entre muchas personas, sacando el que le lleva una carta de la barája, à la qual apuestan lo que quieren los demás (que si es encuentro como de Rey y Rey, gana el que lleva el náipe) y si sale primera la de este, gana la paráda, y la pierde si sale el de los paradóres" (*Dicc. de Autoridades*). La definición del verbo *parar* es la siguiente:

y en sus semblantes se pintan
el despecho y el afán; 440
por perder desesperados,
avarientos por ganar.

Reina profundo silencio,
sin que lo rompa jamás
otro ruido que el del oro, 445
o una voz para jurar.

Pálida lámpara alumbra
con trémula claridad
negras de humo las paredes
de aquella estancia infernal.[37] 450

Y el misterioso bramido
se escucha del huracán,
que azota los vidrios frágiles
con sus alas al pasar.

ESCENA I

JUGADOR PRIMERO

El caballo aún no ha salido. 455

JUGADOR SEGUNDO

¿Qué carta vino?

JUGADOR PRIMERO

La sota.

JUGADOR SEGUNDO

Pues por poco se alborota.

JUGADOR PRIMERO

Un caudal llevo perdido,
¡Voto a Cristo!

"en los juegos de envite y otros, vale determinar ò señalar la cantidad de dinéro, que se expóne ò apuesta al lance ò suerte" (*Ibid.*).

[37] El mismo juego de luz y sombra, *infra*, en los vv. 701-704.

JUGADOR SEGUNDO

No juréis,
que aún no estáis en la agonía. 460

JUGADOR PRIMERO

No hay suerte como la mía.

JUGADOR SEGUNDO

¿Y como cuánto perdéis?

JUGADOR PRIMERO

Mil escudos y el dinero
que don Félix me entregó.

JUGADOR SEGUNDO

¿Dónde anda?

JUGADOR PRIMERO

¡Qué sé yo! 465
No tardará

JUGADOR TERCERO

Envido.

JUGADOR PRIMERO

Quiero.

ESCENA II

Galán de talle gentil,
la mano izquierda apoyada
en el pomo de la espada,
y el aspecto varonil, 470

alta el ala del sombrero
porque descubra la frente,
con airoso continente
entró luego un caballero.

JUGADOR PRIMERO

(*Al que entra.*)

Don Félix, a buena hora 475
habéis llegado.

D. FÉLIX

¿Perdisteis?

JUGADOR PRIMERO

El dinero que me disteis
y esta bolsa pecadora.

JUGADOR SEGUNDO

Don Félix de Montemar
debe perder. El amor 480
le negara su favor
cuando le viera ganar.

D. FÉLIX (*Con desdén.*)

Necesito ahora dinero
y estoy hastiado de amores.

(*Al corro, con altivez.*)

Dos mil ducados, señores, 485
por esta cadena quiero.

(*Quítase una cadena que lleva al pecho.*)

JUGADOR TERCERO

Alta ponéis la tarifa.

D. FÉLIX (*Con altivez.*)

La pongo en lo que merece.
Si otra duda se os ofrece,
decid.

(*Al corro.*)

Se vende y se rifa. 490

JUGADOR CUARTO (*Aparte.*)

¿Y hay quien sufra tal afrenta?

D. FÉLIX

Entre cinco están hallados.
A cuatrocientos ducados
os toca, según mi cuenta.
Al as de oros. Allá va. 495

(*Va echando cartas, que toman los jugadores en silencio.*)

Una, dos...
(*Al perdidoso.*)
Con vos no cuento.

JUGADOR PRIMERO

Por el motivo lo siento.

JUGADOR TERCERO

¡El as!, ¡el as! aquí está.

JUGADOR PRIMERO

Ya ganó.

D. FÉLIX

Suerte tenéis.
A un solo golpe de dados 500
tiro los dos mil ducados.

JUGADOR TERCERO

¿En un golpe?

JUGADOR PRIMERO (*A D. Félix.*)

Los perdéis

D. FÉLIX

Perdida tengo yo el alma,
y no me importa un ardite.[38]

JUGADOR TERCERO

Tirad.

D. FÉLIX

Al primer envite.

JUGADOR TERCERO

Tirad pronto.

D. FÉLIX

Tened calma,
que os juego más todavía;
y en cien onzas hago el trato,
y os lleváis este retrato
con marco de pedrería. 510

[38] F. Serrano de la Pedrosa tomó los vv. 503-504 como epígrafe de la primera parte de su cuento *Perdido*, dedicado a la srta. doña Adela Roca de Togores (*El Album* [Murcia], año II, núm. 21, junio 1877, pp. 174b-177a).

JUGADOR TERCERO

¿En cien onzas?

D. FÉLIX

¿Qué dudáis?

JUGADOR PRIMERO (*Tomando el retrato.*)

¡Hermosa mujer!

JUGADOR CUARTO

No es caro.

D. FÉLIX

¿Queréis pararlas?

JUGADOR TERCERO

Las paro.
Más ganaré.

D. FÉLIX

Si ganáis (*Se registra todo.*)
No tengo otra joya aquí. 515

JUGADOR PRIMERO (*Mirando el retrato.*)

Si esta imagen respirara...

D. FÉLIX

A estar aquí la jugara
a ella, al retrato y a mí.

JUGADOR TERCERO

Vengan los dados.

D. FÉLIX

Tirad.

JUGADOR SEGUNDO

Por don Félix cien ducados. 520

JUGADOR CUARTO

En contra van apostados.

JUGADOR QUINTO

Cincuenta más. Esperad,
no tiréis.

JUGADOR SEGUNDO

Van los cincuenta.

JUGADOR PRIMERO

Yo, sin blanca, a Dios le ruego
por don Félix.

JUGADOR QUINTO

Hecho el juego. 525

JUGADOR TERCERO

¿Tiro?

D. FÉLIX

Tirad con sesenta
de a caballo.

(*Todos se agrupan con ansiedad al rededor de la mesa. El tercer jugador tira dos dados.*)

JUGADOR CUARTO

¿Qué ha salido?

JUGADOR SEGUNDO

¡Mil demonios, que a los dos
nos lleven!

D. FÉLIX (*Con calma al* PRIMERO.)

¡Bien, vive Dios,
vuestros ruegos me han valido! 530
Encomendadme otra vez,
don Juan, al diablo; no sea
que si os oye Dios, me vea
cautivo y esclavo en Fez.

JUGADOR TERCERO

Don Félix, habéis perdido 535
sólo el marco, no el retrato,
que entrar la dama en el trato
vuestra intención no habrá sido.

D. FÉLIX

¿Cuánto diérais por la dama?

JUGADOR TERCERO

Yo, la vida.

D. FÉLIX

No la quiero. 540
Mirad si me dais dinero,
y os la lleváis.

JUGADOR TERCERO

¡Buena fama
lograréis entre las bellas,

cuando descubran altivas
que vos las hacéis cautivas 545
para en seguida vendellas!

D. FÉLIX

Eso a vos no importa nada.
¿Queréis la dama? Os la vendo.

JUGADOR TERCERO

Yo de pinturas no entiendo.

D. FÉLIX *(Con cólera.)*

Vos habláis con demasiada 550
altivez e irreverencia
de una mujer..., ¡y si no!...

JUGADOR TERCERO

De la pintura hablé yo.

TODOS

Vamos, paz; no haya pendencia.

D. FÉLIX *(Sosegado.)*

Sobre mi palabra os juego 555
mil escudos.

JUGADOR TERCERO

Van tirados.

D. FÉLIX

A otra suerte de esos dados,
¡y el diablo les prenda fuego!

ESCENA III

Pálido el rostro, cejijunto el ceño,
y torva la mirada, aunque afligida, 560
y en ella un firme y decidido empeño
de dar la muerte o de perder la vida,
un hombre entró embozado hasta los ojos,
sobre las juntas cejas el sombrero;
víbrale al rostro el corazón enojos, 565
el paso firme, el ánimo altanero.
Encubierta fatídica figura,
sed de sangre su espíritu secó,
emponzoñó su alma la amargura,
la venganza irritó su corazón.[39] 570
Junto a don Félix llega y desatento
no habla a ninguno ni aun la frente inclina,
y en pie delante de él y el ojo atento,
con iracundo rostro le examina.
Miró también don Félix al sombrío 575
huésped, que en él los ojos enclavó,
y con sarcasmo desdeñoso y frío
fijos en él los suyos, sonrió.

D. FÉLIX

Buen hombre, ¿de qué tapiz
se ha escapado, —¡el que se tapa!— 580
que entre el sombrero y la capa
se os ve apenas la nariz?

D. DIEGO

Bien, don Félix, cuadra en vos
esa insolencia importuna.

D. FÉLIX

(*Al* TERCER JUGADOR *sin hacer caso de* D. DIEGO.)
Perdisteis.

[39] Nótese en contraste entre la presentación de don Diego y la de don Félix en los vv. 471-474.

JUGADOR TERCERO

Sí. La fortuna 585
se trocó: tiro y van dos.

(*Vuelven a tirar.*)

D. FÉLIX

Gané otra vez.
(*Al embozado.*)
No he entendido
qué dijisteis, ni hice aprecio
de si hablasteis blando o recio
cuando me habéis respondido. 590

D. DIEGO

A solas hablar querría.

D. FÉLIX

Podéis, si os place, empezar,
que por vos no he de dejar
tan honrosa compañía.
Y si Dios aquí os envía 595
para hacer mi conversión,
no despreciéis la ocasión
de convertir tanta gente,
mientras que yo humildemente
aguardo mi absolución.[40] 600

[40] Estas frases de don Félix no tienen únicamente por objeto el poner de relieve el cinismo del personaje. Al ponerlas en boca de su protagonista, Espronceda manifiesta aquí su intención de dar al *Cuento* un giro totalmente distinto del de las comedias edificantes, y especialmente de *San Franco de Sena*. En efecto este momento de la *Parte segunda* corresponde al clímax de la segunda jornada de la comedia de Moreto, es decir, al momento en que Franco, después de quedarse ciego, se somete a la voluntad de Dios en una súbita conversión. Las palabras irónicas de don Félix muestran, al contrario, que no está ni mucho menos dispuesto al arrepentimiento, y preparan el desenlace.

D. DIEGO (*Desembozándose con ira.*)

Don Félix, ¿no conocéis
a don Diego de Pastrana?

D. FÉLIX

A vos no, más sí a una hermana
que imagino que tenéis.

D. DIEGO

¿Y no sabéis que murió? 605

D. FÉLIX

Téngala Dios en su gloria.

D. DIEGO

Pienso que sabéis su historia,
y quién fue quien la mató.

D. FÉLIX (*Con sarcasmo.*)

¡Quizá alguna calentura!

D. DIEGO

¡Mentís vos!

D. FÉLIX

Calma, don Diego, 610
que si vos os morís luego,
es tanta mi desventura
que aun me lo habrán de achacar,
y es en vano ese despecho.
Si se murió, a lo hecho, pecho, 615
ya no ha de resucitar.

D. DIEGO

Os estoy mirando y dudo
si habré de manchar mi espada
con esa sangre malvada,
o echaros al cuello un nudo 620
con mis manos, y por mengua,
en vez de desafiaros,
el corazón arrancaros
y patearos la lengua.
Que un alma, una vida, es 625
satisfacción muy ligera,
y os diera mil si pudiera
y os las quitara después.
Jugo a mi labio han de dar
abiertas todas tus venas, 630
que toda tu sangre apenas
basta mi sed a calmar.
¡Villano!

(*Tira de la espada: todos los jugadores se interponen.*)

TODOS

Fuera de aquí
a armar quimera.

D. FÉLIX (*Con calma, levantándose.*)

Tened,
don Diego, la espada, y ved 635
que estoy yo muy sobre mí,
y que me contengo mucho,
no sé por qué, pues tan frío
en mi colérico brío
vuestras injurias escucho. 640

D. DIEGO

(*Con furor reconcentrado y con la espada desnuda.*)

Salid de aquí; que a fe mía,
que estoy resuelto a mataros,
y no alcanzara a libraros
la misma Virgen María.
Y es tan cierta mi intención, 645
tan resuelta está mi alma,
que hasta mi cólera calma
mi firme resolución.
Venid conmigo.

D. FÉLIX

Allá voy;
pero si os mato, don Diego, 650
que no me venga otro luego
a pedirme cuenta. Soy
con vos al punto. Esperad
cuente el dinero... *uno*... *dos*...

(*A* D. DIEGO.)

Son mis ganancias; por vos 655
pierdo aquí una cantidad
considerable de oro
que iba a ganar... ¿y por qué?
Diez..., *quince*..., por no sé qué
cuento de amor... ¡un tesoro 660
perdido!... voy al momento.
Es un puro disparate
empeñarse en que yo os mate:
lo digo como lo siento.

D. DIEGO

Remiso andáis y cobarde 665
y hablador en demasía.

D. FÉLIX

Don Diego, más sangre fría:
para reñir nunca es tarde.
Y si aun fuera otro el asunto,
yo os perdonara la prisa; 670
pidierais vos una misa
por la difunta y al punto...

D. DIEGO

¡Mal caballero!

D. FÉLIX

Don Diego,
mi delito no es gran cosa.
Era vuestra hermana hermosa, 675
la vi, me amó, creció el juego,[41]
se murió, no es culpa mía;
y admiro vuestro candor,
que no se mueren de amor
las mujeres hoy en día. 680

D. DIEGO

¿Estáis pronto?

D. FÉLIX

Están contados.
Vamos andando.

[41] En todas las ediciones posteriores a la de 1840, se lee "fuego" en vez de "juego". Nos parece mejor conservar esta última palabra, y estamos de acuerdo con Northup que apunta en su edición de Boston, 1909 (p. 164): "It is characteristic of don Félix's cool insolence that he should refer to his affair with Elvira as a *game* rather than as a *passion*".

D. DIEGO

¿Os reís?
(*Con voz solemne.*)
Pensad que a morir venís.

D. FÉLIX (*Sale tras de él embolsándose el dinero con indiferencia.*)

Son mil trescientos ducados.

ESCENA IV

Los jugadores.

JUGADOR PRIMERO

Este don Diego Pastrana 685
es un hombre decidido.
Desde Flandes ha venido
sólo a vengar a su hermana.

JUGADOR SEGUNDO

¡Pues no ha hecho mal disparate!
Me da el corazón su muerte. 690

JUGADOR TERCERO

¿Quién sabe? Acaso la suerte…

JUGADOR SEGUNDO

Me alegraré que lo mate.

PARTE CUARTA

> Salió en fin de aquel estado, para caer en el dolor más sombrío, en la más desalentada desesperación y en la mayor amargura y desconsuelo que pueden apoderarse de este pobre corazón humano, que tan positivamente choca y se quebranta con los males, como con vaguedad aspira en algunos momentos, casi siempre sin conseguirlo, a tocar los bienes, ligeramente y de pasada.
>
> *La protección de un sastre*, novela original de don Miguel de los Santos Álvarez.[42]

> Spiritus quidem promptus est; caro vero infirma.
>
> (S. Marcos Evang.)[43]

Vedle, don Félix es: espada en mano,[44]
sereno el rostro, firme el corazón;
también de Elvira el vengativo hermano 695
sin piedad a sus pies muerto cayó.

Y con tranquila audacia se adelanta
por la calle fatal del Ataúd;
y ni medrosa aparición le espanta,
ni le turba la imagen de Jesús. 700

[42] Álvarez escribió en el cap. X de su novela: "en la mayor amargura y el más grande desconsuelo..." Espronceda transcribe el título de la obra tal como aparece en la portada de la primera edición (Madrid, Impr. de D. N. Sanchiz) publicada en las primeras semanas de 1840.

[43] Advertencia de Jesús a los apóstoles que se habían dormido mientras él estaba orando en el Huerto (San Marcos, XIV, 38).

[44] Estas tres primeras cuartetas de la *Parte cuarta* son bastante claras: el poeta nos muestra a don Félix en el momento en que acaba de matar a don Diego y pasa por la calle del Ataúd, como a principios de la *Parte primera*. Es evidente pues que ha salido vencedor del duelo con el hermano de Elvira, antes de encontrar el fantasma de ésta que le va a llevar al mundo de los muertos. Insistimos en ello por parecernos sin fundamento ciertas interpretaciones recientes del *Cuento*, según las cuales el principio de la *Parte cuarta* enlaza con el de la *Parte primera*, lo que supone el uso de un procedimiento de ruptura cronológica de la que, en aquellos años, Espronceda no podía tener la menor idea (Véanse los estudios de R. C. Allen y sobre todo el extravagante de N. L. Hutman, citados en nuestra *Bibliografía*).

La moribunda lámpara que ardía
trémula lanza su postrer fulgor,
y en honda oscuridad, noche sombría
la misteriosa calle encapotó.[45]

Mueve los pies el Montemar osado 705
en las tinieblas con incierto giro,
cuando ya un trecho de la calle andado,
súbito junto a él oye un suspiro.

Resbalar por su faz sintió el aliento,
y a su pesar sus nervios se crisparon; 710
mas pasado el primero movimiento,
a su primera rigidez tornaron.

"¿Quién va?" pregunta con la voz serena,
que ni finge valor, ni muestra miedo,
el alma de invencible vigor llena, 715
fiado en su tajante de Toledo.

Palpa en torno de sí, y el impío jura,
y a mover vuelve la atrevida planta
cuando hacia él fatídica figura[46]
envuelta en blancas ropas se adelanta. 720

Flotante y vaga, las espesas nieblas
ya disipa y se anima y va creciendo
con apagada luz, ya en las tinieblas
su argentino blancor va apareciendo.

Ya leve punto de luciente plata, 725
astro de clara lumbre sin mancilla,
el horizonte lóbrego dilata
y allá en la sombra en lontananza brilla.

[45] Véase la nota 37.
[46] A partir de este verso, Espronceda trata el tema de la mujer misteriosa, esbozado al principio de la *Parte primera* (en los vv. 76-91, y en la cuarteta que figuraba, en *El Español* y *Museo artístico literario*, entre los vv. 75 y 76 de la edición de 1840. Véase la nota 9).

Los ojos Montemar fijos en ella,
con más asombro que temor la mira; 730
tal vez la juzga vagarosa estrella
que en el espacio de los cielos gira,

tal vez engaño de sus propios ojos,
forma falaz que en su ilusión creó,
o del vino ridículos antojos 735
que al fin su juicio a alborotar subió.

Mas el vapor del néctar jerezano
nunca su mente a trastornar bastara,
que ya mil veces embriagarse en vano
en frenéticas orgias intentara. 740

"Dios presume asustarme: ¡ojalá fuera,
dijo entre sí riendo, el diablo mismo!
Que entonces, vive Dios, ¡quién soy supiera
el cornudo monarca del abismo!"

Al pronunciar tan insolente ultraje 745
la lámpara del Cristo se encendió,
y una mujer velada en blanco traje,
ante la imagen de rodillas vio.

"Bienvenida la luz, dijo el impío,
Gracias a Dios o al diablo"; y con osada, 750
firme intención y temerario brío,
el paso vuelve a la mujer tapada.

Mientras él anda, al parecer se alejan
la luz, la imagen, la devota dama,
mas si él se para, de moverse dejan, 755
y lágrima tras lágrima derrama

de sus ojos inmóviles la imagen.
Mas sin que el miedo ni el dolor que inspira,
su planta audaz, ni su impiedad atajen,
rostro a rostro a Jesús Montemar mira. 760

La calle parece se mueve y camina,
faltarle la tierra sintió bajo el pie;
sus ojos la muerta mirada fascina
del Cristo, que intensa clavada está en él.

Y en medio el delirio que embarga su mente, 765
y achaca él al vino que al fin le embriagó,
la lámpara alcanza con mano insolente
del ara do alumbra la imagen de Dios,

y al rostro la acerca, que el cándido lino
encubre, con ánimo asaz descortés; 770
mas la luz apaga viento repentino,
y la blanca dama se puso de pie.

Empero un momento creyó que veía
un rostro que vagos recuerdos quizá
y alegres memorias confusas traía 775
de tiempos mejores que pasaron ya,

un rostro de un ángel que vio en un ensueño,
como un sentimiento que el alma halagó,
que anubla la frente con rígido ceño.
Sin que lo comprenda jamás la razón.[47] 780

Su forma gallarda dibuja en las sombras
el blanco ropaje que ondeante se ve,
y cual si pisara mullidas alfombras,
deslízase leve sin ruido su pie.

Tal vimos al rayo de la luna llena 785
fugitiva vela de lejos cruzar,
que ya la hinche en popa la brisa serena,
que ya la confunde la espuma del mar.

[47] Véase la nota 26.

También la esperanza blanca y vaporosa
así ante nosotros pasa en ilusión, 790
y el alma conmueve con ansia medrosa
mientras la rechaza la adusta razón.

D. FÉLIX

"¡Qué!, ¿sin respuesta me deja?
¿No admitís mi compañía?
¿Será quizá alguna vieja 795
devota?... ¡Chasco sería!

"En vano, dueña, es callar,
ni hacerme señas que no;
he resuelto que sí yo,
y os tengo de acompañar. 800

"Y he de saber dónde vais
y si sois hermosa o fea,
quién sois y cómo os llamáis.
Y aun cuando imposible sea,

"y fuerais vos Satanás 805
con sus llamas y sus cuernos,
hasta en los mismos infiernos,
vos delante y yo detrás

"hemos de entrar, ¡vive Dios!
y aunque lo estorbara el cielo, 810
que yo he de cumplir mi anhelo
aun a despecho de vos;

"y perdonadme, señora,
si hay en mi empeño osadía,
mas fuera descortesía 815
dejaros sola a esta hora;

"Y me va en ello mi fama,
que juro a Dios no quisiera
que por temor se creyera
que no he seguido a una dama." 820

Del hondo del pecho profundo gemido,
crujido del vaso que estalla al dolor,
que apenas medroso lastima el oído
pero que punzante rasga el corazón;

gemido de amargo recuerdo pasado,[48] 825
de pena presente, de incierto pesar,
mortífero aliento, veneno exhalado
del que encubre el alma ponzoñoso mar;

gemido de muerte lanzó y silenciosa
la blanca figura su pie resbaló, 830
cual mueve sus alas sílfide amorosa
que apenas las aguas del lago rizó.

¡Ay el que vio acaso perdida en un día
la dicha que eterna creyó el corazón,
y en noche de nieblas, y en honda agonía 835
en un mar sin playas muriendo quedó!

¡y solo y llevando consigo en su pecho,
compañero eterno su dolor cruel,
el mágico encanto del alma deshecho,
su pena, su amigo y amante más fiel, 840

miró sus suspiros llevarlos el viento,
sus lágrimas tristes perderse en el mar,
sin nadie que acuda ni entienda su acento,
insensible el cielo y el mundo a su mal!!...

Y ha visto la luna brillar en el cielo 845
serena y en calma mientras él lloró,
y ha visto los hombres pasar en el suelo
¡y nadie a sus quejas los ojos volvió!

[48] El poeta oye el mismo "gemido de amargo recuerdo pasado" en la *Introducción* de *El Diablo Mundo* (vv. 298 y ss.).

¡Y él mismo, la befa del mundo temblando,
su pena en su pecho profunda escondió, 850
y dentro en su alma su llanto tragando
con falsa sonrisa su labio vistió!!...

¡Ay! quien ha contado las horas que fueron
horas otro tiempo que abrevió el placer,
y hoy solo y llorando piensa cómo huyeron 855
con ellas por siempre las dichas de ayer;

¡y aquellos placeres que el triste ha perdido,
no huyeron del mundo, que en el mundo están,
y él vive en el mundo do siempre ha vivido,
y aquellos placeres para él no son ya!! 860

¡Ay del que descubre por fin la mentira!
¡Ay del que la triste realidad palpó,
del que el esqueleto de este mundo mira,
y sus falsas galas loco le arrancó!!...[49]

¡Ay de aquel que vive solo en lo pasado! 865
¡Ay del que su alma nutre en su pesar!
las horas que huyeron llamará angustiado,
las horas que huyeron jamás tornarán!!...

Quien haya sufrido tan bárbaro duelo,
quien noches enteras contó sin dormir 870
en lecho de espinas, maldiciendo al cielo,
horas sempiternas de ansiedad sin fin;

[49] Compárense los vv. 861-864 con los vv. 73-76 de *A Jarifa en una orgía*, en que el poeta expresa su desengaño en términos parecidos:

Y encontré mi ilusión desvanecida
y eterno e insaciable mi deseo.
Palpé la realidad y odié la vida:
sólo en la paz de los sepulcros creo.
(Clásicos Castalia, 20, p. 262.)

Cf. también el último verso del *Canto a Teresa* (v. 1851 de *El Diablo Mundo*):

Que haya un cadáver más, ¡qué importa al mundo!

quien haya sentido quererse del pecho
saltar a pedazos roto el corazón,
crecer su delirio, crecer su despecho, 875
al cuello cien nudos echarle el dolor;

ponzoñoso lago de punzante hielo,
sus lágrimas tristes, que cuajó el pesar,
reventando ahogarle, sin hallar consuelo,
ni esperanza nunca, ni tregua en su afán. 880

Aquel, de la blanca fantasma el gemido,
única respuesta que a don Félix dio,
hubiera y su inmenso dolor comprendido,
hubiera pesado su inmenso valor.[50]

D. FÉLIX

"Si buscáis algún ingrato, 885
yo me ofrezco agradecido;
pero o miente ese recato,
o vos sufrís el mal trato
de algún celoso marido.
"¿Acerté? ¡Necia manía! 809
Es para volverme loco,
si insistís en tal porfía;
con los mudos, reina mía,
yo hago mucho y hablo poco."

Segunda vez importunada en tanto, 895
una voz de süave melodía
el estudiante oyó que parecía
eco lejano de armonioso canto,

[50] Según W. T. Pattison ("On Espronceda's Personnality", *P.M.L.A.*, tomo LXI, 1946, pp. 1144-1145), "aquel" que hubiera comprendido "de la blanca fantasma el gemido" sería el verdadero Espronceda, mientras don Félix sería la criatura ideal con quien hubiera soñado identificarse el poeta. Creemos que no sólo el presente *Cuento*, sino otros poemas de Espronceda (*A una estrella*, *A Jarifa en una orgía*, el *Canto a Teresa*) desmienten categóricamente tan simplista interpretación: el poeta se identificaba en parte, pero con igual sinceridad, con sus personajes, que pueden expresar ideas o sentimientos aparentemente contradictorios, como contradictorias pueden ser las sucesivas fases de cualquier espíritu humano.

De amante pecho lánguido latido,
sentimiento inefable de ternura, 900
suspiro fiel de amor correspondido,
el primer sí de la mujer aún pura.

"Para mí los amores acabaron,
todo en el mundo para mí acabó;
los lazos que a la tierra me ligaron, 905
el cielo para siempre desató", [50 bis]

dijo su acento misterioso y tierno,
que de otros mundos la ilusión traía,
eco de los que ya reposo eterno
gozan en paz bajo la tumba fría. 910

Montemar atento sólo a su aventura,
que es bella la dama y aun fácil juzgó,
y la hora, la calle y la noche oscura
nuevos incentivos a su pecho son.

"Hay riesgo en seguirme."—"¡Mirad qué reparo!" 915
—"Quizá luego os pese." —"Puede que por vos."
—"Ofendéis al cielo." —"Del diablo me amparo."
—"Idos, caballero, no tentéis a Dios."

—"Siento me enamora más vuestro despego,
y si Dios se enoja, pardiez que hará mal: 920
véame en vuestros brazos y máteme luego."
—"¡Vuestra última hora quizá ésta será...!

"Dejad ya, don Félix, delirios mundanos."
—"¡Hola, me conoce!" —"¡Ay! ¡Temblad por vos!
"Temblad no se truequen deleites livianos 925
en penas eternas!" —"Basta de sermón,

[50 bis] Los vv. 903-906 forman el epígrafe del poema de Carlos Martínez Navarro *Un adiós a tu amor*, dedicado a J. Noriega y fechado: 10 noviembre 1844 (*El Tocador* [Madrid], núm. 20, t. I, 14 noviembre 1844). Las estrofas 21 a 24 de la composición se terminan cada una por uno de estos cuatro versos de Espronceda.

"que yo para oírlos la cuaresma espero;
y hablemos de amores, que es más dulce hablar;
dejad ese tono solemne y severo,
que os juro, señora, que os sienta muy mal; 930

"la vida es la vida; cuando ella se acaba,
acaba con ella también el placer.
De inciertos pesares ¿por qué hacerla esclava?
Para mí no hay nunca mañana ni ayer.

"Si mañana muero, que sea en mal hora 935
o en buena, cual dicen, ¿qué me importa a mí?
Goce yo el presente, disfrute yo ahora
y el diablo me lleve si quiere al morir."[51]

—"¡Cúmplase en fin tu voluntad, Dios mío!",
la figura fatídica exclamó; 940
y en tanto al pecho redoblar su brío
siente don Félix y camina en pos.

Cruzan tristes calles,
plazas solitarias,
arruinados muros 945
donde sus plegarias
y falsos conjuros,
en la misteriosa
noche borrascosa,
maldecida bruja 950
con ronca voz canta,
y de los sepulcros
los muertos levanta,
y suenan los ecos

[51] Compárense los vv. 931-938 con los vv. 91-96 de *El Mendigo*:

Y para mí no hay *mañana*,
ni hay *ayer*;
olvido el bien como el mal,
nada me aflige ni afana;
me es igual para mañana
un palacio, un hospital.

(Clásicos Castalia, 20, p. 238.)

de sus pasos huecos 955
en la soledad;
mientras en silencio
yace la ciudad,
y en lúgubre son
arrulla su sueño 960
bramando Aquilón.

Y una calle y otra cruzan,
y más allá y más allá:
ni tiene término el viaje,
ni nunca dejan de andar, 965
y atraviesan, pasan, vuelven,
cien calles quedando atrás,
y paso tras paso siguen
y siempre adelante van;
y a confundirse ya empieza 970
y a perderse Montemar,
que ni sabe a dó camina,
ni acierta ya dónde está.
Y otras calles, otras plazas
recorre y otra ciudad, 975
y ve fantásticas torres
de su eterno pedestal
arrancarse, y sus macizas
negras masas caminar,
apoyándose en sus ángulos 980
que en la tierra en desigual
perezoso tranco fijan;
y a su monótono andar,
las campanas sacudidas
misteriosos dobles dan; 985
mientras en danzas grotescas
y al estruendo funeral
en derredor cien espectros
danzan con torpe compás;
y las veletas sus frentes 990
bajan ante él al pasar,
los espectros le saludan,

y en cien lenguas de metal,
oye su nombre en los ecos
de las campanas sonar. 995
Mas luego cesa el estrépito,
y en silencio, en muda paz
todo queda, y desparece
de súbito la ciudad:
palacios, templos, se cambian 1000
en campos de soledad,
y en un yermo y silencioso
melancólico arenal,
sin luz, sin aire, sin cielo,
perdido en la inmensidad, 1005
tal vez piensa que camina,
sin poder parar jamás,
de extraño empuje llevado
con precipitado afán;[52]
entretanto que su guía 1010
delante de él sin hablar,
sigue misteriosa, y sigue
con paso rápido, y ya
se remonta ante sus ojos
en alas del huracán, 1015
visión sublime, y su frente
ve fosfórica brillar
entre lívidos relámpagos
en la densa oscuridad,
sierpes dc luz, luminosos 1020
engendros del vendaval.
Y cuando duda si duerme,
si tal vez sueña ó está
loco, si es tanto prodigio,
tanto delirio verdad, 1025
otra vez en Salamanca
súbito vuélvese a hallar,

[52] Compárense los vv. 996-1009 con la visión apocalíptica del fragmento primero del *Pelayo* (vv. 81-120, Clásicos Castalia, 20, pp. 83-85) y el cuadro fantástico de la *Introducción* de *El Diablo Mundo* (vv. 29-155).

distingue los edificios,
reconoce en donde está,
y en su delirante vértigo 1030
al vino vuelve a culpar,
y jura, y siguen andando
ella delante, él detrás.

"¡Vive Dios!, dice entre sí,
o Satanás se chancea, 1035
o no debo estar en mí,
o el málaga que bebí
en mi cabeza aun humea.

"Sombras, fantasmas, visiones,
dale con tocar a muerto, 1040
y en revueltas confusiones,
danzando estos torreones
al compás de tal concierto.

"Y el juicio voy a perder
entre tantas maravillas, 1045
que estas torres llegué a ver,
como mulas de alquiler,
andando con campanillas.

"¿Y esta mujer quién será?
Mas si es el diablo en persona, 1050
¿a mí qué diantre me da?
Y más que el traje en que va
en esta ocasión, le abona.

"Noble señora, imagino
que sois nueva en el lugar. 1055
Andar así es desatino;
o habéis perdido el camino,
o esto es andar por andar.

"Ha dado en no responder,
que es la más rara locura 1060

que puede hallarse en mujer,
y en que yo la he de querer
por su paso de andadura."

En tanto don Félix a tientas seguía,
delante camina la blanca visión, 1065
triplica su espanto la noche sombría,
sus hórridos gritos redobla Aquilón.

Rechinan girando las férreas veletas,
crujir de cadenas se escucha sonar,
las altas campanas por el viento inquietas 1070
pausados sonidos en las torres dan.

Rüido de pasos de gente que viene
a compás marchando con sordo rumor,
y de tiempo en tiempo su marcha detiene,
y rezar parece en confuso son, 1075

llegó de don Félix luego a los oídos,
y luego cien luces a lo lejos vio,
y luego en hileras largas divididos,
vio que murmurando con lúgubre voz,

enlutados bultos andando venían, 1080
y luego más cerca con asombro ve
que un féretro en medio y en hombros traían
y dos cuerpos muertos tendidos en él.

Las luces, la hora, la noche, profundo,
infernal arcano parece encubrir. 1085
Cuando en hondo sueño yace muerto el mundo,
cuando todo anuncia que habrá de morir

al hombre, que loco la recia tormenta
corrió de la vida, del viento a merced,
cuando una voz triste las horas le cuenta, 1090
y en lodo sus pompas convertidas ve,

forzoso es que tenga de diamante el alma
quien no sienta el pecho de horror palpitar,
quien como don Félix, con serena calma
ni en Dios ni en el diablo se ponga a pensar. 1095

Así en tardos pasos, todos murmurando,
el lúgubre entierro ya cerca llegó,
y la blanca dama devota rezando,
entrambas rodillas en tierra dobló.

Calado el sombrero y en pie, indiferente 1100
el féretro mira don Félix pasar,
y al paso pregunta con su aire insolente
los nombres de aquellos que al sepulcro van.

Mas ¡cuál su sorpresa, su asombro cuál fuera
cuando horrorizado con espanto ve 1105
que el uno don Diego de Pastrana era,
y el otro ¡Dios santo! y el otro era él!...

Él mismo, su imagen, su misma figura,
su mismo semblante, que él mismo era, en fin;
y duda, y se palpa y fría pavura 1110
un punto en sus venas sintió discurrir.

Al fin era hombre, y un punto temblaron
los nervios del hombre, y un punto temió;
mas pronto su antiguo vigor recobraron,
pronto su fiereza volvió al corazón.[53] 1115

"Lo que es, dijo, por Pastrana,
bien pensado está el entierro;
mas es diligencia vana
enterrarme a mí, y mañana
me he de quejar de este yerro. 1120

[53] La citación del Evangelio de San Marcos que encabeza esta parte se aplica a estos cuatro versos. Véanse también los vv. 1626-1629.

"Diga, señor enlutado,
¿a quién llevan a enterrar?"
—"Al estudiante endiablado
don Félix de Montemar",
respondió el encapuchado. 1125

—"¡Mientes, truhán!" —"No por cierto".
—"Pues decidme a mí quién soy,
si gustáis, porque no acierto
cómo a un mismo tiempo estoy
aquí vivo y allí muerto." 1130

—"Yo no os conozco". —"Pardiez,
que si me llego a enojar,
tus burlas te haga llorar
de tal modo, que otra vez
conozcas ya a Montemar. 1135

"¡Villano!... mas esto es
ilusión de los sentidos,
el mundo que anda al revés,
los diablos entretenidos
en hacerme dar traspiés. 1140

"¡El fanfarrón de don Diego!
De sus mentiras reniego,
que cuando muerto cayó,
al infierno se fue luego
contando que me mató".[54] 1145

Diciendo así, soltó una carcajada,
y las espaldas con desdén volvió:
se hizo el bigote, requirió la espada,
y a la devota dama se acercó.

[54] En los vv. 1104-1145, Espronceda aprovecha, adaptándolo a la situación de don Félix, el tema del hombre que asiste a su propio entierro, que no es más que un motivo secundario del poema, en contra de la opinión de E. Torre Pintueles en su *art. cit.* en la *Noticia bibliográfica.*

—"Con que, en fin, ¿dónde vivís? 1150
Que se hace tarde, señora."
—"Tarde, aún no; de aquí a una hora
lo será." —"Verdad decís
será más tarde que ahora.

"Esa voz con que hacéis miedo, 1155
de vos me enamora más.
Yo me he echado el alma atrás;
juzgad si me dará un bledo
de Dios ni de Satanás."

—"Cada paso que avanzáis 1160
lo adelantáis a la muerte,
don Félix. ¿Y no tembláis,
y el corazón no os advierte
que a la muerte camináis?"

Con eco melancólico y sombrío 1165
dijo así la mujer, y el sordo acento,
sonando en torno del mancebo impío,
rugió en la voz del proceloso viento.

Las piedras con las piedras se golpearon,
bajo sus pies la tierra retembló, 1170
las aves de la noche se juntaron,
y sus alas crujir sobre él sintió.

Y en la sombra unos ojos fulgurantes
vio en el aire vagar que espanto inspiran,
siempre sobre él saltándose anhelantes, 1175
ojos de horror que sin cesar le miran.

Y los vio y no tembló; mano a la espada
puso y la sombra intrépido embistió,
y ni sombra encontró ni encontró nada;
sólo fijos en él los ojos vio. 1180

Y alzó los suyos impaciente al cielo,
y rechinó los dientes y maldijo,
y en él creciendo el infernal anhelo,
con voz de enojo blasfemando dijo:

"Seguid, señora, y adelante vamos. 1185
Tanto mejor si sois el diablo mismo,
y Dios y el diablo y yo nos conozcamos,
y acábase por fin tanto embolismo.

"Que de tanto sermón, de farsa tanta,
juro, pardiez, que fatigado estoy; 1190
nada mi firme voluntad quebranta,
sabed en fin que donde vayáis voy.

"Un término no más tiene la vida,
término fijo; un paradero el alma:
ahora adelante." Dijo, y en seguida 1195
camina en pos con decidida calma.

Y la dama a una puerta se paró,
y era una puerta altísima y se abrieron
sus hojas en el punto en que llamó,
que a un misterioso impulso obedecieron. 1200
Y tras la dama el estudiante entró;
ni pajes ni doncellas acudieron;
y cruzan a la luz de unas bujías
fantásticas, desiertas galerías.

Y la visión como engañoso encanto, 1205
por las losas deslízase sin ruido,
toda encubierta bajo el blanco manto
que barre el suelo en pliegues desprendido.
Y por el largo corredor en tanto
sigue adelante y síguela atrevido, 1210
y su temeridad raya en locura,
resuelto Montemar a su aventura.

Las luces, como antorchas funerales,
lánguida luz y cárdena esparcían,
y en torno en movimientos desiguales 1215
las sombras se alejaban o venían;
arcos aquí ruinosos, sepulcrales,
urnas allí y estatuas se veían,
rotas columnas, patios mal seguros,
yerbosos, tristes, húmedos y oscuros. 1220

Todo vago, quimérico y sombrío,
edificio sin base ni cimiento,
ondula cual fantástico navío
que anclado mueve borrascoso viento.
En un silencio aterrador y frío 1225
yace allí todo: ni rumor, ni aliento
humano nunca se escuchó; callado,
corre allí el tiempo, en sueño sepultado.

Las muertas horas a las muertas horas
siguen en el reloj de aquella vida, 1230
sombras de horror girando aterradoras,
que allá aparecen en medrosa huida;
ellas solas y tristes moradoras
de aquella negra, funeral guarida,
cual soñada fantástica quimera, 1235
vienen a ver al que su paz altera.

Y en él enclavan los hundidos ojos
del fondo de la larga galería,
que brillan lejos, cual carbones rojos,
y espantaran la misma valentía; 1240
y muestran en su rostro sus enojos
al ver hollada su mansión sombría,
y ora los grupos delante se aparecen,
ora en la sombra allá se desvanecen.

Grandïosa, satánica figura, 1245
alta la frente. Montemar camina
espíritu sublime en su locura

provocando la cólera divina:
fábrica frágil de materia impura,
el alma que la alienta y la ilumina, 1250
con Dios le iguala, y con osado vuelo
se alza a su trono y le provoca a duelo.

Segundo Lucifer que se levanta
del rayo vengador la frente herida,
alma rebelde que el temor no espanta, 1255
hollada sí, pero jamás vencida,[55]
el hombre en fin que en su ansiedad quebranta
su límite a la cárcel de la vida
y a Dios llama ante él a darle cuenta,
y descubrir su inmensidad intenta. 1260

Y un báquico cantar tarareando,
cruza aquella quimérica morada,
con atrevida indiferencia andando,
mofa en los labios, y la vista osada;
y el rumor que sus pasos van formando, 1265
y el golpe que al andar le da la espada,
tristes ecos, siguiéndole detrás,
repiten con monótono compás.

Y aquel extraño y único rüido
que de aquella mansión los ecos llena, 1270
en el suelo y los techos repetido,
en su profunda soledad resuena,
y expira allá cual funeral gemido
que lanza en su dolor la ánima en pena,
que al fin del corredor largo y oscuro 1275
salir parece de entre el roto muro.

Y en aquel otro mundo, y otra vida,
mundo de sombras, vida que es un sueño,

[55] El v. 1256 reproduce casi textualmente el último de la octava "El estandarte ved que en Ceriñola":

rasgada sí, pero jamás vencida.

(Clásicos Castalia, 20, p. 224.)

vida, que con la muerte confundida,
ciñe sus sienes con letal beleño; 1280
mundo, vaga ilusión descolorida
de nuestro mundo y vaporoso ensueño,
son aquel ruido y su locura insana,
la sola imagen de la vida humana.

Que allá su blanca misteriosa guía 1285
de la alma dicha la ilusión parece,
que ora acaricia la esperanza impía,
ora al tocarla ya se desvanece;
blanca, flotante nube, que la umbría
noche, en alas del céfiro se mece, 1290
su airosa ropa, desplegada al viento,
semeja en su callado movimiento;

humo süave de quemado aroma
que al aire en ondas a perderse asciende,
rayo de luna que en la parda loma, 1295
cual un broche su cima al éter prende;
silfa que con el alba envuelta asoma
y al nebuloso azul sus alas tiende,
de negras sombras y de luz teñidas,
entre el alba y la noche confundidas. 1300

Y ágil, veloz, aérea y vaporosa,[56]
que apenas toca con los pies al suelo,
cruza aquella morada tenebrosa
la mágica visión del blanco velo,
imagen fiel de la ilusión dichosa
que acaso el hombre encontrará en el cielo,[57] 1305
pensamiento sin fórmula y sin nombre,
que hace rezar y blasfemar al hombre.

[56] El Ms. 1 contiene esta octava y las tres siguientes.
[57] V. 1306 Ms. 1, primera redacción: "que en vano el hombre en su incesante anhelo".

Y al fin del largo corredor llegando,
Montemar sigue su callada guía,[58] 1310
y una de mármol negro va bajando
de caracol torcida gradería,
larga, estrecha y revuelta y que girando
en torno de él y sin cesar veía
suspendida en el aire y con violento, 1315
veloz, vertiginoso movimiento.[59]

Y en eterna espiral y en remolino
infinito prolóngase y se extiende,
y el juicio pone en loco desatino
a Montemar que en tumbos mil desciende, 1320
y envuelto en el violento torbellino
al aire se imagina, se desprende,
y sin que el raudo movimiento ceda,[60]
mil vueltas dando, a los abismos rueda.[61]

Y de escalón en escalón cayendo, 1325
blasfema y jura con lenguaje inmundo,[62]
y su furioso vértigo creciendo,
y despeñado rápido al profundo,
los silbos ya del huracán oyendo,[63]
ya ante él pasando en confusión el mundo, 1330
ya oyendo gritos, voces y palmadas,
y aplausos y brutalcs carcajadas,

llantos y ayes, quejas y gemidos,
mofas, sarcasmos, risas y denuestos,
y en mil grupos acá y allá reunidos, 1335
viendo debajo de él, sobre él enhiestos,

[58] V. 1310 Ms. 1, tachado, al principio: "tras ella".
[59] V. 1315-1316 Ms. 1, primera redacción: "y el pie poniendo al escalón primero / luego aquel escalón rueda ligero".
[60] V. 1323 Ms. 1, "raudo" por encima de "furioso" tachado; "y", añadido al principio del verso.
[61] V. 1324 Ms. 1, "dando" añadido por encima de "a".
[62] V. 1326 Ms. 1, "con lenguaje inmundo" escrito debajo de las dos primeras redacciones tachadas: "en su delirio intenta" y "y despeñado baja".
[63] V. 1329 Ms. 1, "grit[os]" cambiado en "silvos".

hombres, mujeres, todos confundidos,
con sandia pena, con alegres gestos,
que con asombro estúpido le miran
y en el perpetuo remolino giran. 1340

Siente por fin que de repente para,
y un punto sin sentido se quedó;
mas luego valeroso se repara,
abrió los ojos y de pie se alzó.
Y fue el primer objeto en que pensara 1345
la blanca dama, y alredor miró,
y al pie de un triste monumento hallóla
sentada, en medio de la estancia, sola.

Era un negro solemne monumento
que en medio de la estancia se elevaba, 1350
y a un tiempo a Montemar ¡raro portento!
una tumba y un lecho semejaba.
Ya imaginó su loco pensamiento
que abierta aquella tumba le aguardaba;
ya imaginó también que el lecho era 1355
tálamo blando que al esposo espera.

Y pronto recobrada su osadía,
y a terminar resuelto su aventura,
al cielo y al infierno desafía
con firme pecho y decisión segura; 1360
a la blanca visión su planta guía,
y a descubrirse el rostro la conjura,
y a sus pies Montemar tomando asiento,
así la habló con animoso acento:

"Diablo, mujer o visión, 1365
que a juzgar por el camino
que conduce a esta mansión,
eres puro desatino
o diabólica invención,

"Si quier de parte de Dios, 1370
si quier de parte del diablo,
¿quién nos trajo aquí a los dos?
Decidme en fin ¿quién sois vos?
Y sepa yo con quién hablo,

"que más que nunca palpita 1375
resuelto mi corazón,
cuando en tanta confusión,
y en tanto arcano que irrita,
me descubre mi razón

"que un poder aquí supremo, 1380
invisible se ha mezclado,
poder que siento y no temo,
a llevar determinado
esta aventura al cxtremo."

Fúnebre 1385
llanto
de amor,
óyese
en tanto
en son 1390

flébil, blando,
cual quejido
dolorido
que del alma
se arrancó, 1395
cual profundo
¡ay! que exhala
moribundo
corazón.

Música triste, 1400
lánguida y vaga,

que a par lastima
y el alma halaga;
dulce armonía
que inspira al pecho 1405
melancolía,
como el murmullo
de algún recuerdo
de antiguo amor,
a un tiempo arrullo 1410
y amarga pena
del corazón.

Mágico embeleso,
cántico ideal,
que en los aires vaga 1415
y en sonoras ráfagas
aumentando va;
sublime y oscuro,
rumor prodigioso,
sordo acento lúgubre, 1420
eco sepulcral,
músicas lejanas,
de enlutado parche
redoble monótono,
cercano huracán 1425
que apenas la copa
del árbol menea
y bramando está;
olas alteradas
de la mar bravía, 1430
en noche sombría
los vientos en paz,
y cuyo rugido
se mezcla al gemido
del muro que trémulo 1435
las siente llegar;
pavoroso estrépito,
infalible présago
de la tempestad.

Y en rápido *crescendo*, 1440
los lúgubres sonidos
más cerca vanse oyendo
y en ronco rebramar;
cual trueno en las montañas
que retumbando va, 1445
cual rugen las entrañas
de horrísono volcán.

Y algazara y gritería,
crujir de afilados huesos,
rechinamiento de dientes 1450
y retemblar los cimientos,
y en pavoroso estallido
las losas del pavimento,
separando sus junturas
irse poco a poco abriendo, 1455

siente Montemar, y el ruido
más cerca crece, y a un tiempo
escucha chocarse cráneos,
ya descarnados y secos,
temblar en torno la tierra, 1460
bramar combatidos vientos,
rugir las airadas olas,
estallar el ronco trueno,
exhalar tristes quejidos
y prorrumpir en lamentos: 1465
todo en furiosa armonía,
todo en frenético estruendo,
todo en confuso trastorno,
todo mezclado y diverso.

Y luego el estrépito crece 1470
confuso y mezclado en un son
que ronco en las bóvedas hondas
tronando furioso zumbó;
y un eco que agudo parece
del ángel del juicio la voz, 1475

en tiple, punzante alarido
medroso y sonoro se alzó;
sintió, removidas las tumbas
crujir a sus pies con fragor,
chocar en las piedras los cráneos 1480
con rabia y ahinco feroz,
romper intentando la losa
y huir de su eterna mansión
los muertos, de súbito oyendo
el alto mandato de Dios. 1485

Y de pronto en horrendo estampido
desquiciarse la estancia sintió,
y al tremendo tartáreo rüido
cien espectros alzarse miró.
De sus ojos los huecos fijaron 1490
y sus dedos enjutos en él;
y después entre sí se miraron,
y a mostrarle tornaron después;
y enlazadas las manos siniestras,
con dudoso, espantado ademán 1495
contemplando, y tendidas sus diestras
con asombro al osado mortal,
se acercaron despacio, y la seca
calavera, mostrando temor,
con inmóvil, irónica mueca 1500
inclinaron, formando enredor.

Y entonces la visión del blanco velo
al fiero Montemar tendió una mano,
y era su tacto de crispante hielo,
y resistirlo audaz intentó en vano; 1505

galvánica, cruel, nerviosa y fría.
histérica y horrible sensación,
¡toda la sangre coagulada envía
agolpada y helada al corazón!...

Y a su despecho y maldiciendo al cielo, 1510
de ella apartó su mano Montemar,
y temerario alzándola a su velo,
tirando de él la descubrió la faz.

¡Es su esposo!!, los ecos retumbaron,
¡La esposa al fin que su consorte halló!! 1515
Los espectros con júbilo gritaron:
¡Es el esposo de su eterno amor!!

Y ella entonces gritó: *¡Mi esposo!!* ¡Y era
—¡desengaño fatal! ¡triste verdad!—
una sórdida, horrible calavera, 1520
la blanca dama del gallardo andar!...

Luego un caballero de espuela dorada,
airoso, aunque el rostro con mortal color,
traspasado el pecho dc fiera estocada,
aun brotando sangre de su corazón, 1525

se acerca y le dice, su diestra tendida,
que impávido estrecha también Montemar:
"Al fin la palabra que disteis, cumplida,
doña Elvira, vedla, vuestra esposa es ya:

Mi muerte os perdono." —"Por cierto, don Diego, 1530
repuso don Félix tranquilo a su vez,
me alegro de veros con tanto sosiego,
que a fc no esperaba volveros a ver.

"En cuanto a ese espectro que decís mi esposa,
raro casamiento venísme a ofrecer. 1535
Su faz no es por cierto ni amable ni hermosa,
mas no se os figure que os quiera ofender.

"Por mujer la tomo, porque es cosa cierta,
y espero no salga fallido mi plan,
que en caso tan raro y mi esposa muerta, 1540
tanto como viva no me cansará.

"Mas antes decidme si Dios o el demonio
me trajo a este sitio, que quisiera ver
al uno u al otro, y en mi matrimonio
tener por padrino siquiera a Luzbel; 1545

"cualquiera o entrambos con su corte toda,
estando estos nobles espectros aquí,
no perdiera mucho viniendo a mi boda...
Hermano don Diego, ¿no pensáis así?"

Tal dijo don Félix con fruncido ceño, 1550
en torno arrojando con fiero ademán
miradas audaces de altivo desdeño,
al Dios por quien jura capaz de arrostrar.

El carïado, lívido esqueleto,[64]
los fríos, largos y asquerosos brazos, 1555
le enreda en tanto en apretados lazos,[65]
y ávido le acaricia en su ansiedad,[66]
y con su boca cavernosa busca[67]
la boca a Montemar, y a su mejilla[68]
la árida, descarnada y amarilla 1560
junta y refriega repugnante faz.[69]

64 V. 1554 Ms. 6a), primera red.: "vio al repugnante lívido esqueleto".

65 V. 1556 Ms. 6a), primera red.: "tiéndele al cuello y en funestos lazos".

66 V. 1557 Ms. 6a), primera red.: "y le acaricia con [1 palabra ilegible, y por encima "ardiente", tachado] amor sin fin".

67 V. 1558 Ms. 6a), primera red.: ilegible.

68 V. 1559 Ms. 6a), primera red.: "su boca por besarle y sus mejillas [las *s* finales, tachadas luego].

69 V. 1561 Ms. 6a), tachado: "le frota", "junto [¿junta?] a sus"; primera red.: "junto a su faz con ciego frenesí". Según D. G. Samuels (*E. Gil y Carrasco...*, New York, 1939, p. 87), los vv. 1554-1661 inspiraron los siguientes de *Un ensueño* de Enrique Gil:

Mas pronto llega la duda
cadavérica y desnuda,
y con su mano la toca,
y luego irónica y muda
sopla en él con yerta boca;
y tórnase espectro feo,
y repugnante y mezquino...

Y él envuelto en sus secas coyunturas,
aun más sus nudos que se aprietan siente,[70]
baña un mar de sudor su ardida frente
y crece en su impotencia su furor.[71] 1565
Pugna con ansia a desasirse en vano,
y cuanto más airado forcejea,
tanto más se le junta y le desea
el rudo espectro que le inspira horror.[72]

Y en furioso, veloz remolino, 1570
y en aérea fantástica danza,
que la mente del hombre no alcanza
en su rápido curso a seguir,
los espectros, su ronda empezaron,
cual en círculos raudos el viento[73] 1575
remolinos de polvo vïolento[74]
y hojas secas agita sin fin.

Y elevando sus áridas manos[75]
resonando cual lúgubre eco,[76]
levantóse en su cóncavo hueco[77] 1580

[70] V. 1563 Ms. 6a), "que se aprietan", por encima de "apretarse", que el poeta dejó sin tachar.

[71] V. 1565 Ms. 6a), primera red.: "y crece su despecho y su furor".

[72] V. 1566-1569 Ms. 6a), primera red.: "Don Félix pugna a desasirse en vano / y cuanto más airado forcejea / tanto más se le junta y le desea ['besar el rostro', por encima de 'le junta y'] / y amor le muestra la fatal visión" [otra red. del v. 1569: "el rudo espectro que le demuestra amor"]. En los vv. 176-190 del *Pelayo*, Espronceda utilizó ya motivos idénticos para contar la pesadilla de Rodrigo (Clásicos Castalia, 20, p. 87). Según lo apuntó Brereton (*Quelques précisions*..., París, 1933, pp. 87-88, nota 2), este tema de un hombre que sueña que le están estrangulando se encuentra también en una estrofa de *El Reo de muerte* (*ed. cit.*, p. 233). Cf. también la descripción de la maga en el cap. III de *Sancho Saldaña*, citada en la *Introducción*, p. 29.

[73] V. 1574-1575 Ms. 6a), primera red.: "La quimérica ronda empezaron / los espectros".

[74] V. 1576 Ms. 6a), primera red.: "secas hojas agita violento".

[75] V. 1578 Ms. 6a), primera red.: "Y levantando sus áridas manos"; "cóncavas", por encima de "áridas", y sin tachar.

[76] V. 1579 Ms. 6a), primera red.: "y al crujir de sus áridos [?] huesos".

[77] V. 1580 Ms. 6a), primera red.: "esqueleto cual lúgubre eco"; por encima de "esqueleto", 1 palabra ilegible tachada.

semejante a un aullido una voz[78]
pavorosa, monótona, informe,
que pronuncia sin lengua su boca,
cual la voz que del áspera roca
en los senos el viento formó.[79] 1585

"Cantemos, dijeron sus gritos,
la gloria, el amor de la esposa,
que enlaza en sus brazos dichosa,
por siempre al esposo que amó.
Su boca a su boca se junte, 1590
y selle su eterna delicia,
süave, amorosa caricia
y lánguido beso de amor.[80]

"Y en mutuos abrazos unidos,
y en blando y eterno reposo, 1595
la esposa enlazada al esposo
por siempre descansen en paz;
y en fúnebre luz ilumine[81]
sus bodas fatídica tea,
les brinde deleites y sea 1600
la tumba su lecho nupcial."

Mientras, la ronda frenética[82]
que en raudo giro se agita,[83]
más cada vez precipita
su vértigo sin ceder;[84] 1608
más cada vez se atropella,
más cada vez se arrebata,
y en círculos se desata
violentos más cada vez;[85]

[78] V. 1581 Ms. 6a), primera red.: "en [1 palabra ilegible] retumba una voz".
[79] Ms. 6a), al margen de los vv. 1584-1586: "la tumba en terno / nupcial".
[80] V. 1593 Ms. 6a), primera red.: "blando beso de paz y de amor".
[81] V. 1598 Ms. 6a), primera red.: "y fúnebre antorcha ilumine".
[82] V. 1602 Ms. 6a), "Mientras", por encima de "Sigue", tachado.
[83] V. 1603 Ms. 6a), primera red.: "que en giro incesante por"; debajo, otras dos redacciones del mismo verso tachadas e ilegibles.
[84] V. 1605 Ms. 6a): "cesar", cambiado en "ceder".
[85] V. 1609 Ms. 6a), primera red.: "violentos cada vez más".

y escapa en rueda quimérica, 1610
y negro punto parece[86]
que en torno se desvanece
a la fantástica luz,
y sus lúgubres aullidos
que pavorosos se extienden,[87] 1615
los aires rápidos hienden
más prolongados aún.

Y a tan continuo vértigo,[88]
a tan funesto encanto,
a tan horrible canto, 1620
a tan tremenda lid,
entre los brazos lúbricos[89]
que aprémianle sujeto,
del hórrido esqueleto
entre caricias mil, 1625

jamás vencido el ánimo,
su cuerpo ya rendido,[90]
sintió desfallecido
faltarle, Montemar;[91]
y a par que más su espíritu 1630
desmiente su miseria
la flaca, vil materia
comienza a desmayar.

Y siente un confuso,
loco devaneo, 1635
languidez, mareo
y angustioso afán;
y sombras y luces,

86 V. 1611 Ms. 6a), primera red.: "y negra mancha parece".
87 V. 1615 Ms. 6a), primera red.: "que en torno el espacio hienden".
88 V. 1618 Ms. 6a): "contino".
89 V. 1622 Ms. 6a), primera red.: "en los inmundos brazos".
90 V. 1627 Ms. 6a), primera red.: "el cuerpo, no el espíritu".
91 Vv. 1628-1629 Ms. 6a), primera red.: "a su pesar rendido / el fiero Montemar". Véase la nota 53.

la estancia que gira,
y espíritus mira 1640
que vienen y van.

Y luego a lo lejos,
flébil en su oído,
eco dolorido
lánguido sonó,[92] 1645
cual la melodía
que el aura amorosa,[93]
y el agua armoniosa
de noche formó.[94]

Y siente luego 1650
su pecho ahogado,
y desmayado,
turbios sus ojos
sus graves párpados,
flojos caer; 1655
la frente inclina
sobre su pecho,
y a su despecho,
siente sus brazos
lánguidos, débiles 1660
desfallecer.

Y vio luego[95]
una llama
que se inflama
y murió;[96] 1665

[92] Vv. 1642-1625 Ms. 6a), primera red.: "y la grita se trueca / en apagado [1 palabra ilegible]/[1 palabra ilegible] son dolorido / quejumbroso oyó".
[93] V. 1646-1647 Ms. 6a), primera red.: "cual en la [1 palabra ilegible] / noche la armonía".
[94] Vv. 1648-1649 Ms. 6a), primera red.: "y el murmullo [1 palabra ilegible] del agua formó"; después, tachado: "luego sus brazos / lánguidos caen [por encima: "siente"] / siente sus brazos / lánguidos débiles / desfallecer".
[95] V. 1662 Ms. 6a), primera red.: "Y la lengua".
[96] V. 1665 Ms. 6a): "y q[u]e murió".

y perdido,
oyó el eco
de un gemido
que expiró.

Tal, dulce[97] 1670
suspira
la lira
que hirió
en blando
concento 1675
del viento
la voz,

leve,
breve[98]
son. 1680

En tanto en nubes de carmín y grana
su luz el alba arrebolada envía,[99]
y alegre regocija y engalana
las altas torres el naciente día;[100]
sereno el cielo, calma la mañana, 1685
blanda la brisa, trasparente y fría,
vierte a la tierra el sol con su hermosura
rayos de paz y celestial ventura.[101]

Y huyó la noche y con la noche huían
sus sombras y quiméricas mujeres, 1690
y a su silencio y calma sucedían
el bullicio y rumor de los talleres;

[97] V. 1670 Ms. 6a), "tal" por encima de "cual", que quedó sin tachar.

[98] V. 1678-1679 Ms. 6a), "suave / grave".

[99] V. 1682 Ms. 6a), primera red.: "rayos de luz arrebolada envía".

[100] V. 1684 Ms. 6a), primera red.: "la [1 palabra ilegible] de la ciudad [1 palabra ilegible].

[101] V. 1686-1687 Ms. 6a), primera red.: "plácido [1 palabra ilegible] regocija el [1 palabra ilegible] día [?] / pálido el sol derrama / nueva esperanza y celestial ventura"; a la izquierda del último verso: "[1 palabra ilegible] de esperanza y paz y de ventura".

y a su trabajo y a su afán volvían
los hombres y a sus frívolos placeres,[102]
algunos hoy volviendo a su faena 1695
de zozobra y temor el alma llena,

que era pública voz que llanto arranca
del pecho pecador y empedernido,
que en forma de mujer y en una blanca
túnica misteriosa revestido, 1700
¡aquella noche el diablo a Salamanca
había, en fin, por Montemar venido!!...
Y si, lector, dijerdes ser comento,
como me lo contaron te lo cuento.[103]

[102] Los mismos motivos de los vv. 1691-1694 reaparecen en los vv. 2134-2141 de *El Diablo Mundo.*

[103] Estos dos versos están tomados del canto II, octava 8, de las *Elegías de varones ilustres de Indias* por el poco conocido poeta del siglo XVI Juan de Castellanos, según apuntó León Medina en su artículo "Frases literarias afortunadas" (*Revue hispanique*, t. XVIII, núm. 53, 1908, pp. 162 y ss.). Sirven de epígrafe a la novela de J. García de Villalta, publicada en 1835, *El Golpe en vago*, de donde pudo tomarlos Espronceda; ambos autores escriben en efecto "te lo cuento" en vez de "os lo cuento", como lo notó Northup en su edición de *El Estudiante de Salamanca* (Boston, 1919, p. 107). El segundo de estos dos versos sirvió también de epígrafe al cuento de E. de Ochoa *Luisa* (*El Artista*, t. II, [núm. 28, 12 julio] 1835, pp. 40-45; y en su *Miscelánea...*, París, 1867, pp. 247-263, bajo el título *Hilda, cuento fantástico*); al cuento de P. Piferrer *El Castillo de Monsoliu* (*Diario de Madrid*, 18, 19, 21 y 22 abril 1840, tomado de *El Vapor* de Barcelona), pero en ambos casos correctamente transcrito ("os lo cuento"). Espronceda repitió este segundo verso tal como se lee aquí en el canto IV de *El Diablo Mundo* (v. 3117).

Retrato de Espronceda, frontispicio de la edición de 1841 de *El diablo mundo*.

EL DIABLO MUNDO.

POEMA

DE D. JOSÉ DE ESPRONCEDA.

CORO DE DEMONIOS.

Voguemos, voguemos.
La barca empujad,
Que rompa las nubes,
Que rompa las nieblas,
Los aires, las llamas,
Las densas tinieblas.
Las olas del mar.

Voguemos, crucemos
Del mundo el confín;
Que hoy su triste cárcel quiebran
Libres los diablos en fin,
Y con música y estruendo
Los condenados celebran,
Juntos cantando y bebiendo,
Un diabólico festín.

EL POETA.

Qué rumor
Lejos suena,
Que el silencio
En la serena
Negra noche interrumpió?

Es del caballo la veloz carrera,
Tendido en el escape volador,
O el áspero rugir de hambrienta fiera.
O el silbido tal vez del Aquilon?

O el eco ronco de lejano trueno
Qué en las hondas cavernas retumbó,
O el mar que amaga con su hinchado seno,
Nuevo Luzbel, al trono de su Dios?

Densa niebla
Cubre el cielo,
Y de espíritus
Se puebla
Vagarosos,
Que aquí el viento
Y allí cruzan
Vaporosos
Y sin cuento.

Y aquí tornan,
Y allí giran,
Ya se juntan,
Se retiran,
Ya se ocultan,
Ya aparecen,
Vagan, vuelan,
Pasan, huyen,
Vuelven, crecen,
Disminuyen,
Se evaporan,
Se coloran,
Y entre sombras
Y reflejos,
Cerca y lejos
Ya se pierden;
Ya me evitan
Con temor;
Ya se agitan
Con furor,

Espronceda, *El diablo mundo*, Madrid, Gaspar y Roig, 1852. (La página a dos columnas donde empieza el texto y el grabado que está arriba).

EL
DIABLO MUNDO,
POEMA
DE DON JOSE DE ESPRONCEDA.

PROSPECTO.

Las obras poéticas de Espronceda tienen ya demasiado crédito literario para que al anunciar este poema sea necesario hablar de su mérito.

Sólo diremos que pertenece a un género absolutamente nuevo en España, y que tiene también muy pocos puntos de contacto con los géneros de literatura que han cultivado los más celebres poetas.

EL DIABLO MUNDO es un poema al cual preside una idea original, y cuyo desempeño da bien a conocer que el autor es un gran poeta que está al nivel de los más grandes poetas del mundo.

Este concepto que el señor Espronceda goza ya en su nación no hará sino justificarse más y más con la obra que nos proponemos publicar con todo el esmero y lujo tipográfico posible, atendido el desgraciado atraso literario en que España se encuentra.

Daremos, pues, a luz el poema del DIABLO MUNDO por cantos, sistema de publicación el más fácil y ventajoso, cuando se trata de obras como ésta en que la poesía por ella derramada y el talento y la gracia con que está desempeñada cada parte, son por lo menos tan interesantes como el nudo todo que pueda enlazarlas entre sí.

ADVERTENCIAS.

1.ª El primer *canto* verá la luz pública el 15 de julio próximo, y el segundo el 15 de agosto.

2.ª El precio de cada *canto* será el de 5 rs. en Madrid y 6 en las provincias, franco de porte.

3.ª La publicación de los siguientes se hará a debido tiempo, porque como las suscriciones están tan desacreditadas, deseo no comprometerme con el público, ni que el público se comprometa conmigo así que no pido adelanto alguno y a medida que vayan saliendo los *cantos* se venderán sueltos, debiendo prevenir, sin embargo, que cada *dos cantos* formarán un tomo que después que se publique completo se venderá a 12 rs. rústica y 14 en pasta.

4.ª El tamaño será 16.º mayor por ser más cómodo en esta clase de publicaciones.

5.ª El tipo será igual al de estos renglones y el papel lo mismo que el de este *Prospecto*.

6.ª Tanto en la parte de impresión como en la de la corrección, autor y editor estamos interesadísimos en dar realce a la obra, así es que no se omitirá gasto alguno para obtenerlo.

7.ª Deseando facilitar más y más la expendición de esta obra, he creído que el medio mejor y más sencillo sea el de que pase el que desee obtenerla una papeleta designando su nombre y las señas de su domicilio u habitación, al comisionado más cercano, para que éste me haga el pedido directo y de número determinado de ejemplares.

EL EDITOR,
Ignacio Boix.

[Sigue la lista de los "puntos de expendición".][1]

[1] Publicado en *El Corresponsal*, 22 junio 1840; la *Gaceta de Madrid*, 25 junio 1840 (menos los párrafos 3 y 4); *El Entreacto*, 5 julio 1840; *El Eco del comercio*, 17 julio 1840.

PRÓLOGO

La humanidad entra en los períodos de su existencia por iguales trámites que el hombre en los de la vida: infancia, virilidad y madurez; admiración y contento en la primera edad, entusiasmo y fuerza en la segunda, reflexión y examen en la tercera. Y en tanto el poeta es en el orden moral el jefe de la humanidad de su tiempo y de aquellas generaciones que vendrán, hasta donde el dedo de la Providencia trace un círculo sobre el campo de la duda, y allí ya para el poeta y sus coetáneos, se levanta un muro de ignorancia que es la frontera del saber posible, y donde una inteligencia nueva se prepara a empezar con nuevas gentes y con un nuevo poeta que, semejante al focus de la lente, en sí reúna todos los rayos luminosos que partan de la circunferencia.

La sociedad naciente cantó sin duda los fenómenos de la naturaleza, cantó la luz, cantó las sombras, el amor instintivo, la amistad sencilla, las flores, los torrentes y las aves.

De esta poesía oral que, obrada la época de transición, debió perderse naturalmente, nos quedan los libros de la Biblia llenos de sencilla sublimidad; y luego después una civilización más adelantada, formuló la Égloga, el Idilio y el Himno, que no son, en nuestro sentir, otra cosa que reminiscencias cultivadas de aquella poesía patriarcal y campestre natural a los primeros tiempos.

Tras el período inocente pastoril, entró el mundo en la edad heroica, y Homero, trocando el caramillo por la trompa, se anunció cantando los dioses, las pasiones, el valor, las venganzas y la guerra.

La poesía *épica* quedó escrita, el pensamiento de aquellas generaciones formulado, Homero pasó a la posteridad junto con sus obras; el genio de Smirna fue inmediatamente admirado como un semi-dios, y su libro, cual un espejo mágico, donde vieron reflejarse lo pasado, lo que no existía, con todas sus fases y colores.

Homero es la pirámide que arranca de los tiempos

heroicos, monumento eminentísimo, desde cuya cumbre se domina toda la Grecia de Ulises, y en su centro se guardan los nombres de los héroes todos, todas las hazañas, todo el saber, las creencias, los vicios y virtudes en conjunto de una época grande.

El síntoma de desvirtuación se apoderó de la sociedad aquella, y la Grecia conquistadora fue sojuzgada a su vez. La civilización, la creencia, el entusiasmo y la fuerza pasaron a Italia; pero la era romana[2] fue ya heterogénea hasta cierto punto y de transición hacia el cristianismo.

Quiso Virgilio ponerse al frente de su época; pero no consiguió ciertamente más que colocarse a espaldas de Homero.

Roma en primer lugar sabía más que Virgilio, y la *Eneida*, hecha esclava voluntaria de la *Odisea*, se afana en su seguimiento, sin advertirse el poeta de que canta[3] un nuevo pueblo, una filosofía distinta, y de que el genio en su independencia prescribe una regla, dondequiera que estampa la huella.

Es la *Eneida*, sin embargo, un poema, artísticamente hablando, más meditado, un libro más correcto, y aunque siempre sobre la pauta del poeta griego, es el amor de Dido más espiritual, un sentimiento mil veces más justo y elevado que el amor que Homero pinta, resultado de una época más adelantada en cultura.

Radió por fin el cristianismo revolucionando la sociedad, y de aquella lucha de ideas confusas que se controvertían entre la neblina de la ignorancia, de aquella fe ardiente y de aquel desarrollo del alma debía resultar una época aparte de los siglos anteriores, y fue la *edad media* del mundo.

Un poeta espiritualista podía ser sólo la expresión fiel y el producto de una nueva era, y ésta brotó a Dante con todo el saber de su tiempo, arrollando mil preocupaciones sólo con el presentimiento de su genio, que dentro del corazón lo empujaba por la extraña senda que siguió,

[2] Ed. 1840: "la era cristiana", por evidente errata.
[3] Ed. 1840: "de que trata".

contraviniendo la voluntad de los sabios y los nobles, para ilustrar después a su pueblo, a los nobles y a los sabios de su tiempo, dando norma a un nuevo lenguaje, fórmula al sentimiento, y elevación e impulso de progreso a las ideas.

Dante es, pues, la pirámide de la edad media, y su *Divina Comedia* es un faro que domina resplandeciendo sobre las tinieblas de una época nueva, para más allá disiparlas... Así Homero y Dante, el uno a igual altura enfrente al otro, se divisan como dos *términos*, entre el vacío de los siglos que los separan.

Inmediato a Dante produjo la Inglaterra a Shakespeare, pero este autor, por la naturaleza de su talento, encerró sus obras en las estrechas dimensiones del teatro, y aunque todas ellas reunidas forman un tratado del mundo, se ve cómo el poeta tuvo que reposarse, a semejanza de quien camina jornada por jornada, por no poder acaso cruzar de un solo vuelo por encima del campo donde la humanidad se revuelve mal contenta.

Shakespeare sin embargo con más genio que saber, con mayor presentimiento que cálculo, adelantó la forma del poema dramático que se había atrevido Dante a indicar sólo muy ligeramente: Shakespeare presintió sin duda que el drama, sin las cortapisas de las bambalinas y de los bastidores, llegaría a producir el poema dramático, que la mayor ilustración y filosofía aceptarían como la fórmula más adelantada en los siglos venideros.

Así es que Goethe ha cultivado este género después en el *Fausto*, y Byron lo impulsó a la perfección en el *Manfredo*.

El poema más aventajado de este siglo que ofrecernos pueden entre su repertorio literario los franceses es sin duda alguna el *Genio del cristianismo*, y nosotros se lo concedemos, a la par que les negamos tenga aquel mérito tan en alto grado como ellos pretenden. El *Genio del cristianismo* está escrito con más poesía teológica que sentimiento poético, y por eso no convence siempre que el autor conspira a convencer. La obra de Mr. de Chateaubriand no está madurada en el corazón, sino en el invernáculo del entendimiento; es un libro escrito *ad hoc*, pero no inspirado, dictado sí por la conveniencia y ayudado por la erudición y por el cálculo... Creemos, no obstante, que si bien no es un poema como los que hemos indicado de pasada, es por lo menos el mejor arte poético que se ha escrito jamás. Mr. Chateaubriand nos ha demostrado que la teología lleva infinitas ventajas a la mitología para tratar la poesía. Hay además bellezas de primer orden que imitar, explicadas con la práctica de ellas mismas en la obra del profundo literato francés, y nos condolemos de haber traslucido en ella una cosa, que no será pero que nos induce a creer que allí se ve al cristiano de oficio, y al escritor de profesión.

La sociedad se encuentra ya en edad de madurez; nuestra época es la de *reflexión* y *examen*, como las de Homero y Dante fuéronlo de *entusiasmo* y *fuerza*; pero *que el corazón manda el mundo* es una máxima irrefutable: con él han dominado los héroes, y con él los filósofos ardientes que lograron imprimir su sello en la humanidad, propagaron sus respectivas doctrinas.

La cabeza por sí sola, por más fuerza lógica que encierre, no dará más que la disertación escolástica, y sus productos carecerán de los divinos vuelos del entusiasmo, que tras de sí arrastra y conduce hasta la verdad que preconiza.

El corazón impresionable, unido al vigor intelectual, la unión de sentimientos e ideas elevadas, la meditación y la inspiración, juntas con la magia de estilo y cierta revelación que recorre lo pasado, que desvela en el porvenir, y que sondea lo presente; ingenio fértil que agrupa los contrastes, que crea la acción y la desenlaza, concluido el objeto que propone; en una palabra, la concepción y el desempeño de un plan tan grande e ilustrado que abarque nuestra sociedad entera, son cualidades imprescindibles para el poeta que pretenda elevarse sobre tantos millones de hombres como el mundo moderno encierra.

El joven D. José de Espronceda se levanta con la osadía del Genio para escalar adónde nadie se ha atrevido a mirar de hito en hito sin confundirse.

Aspira nuestro poeta a compendiar la humanidad en

un libro, y lo primero que al empezarlo ha hecho ha sido romper todos los preceptos establecidos, excepto el de la unidad lógica.

[La parte del poema del *Diablo Mundo* a que sirven de prefacio estos renglones no comprende más hasta ahora que un prólogo que será el verdadero de toda la obra y el canto primero que es la exposición del drama, y verá la luz en seguida.][4]

En el prólogo del *Diablo Mundo* se ven recorridos todos los tonos de la poesía, los del sentimiento y los de la metrificación con un desempeño que asombra, y desde luego se anuncia un pensamiento colosal en medio de una tempestad de dudas, que el Sr. Espronceda, con la magia que posee, amontona sobre el lector con objeto tal vez de disiparlas más adelante.

El poeta se coloca también en mitad de esa atmósfera de dudas; pero cuando él levanta la cabeza para mirarlas y suelta la voz para analizarlas, medidas tendrá de antemano sus gigantescas fuerzas.

Empieza el poeta suponiendo que enajenado en la meditación, durante las horas silenciosas de la noche, siente un rumor extraño, el cual llama a sus sentidos y los despierta. Aquel rumor informe, aquella música augusta, aquel estrépito solemne son todas las pasiones del mundo, son todos los intereses encontrados de la vida, las afecciones, los odios, el amor, la gloria, la riqueza, los vicios y las virtudes; son el quejido en fin del universo entero que llega en revuelto torbellino a la par con la inspiración, y ésta desplega ante la fantasía mil monstruos alegóricos trazados con inimitable facilidad y pasmosa valentía.

Las visiones pasan, el ruido va gradualmente perdiéndose en lontananza hasta que cesa donde acaba la introducción del poema.

El primer canto es la exposición del gran drama que se propone desenvolver el Sr. Espronceda.

4 La frase entre corchetes fue suprimida en la Ed. 1841 (véase *Introd. crítica*, p. 52).

Un hombre agobiado por la edad, amargado por la dolorosa e inútil experiencia, cierra desesperado un libro en que leía, y convencido tristemente de la esterilidad de la ciencia, se queda dormido.

Entonces se le presenta la muerte y le entona un himno que convida a la paz del sepulcro. Con placer siente el anciano aterirse sus entumecidos miembros y gozándose está en la enervación de su espíritu, cuando la inmortalidad súbito se ostenta ante sus ojos, y canta otro himno, en oposición al de la muerte, y así como la primera se le brindó, ella también se ofrece al moribundo.

La elección es inmediata; el hombre opta por la inmortalidad y rejuvenece. El cántico de esta deidad no se encamina a inmortalizar el espíritu, es la inmortalidad de la materia lo que ella da, y lo que el hombre recibe.

La imagen de la muerte tiene la novedad que presta este filósofo a cuanto sale de su pluma: está vestida de melancólica belleza; es dulce y apacible, es la muerte que se hace desear cuando exentos ya de preocupaciones sentimos el corazón cansado y el alma descontenta.

La inmortalidad, como hemos dicho, se alza luego y se adelanta sobre el horizonte pálido de la muerte, para borrarlo con su magnificencia deslumbradora.

Imposible se hace que acerquemos siquiera nuestras palabras al lujo de pensamiento, de expresión y de saber que despliega Espronceda en esta descripción sublime, la más afortunada acaso de cuantas se han visto hasta hoy en lengua castellana.

La variedad de tonos que a su arbitrio emplea el poeta, tonos ya humildes, ya elevados, áridos o festivos, placenteros, sombríos, desesperados e inocentes, son como la faz del mundo, sobre la cual está condenado a discurrir su héroe. Esa *sinuosidad* del *Diablo Mundo* es la superficie de la tierra: aquí un valle, más adelante un monte, flores y espinas, aridez y verdura, chozas y palacios, pozas inmundas, arroyos serenos y ríos despeñados.

Espronceda en la poesía con tal superioridad maneja el habla castellana, que ha revolucionado la versificación. Antes la *armonía imitativa* estaba reducida a asimilar en uno o dos versos el galopar monótono de un caballo de de guerra, por ejemplo, y hoy nuestro aventajado poeta expresa con los tonos en todo un poema no sólo lo que sus palabras retratan, sino hasta la fisonomía moral que caracteriza las imágenes, las situaciones y los objetos de que se ocupa... Ésta es la *armonía del sentimiento*, llevada a la perfección por el sentimiento íntimo y delicado del que escribe.

Como por el rugido se conoce al león, como por el plañido se infiere del que padece cuál será el grado de su dolor, así por las entonaciones de que se vale Espronceda en el *Diablo Mundo*, inferimos las palabras y los conceptos que de éstas van a resultar.

Grande, dilatado, inmenso es el campo poético que el poeta ha desplegado a su frente, para trazar carrera al héroe del poema en cuestión.

Repetimos que en nuestro juicio es el plan mayor que hasta hoy se ha concebido para un poema. Su héroe ha rejuvenecido ya como el doctor Fausto, pero su mocedad no es el préstamo de un tiempo mezquino, por la hipoteca y la enajenación del alma: el protagonista del *Diablo Mundo*, sin nombre hasta ahora, ha aceptado la juventud y la inmortalidad sin condiciones.

En el drama de Goethe, Fausto no es más que un mancebo a medias, porque su corazón es siempre el del doctor, y esto le hace no participar nunca de los placeres en sazón, antes por el contrario están siempre empozoñados por el juicio.

Acaso fue éste el pensamiento de Goethe, y nosotros nos guardaremos de tildarlo, porque esa continuada carcoma de Fausto es una sublimidad del talento que lo creó.

Mas si Espronceda se propone enseñarnos el mundo físico y moral, para probarnos que la inmortalidad de la materia es el hastío y la condenación sobre la tierra, juzgamos que su héroe, al retroceder en la carrera de la vida, debe hacerlo por completo, volviéndole la virginidad al alma, la inexperiencia al juicio, y dándole unas sensaciones no gastadas.

La experiencia, la moralidad y el saber deben pertenecer

al poeta, que no es personaje de acción en el drama, sino el disertador y el Genio que penetra en las entrañas de su obra.

Con fundada esperanza nos linsojeamos de que el poema de El *Diablo Mundo* despertará en la Europa civilizada un respetuoso recuerdo de la patria de Cervantes.

Si el joven autor, con cuya leal amistad nos honramos, no decae en ese maravilloso vuelo que ha sabido dar a los dos primeros cantos de El *Diablo Mundo*, viva penetrado de que si lo presente pertenece a los grandes poetas que murieron, el porvenir será para él.

La posteridad solamente hace pública justicia al talento que no domina por las armas.

ANTONIO ROS DE OLANO.[5]

[5] Antonio Ros de Olano (Caracas, 1808-Madrid, 1887) es más conocido por sus actividades militares y políticas que por su obra literaria. Parece que su primera poesía publicada fue *Satisfacción de Tarfe a Abenámar* (*Correo lit. y mercantil,* 12 enero 1833); el 12 de julio del mismo año, el citado diario insertó nueve octavas suyas en que celebraba la proclamación de la princesa Isabel como heredera del trono. A principios de 1834, formó parte de la redacción de *El Siglo* en compañía de Espronceda, B. Núñez de Arenas y V. Vega; en este periódico publicó anónimamente un *Cuadro árabe*, reproducido con su firma en *El Pensamiento* (núm. 10, [30 septiembre] 1841, páginas 234a-235a), del que fue asiduo colaborador con sus amigos Espronceda y M. de los Santos Álvarez. En abril de 1834, se estrenó la comedia *Ni el tío ni el sobrino*, que escribiera en colaboración con el autor del *Pelayo*. Sus obras posteriores son más conocidas: *El Diablo las carga* (1840); *El Doctor Lañuela* (1863); *Episodios militares* (1883); *Poesías* (1886). Su brillante conducta en la campaña de África (1859-1860) le valió el título de marqués de Guad-el-Jelú. Menéndez y Pelayo, que tenía poca simpatía a Ros como político, le dedico algunas páginas de su *Historia de la poesía hispano-americana* (pp. 393-396 del t. I de la Ed. Nacional, 1948) en que califica al prólogo de *El Diablo Mundo* de "*mistagógico* y apocalíptico", y añade que Ros desarrolló en él "no sé qué huecas teorías sobre la epopeya en sus relaciones con la historia de la humanidad, para deducir la obligada consecuencia de que el poema de su amigo iba a completar y eclipsar las tres o cuatro únicas epopeyas que él reconocía, y que eran a modo de piedras miliarias en el camino de la evolución humana". Véanse juicios más ecuánimes en el prólogo de sus *Poesías* por Valera; en A. de Latour, *Espagne, traditions, mœurs et littérature* (París, 1869), y en N. A. Cortés, *Quevedo en el teatro y otras cosas* (Valladolid, 1930). Es curioso que ningún investigador haya dedicado un libro a este interesantísimo personaje del siglo XIX español.

INTRODUCCIÓN

AL POEMA TITULADO EL DIABLO MUNDO

A mi amigo Don Antonio Ros de Olano.
El autor: José de Espronceda.[6]

CORO DE DEMONIOS

Boguemos, boguemos,
la barca empujad,
que rompa las nubes,
que rompa las nieblas,
los aires, las llamas, 5
las densas tinieblas,
las olas del mar.

Boguemos, crucemos
del mundo el confín;
que hoy su triste cárcel quiebran 10
libres los Diablos en fin,
y con música y estruendo
los condenados celebran,
juntos cantando y bebiendo,
un diabólico festín. 15

EL POETA

¿Qué rumor
lejos suena,
que el silencio
en la serena
negra noche interrumpió? 20

[6] Tal como está colocada esta dedicatoria, parece que no fue todo el poema, sino sólo la *Introducción* lo que Espronceda dedicó a su amigo.

¿Es del caballo la veloz carrera,
tendido en el escape volador,
o el áspero rugir de hambrienta fiera,
o el silbido tal vez del aquilón?

¿O el eco ronco de lejano trueno 25
que en las hondas cavernas retumbó,
o el mar que amaga con su hinchado seno,
nuevo Luzbel, al trono de su Dios?

Densa niebla [7]
cubre el cielo, 30
y de espíritus
se puebla
vagarosos,
que aquí el viento
y allí cruzan, 35
vaporosos
y sin cuento.

Y aquí tornan,
y allí giran,
ya se juntan, 40
se retiran,
ya se ocultan,
ya aparecen,
vagan, vuelan,
pasan, huyen, 45
vuelven, crecen,
disminuyen,
se evaporan,
se coloran,
y entre sombras 50
y reflejos,
cerca y lejos

[7] Sobre los vv. 29-155, véase la nota 52 de *El Estudiante de Salamanca*. Por no sobrecargar las notas, no reproducimos los versos del *Faust* de Goethe o de varias obras de Byron que puedan tener alguna semejanza con ciertos pasajes de *El Diablo Mundo*. Remitimos al estudio de Churchman ("Byron and Espronceda", *Revue hispanique*, t. XX, 1903, pp. 5-210) y a los dos de Martinengo citados en la *Noticia bibliografica*.

ya se pierden,
ya me evitan
con temor, 55
ya se agitan
con furor,
en aérea danza fantástica
a mi alrededor.[8]

Vago enjambre de vanos fantasmas, 60
de formas diversas, de vario color,
en cabras y sierpes montados y en cuervos,
y en palos de escobas, con sordo rumor

baladros lanzan y aullidos,
silbos, relinchos, chirridos, 65
y en desacordado estrépito,
el fantástico escuadrón
mueve horrenda algarabía
con espantosa armonía,
y horrísona confusión. 70

Del toro ardiente al mugido
responde en ronco graznar
la malhadada corneja,
y al agorero cantar
de alguna hechicera vieja, 75
el gato bufa y maúlla,
el lobo erizado aúlla,
ladra furioso el mastín;
y ruidos, voces y acentos
mil se mezclan y confunden, 80
y pavor y miedo infunden
los bramidos de los vientos;
que al mundo amagan su fin
en guerra los elementos.

Relámpago rápido 85
del cielo las bóvedas
con luz rasga cárdena,

[8] V. 59 Ed. 1840: "a mi alredor".

y encima descúbrese
jinete fantástico,
quizá el genio indómito 90
de la tempestad.

De cien truenos juntos retumba el fragor
en bosques, montañas, cavernas, torrentes;
quizá son del miedo los genios potentes
que el cántico entonan de espanto y terror. 95

Lanzando bramidos hórridos,
y tronchando añosos árboles,
irresistible su ímpetu,
teñida en colores lívidos,
gigante forma flamígera 100
cabalga en el huracán.
Quizá el genio de la guerra,
cuya frente tornasola
con roja vaga aureola
el relámpago fugaz. 105

Aquí retiembla la tierra,
allí rebrama la mar,
altísima catarata
zumba y despéñase allá;

allí torrentes de lava[9] 110
lanza mugiente volcán,
aquí temerosa tromba
se agita en la tempestad,[10]

y agua, fuego, peñas, árboles
ávida sorbe al pasar. 115
Allí colgada la luna,
con torva, cárdena faz,

[9] Alberto L. Argüello ha puesto de relieve la semajanza entre los vv. 110-153 y la parte final de la *Salmodia* que recitó Zorrilla con motivo de su coronación en el Liceo de Madrid (1848), a partir de: "Y hace eco a la voz mía". (Véase su artículo "Zorrilla y *El Diablo Mundo*" citado en la *Noticia bibliográfica*; y también, *infra*, la nota 65).

[10] V. 113 Ed. 1840: "se agita la tempestad".

triste, fatídica, inmóvil
en la inmensa oscuridad,
más entristece que alumbra, 120
cual lámpara sepulcral.

Allí bramidos de guerra
se escuchan, y el golpear
del acero, y de las trompas
el estrépito marcial, 125

aquí relinchar caballos
y estruendo de pelear;
allí retumban cañones,
lamentos suenan allá,

y alaridos, voces, ayes 130
y súplicas y llorar;
aquí desgarradas músicas
y cantares; acullá

ruido de gentes que danzan
con bullicioso compás; 135
acá risas y murmullos,
riñas y gritos allá.

Allí el estruendo se escucha
de amotinada ciudad,
carcajadas, orgias, brindis, 140
y maldecir y jurar.

Aquí el susurro entre flores
del cefirillo galán,[11]
allí el eco interrumpido
de algún suspiro fugaz, 145

[11] Compárense los vv. 142-143 con los siguientes del romance *A la noche*:
y entre las ramas el aura
eco armonioso susurra (vv. 7-8)
Ora la brisa süave
entre las flores susurra (vv. 72-73).
(Clásicos Castalia, 20, pp. 123 y 125.)

ora un beso, una palabra,
de alguna trova el final;
todo en confusa discordia
se oye a un tiempo resonar,

breve compendio dél mundo, 150
la tartárea bacanal.
y trastornan y confunden
tanto estrépito a la par,

y aturden, turban, marean
tanta visión, tanto afán. 155

UN CORO

Allá va la nave;
¿quién sabe do va?
¡Ay! ¡Triste el que fía
del viento y la mar![12]

UNA VOZ

¿Qué importa? El destino 160
su rumbo marcó.
¿Quién nunca sus leyes
mudar alcanzó?
Allá va la nave;
bogad sin temor, 165
ya el aura la arrulle,
ya silbe Aquilón.

SEGUNDO CORO

Venid, levantemos
segunda Babel,
el velo arranquemos 170
que esconde al saber.

[12] Los vv. 156-159 sirven de epígrafe a la poesía de Rogelia León, *El Pescador*, publicada en el *Eco de Occidente* (Granada), 15 enero 1854, entrega 3, pp. 18-19.

UNA VOZ

Verdad, te buscamos:
osamos subir
al último cielo
volando tras ti, 175
con noble avaricia
y en ansia sin fin
de ver cuanto ha sido
y está por venir.

TERCER CORO

Mentira, tú eres 180
luciente cristal,
color de oro y nácar
que encanta el mirar.

UNA VOZ

Feliz a quien meces,
mentira, en tus sueños, 185
tú sola halagüeños
placeres nos das.
¡Ay! ¡Nunca busquemos
la triste verdad!
La más escondida 190
tal vez, ¿qué traerá?
¡Traerá un desengaño!
¡Con él un pesar!

VARIAS VOCES

PRIMERA VOZ

Yo combato por la gloria,
su corona es de laurel, 195
cánteme versos, poeta,
póstrate, mundo, a mis pies.

SEGUNDA VOZ

Yo levantaré un palacio
que oro y perlas ornarán,
príncipes serán mis siervos, 200
el pueblo, Dios me creerá.

TERCERA VOZ

Venid, hermosas, a mí,
dadme deleite y amor,
voluptüosa pereza,
besos de dulce sabor; 205
y entre perfumes y aromas,
bullentes vinos, y al son
del arpa, blanda me arrulle
y armoniosa vuestra voz.

CUARTA VOZ

Venid, empujadme, 210
la cima toqué,
subidme, que luego
la mano os daré.

QUINTA VOZ

¡Ay! yo caí de la elevada cumbre
en honda sima que a mis pies se abrió: 215
¡Grande es mi pena, larga mi agonía!...
¡Una mano! ¡Ayudadme! ¡Compasión!

SEXTA VOZ

Errante y amarrado a mi destino,
vago solo y en densa oscuridad.
¡Siempre viajando estoy, y mi camino 220
ni descanso ni término tendrá!

SÉPTIMA VOZ

Sin pena vivamos
en calma feliz,
gozar es mi estrella,
cantar y reír. 225

OCTAVA VOZ

¿Quién calmará mi dolor?
¿Quién enjugará mi llanto?
¿No habrá alivio a mi quebranto?
¿Nadie escucha mi clamor?

EL POETA

¿Dónde estoy? Tal vez bajé 230
a la mansión del espanto,
tal vez yo mismo creé
tanta visión, sueño tanto,
que donde estoy ya no sé.

Hórrida turba quizá 235
que en tormenta y confusión,
a anunciar al mundo va
su ruina y desolación,
mensajeros de Jehová,

¿quiénes sois, genios sombríos 240
que junto a mí os agolpáis?
¿Sois vanos delirios míos,
o sois verdad? ¿Qué buscáis?
¿Qué queréis? ¿A dónde vais?

Mas de la célica cumbre 245
llameante catarata
en ondas de viva lumbre
súbito miro saltar.

Y ola tras ola de fuego
vuela en el aire y se alcanza 250
con estruendo y furor ciego,
como despeñado mar.

Y al hondo abismo en seguida
se precipita y se pierde
la catarata encendida 255
que en arco rápido cae.
Océano inmenso volcado
rojos los aires incendia,
en tumbos arrebatado
recia tormenta lo trae. 260

Y en medio negra figura
levantada en pie se mece,
de colosal estatura
y de imponente ademán.
Sierpes son su cabellera 265
que sobre su frente silban,
su boca espantosa y fiera
como el cráter de un volcán.

De duendes y trasgos
muchedumbre vana 270
se agita y se afana
en pos su señor.
Y allí entre las llamas
resbalan, se lanzan,
y juegan y danzan 275
saltando en redor.

Bullicioso séquito
que vienen y van,
visiones fosfóricas,
ilusión quizá. 280
Trémulas imágenes
sin marcada faz,
su voz sordo estrépito

que se oye sonar,
cual zumbido unísono 285
de mosca tenaz.

Allí entre las llamas
hirviendo en montón,
no cesa su ronco
monótono son, 290
murmurando a un tiempo mismo
todos juntos y a una voz,
y apareciéndose súbito
ora fuego, ora vapor.

Tendió una mano el infernal gigante 295
y la turba calló, y oyóse sólo
en silencio el estrépito atronante
del flamígero mar; luego un acento[13]
claro, distinto, rápido y sonoro
por la vaga región cruzó del viento 300
con rara melancólica armonía,
que brotaba do quiera,
y un eco en derredor lo repetía.

Voz admirable, y vaga, y misteriosa,
viene de allá del alto firmamento, 305
crece bajo la tierra temblorosa,
vaga en las alas del callado viento;
voz dc amargo placer, voz dolorosa,
incomprensible mágico portento,
voz que recuerda al alma conmovida 310
el bien pasado y la ilusión perdida.

"¡Ay!", exclamó, con lamentable queja,
y en torno resonó triste gemido,
como el recuerdo que en el alma deja
la voz de la mujer que hemos querido. 315
"¡Ay! ¡Cuán terrible condición me aqueja

[13] Véase la nota 48 de *El Estudiante de Salamanca.*

para llorar y maldecir nacido,
víctima yo de mi fatal deseo,
que cumplirse jamás mis ansias veo!

"¿Quién es Dios? ¿Dónde está? Sobre la cumbre 320
de eterna luz que altísima se ostenta,
tal vez en trono de celeste lumbre
su incomprensible majestad se asienta;
de mundos mil la inmensa pesadumbre
con su mano tal vez rige y sustenta, 325
sempiterno, infinito, omnipotente,
invisible do quier, do quier presente.

"Y allá en la gran Jerusalén divina
tal vez escucha en holocausto santo
del querub que a sus pies la frente inclina, 330
voces que exhalan armonïoso canto.
La máquina sonora y cristalina
del mundo rueda en derredor en tanto,
y entre aromas, y gloria, y resplandores,
recibe humilde adoración y amores. 335

"*Santo*, *Santo*, los ángeles le cantan,
Hosanna, *Hosanna*, en las alturas suena,
rayos de luz perfilan y abrillantan
nube de incienso y transparencia llena;
y en ella con murmullo se levantan, 340
paz demandando a la mansión serena,
las preces de los hombres en su duelo,
y paz les vuelve y bendición el cielo.

"¿Es Dios tal vez el Dios de la venganza,[14]
y hierve el rayo en su irritada mano, 345
y la angustia, el dolor, la muerte lanza
al inocente que le implora en vano?
¿Es Dios el Dios que arranca la esperanza,

[14] Véase la nota 239.

frívolo, injusto y sin piedad tirano,
del corazón del hombre, y le encadena, 350
y a eterna muerte al pecador condena?

"Embebido en su inmenso poderío,
¿es Dios el Dios que goza en su hermosura,
que arrojó el universo en el vacío,
leyes le dio y abandonó su hechura? 355
¿Fue vanidad del hombre y desvarío
soñarse imagen de su imagen pura?
¿Es Dios el Dios que en su eternal sosiego
ni vio su llanto ni escuchó su ruego?[15]

"¿Tal vez secreto espíritu del mundo 360
el universo anima y alimenta,
y derramado su hálito fecundo[16]
alborota la mar y el cielo argenta,
y a cuanto el orbe en su ámbito profundo
tímido esconde o vanidoso ostenta, 365
presta con su virtud desconocida
alma, razón, entendimiento y vida?

"¿Y es Dios tal vez la inteligencia osada
del hombre siempre en ansias insaciable,
siempre volando y siempre aprisionada 370
de vil materia en cárcel deleznable?
¿A esclavitud eterna condenada,
a fiera lucha, a guerra interminable,[17]
tal vez estás, divinidad sublime,
que otra divinidad de inercia oprime? 375

"¿Y es en su vida el universo entero[18]
ilimitado campo de pelea,
cada elemento un triste prisionero

15 V. 359 Ed. 1840: "No vio su llanto ni escuchó su ruego?".
16 V. 362 Ed. 1840: "Y derramando su hálito fecundo".
17 V. 373 Ed. 1840: "A fiera lucha o guerra interminable".
18 V. 376 Ed. 1840: "¿Y es en la vida el universo entero".

que su cadena quebrantar desea,
y ardes en todo, espíritu altanero, 380
lumbre matriz, devoradora tea,
como el que oculto, misterioso aliento
mueve la mar con loco movimiento?

"¿Cuándo tu guerra término tendrá,
y romperás tu lóbrega prisión? 385
¿Su faz el universo cambiará?
¿Creerá otros seres de inmortal blasón,
o la muerte silencio te impondrá?
¿Volarás fugitivo a otra región
o disipando la materia impura, 390
el mundo inundarás de tu hermosura?"

"¿Quién sabe? Acaso yo soy
el espíritu del hombre
cuando remonta su vuelo
a un mundo que desconoce, 395
cuando osa apartar los rayos
que a Dios misterioso esconden,
y analizarle atrevido
frente a frente se propone.
Y entretanto que impasibles 400
giran cien mundos y soles
bajo la ley que gobierna
sus movimientos acordes,
traspasa su estrecho límite
la imaginación del hombre, 405
jinete sobre las alas
de mi espíritu veloces,
y otra vez va a mover guerra,
a alzar rebeldes pendones,
y hasta el origen creador 410
causa por causa recorre,
y otra vez se hunde conmigo
en los abismos, en donde
en tiniebla y lobreguez
maldice a su Dios entonces. 415

¡Ay! Su corazón se seca,
y huyen de él sus ilusiones,
delirio son engañoso
sus placeres, sus amores,
es su ciencia vanidad, 420
y mentira son sus goces,
¡sólo verdad su impotencia,
su amargura y sus dolores!

"Tú me engendraste, mortal,
y hasta me distes un nombre; 425
pusiste en mí tus tormentos,
en mi alma tus rencores,
en mi mente tu ansiedad,
en mi pecho tus furores,
en mi labio tus blasfemias 430
e impotentes maldiciones;
me erigiste en tu verdugo,
me tributaste temores,
y entre Dios y yo partiste
el imperio de los orbes. 435
Y yo soy parte de ti,
soy ese espíritu insomne
que te excita y te levanta
de tu nada a otras regiones,
con pensamiento de ángel, 440
con mezquindades de hombre. [19]

"Tú te agitas como el mar
que alza sus olas enormes,
humanidad, en oleadas,
por quebrantar tus prisiones. 445
¿Y en vano será que empujes,
que ondas con ondas agolpes,

[19] Bretón apuntó que en los vv. 424-441 el genio del mal expresa ideas muy parecidas a las del verdugo en la canción del mismo nombre. Compárense también los vv. 495-500 y 508-514 con los vv. 81-100 de *El Verdugo* (Clásicos Castalia, 20, pp. 240 y 243).

y de tu cárcel la linde
con vehemente furia azotes?
¿Será en vano que tu mente 450
a otras esferas remontes,
sin que los negros arcanos
de vida y de muerte ahondes?
¿Viajas tal vez hacia atrás?
¿Adelante tal vez corres? 455
¿Quizá una ley te subyuga?
¿Quizá vas sin saber dónde?
Las creencias que abandonas,
los templos, las religiones
que pasaron, y que luego 460
por mentira reconoces,
¿son quizá menos mentira
que las que ahora te forjes?
¿No serán tal vez verdades
los que tu juzgas errores? 465

"Mas tú como yo impulsada
por una mano de bronce,
allá vas, y en vano, en vano
descanso pides a voces;
los siglos se precipitan, 470
se hunden cien generaciones,
piérdense imperios y pueblos,
y el olvido los esconde;
y tú allá vas, allá vas
abandonada y sin norte, 475
despeñada y de tropel
y en aparente desorden;
y ora inundas la llanura,
allanas luego los montes,
¡no hay hondo abismo ni cielo 480
que a descubrir no te arrojes!!
¡Pobre ciega! loca, errante,
aquí sagaz, allí torpe,
tú misma para ti misma
toda arcano y confusiones. 485

"Y ya por senda trazada
viajes sometida y dócil,
y sigas crédula en paz
las huellas de tus mayores,
ya nuevas galas te vistas 490
y de las antiguas mofes,
y rebelde de tus hierros,
muerdas ya los eslabones,
yo siempre marcho contigo[20]
y ese gusano que roe 495
tu corazón, esa sombra
que anubla tus ilusiones,
soy yo, el lucero caído,
el ángel de los dolores,
el rey del mal, y mi infierno 500
es el corazón del hombre.
Feliz mientras la esperanza
¡ay! tus delirios adorne,
infeliz cuando tu mente
los recuerdos emponzoñen[21] 505
y a la mar sin rumbo fijo
desesperado te arrojes:
ni un astro te alumbrará,
será en vano que a Dios nombres,
ora le reces sin fe, 510
ora su enojo provoques.
Sólo el huracán y el trueno
responderán a tus voces,
sin hallar puerto ni playa
por más que anhelante bogues. 515
Y al fin la materia muere;
pero el espíritu ¿a dónde
volará? ¿Quién sabe? ¡Acaso
jamás sus cadenas rompe!!!"

20 Véase la nota anterior.
21 V. 505 Ed. 1840: "los recuerdos emponzoñe".

Dijo, y la ígnea luminosa frente 520
dejó caer desesperado y triste,
y corrió de sus ojos larga fuente
de emponzoñadas lágrimas; profundo
silencio en torno dominó un momento;
luego en aéreo modulado acento 525
cien coros resonaron,
y allá en el aire en confusión cantaron.

PRIMER CORO

Genios, venid, venid
vuestro mal con el hombre a repartir.

SEGUNDO CORO

Ya la esperanza a los hombres 530
para siempre abandonó,
los recuerdos son tan sólo
pasto de su corazón.

TERCER CORO

Nosotros, genios del mal,
aunque en nosotros no cre, 535
somos su Dios, condenado
nuestro influjo a obedecer.

PRIMER CORO

Genios, venid, venid
vuestro mal con el hombre a repartir.

UNA VOZ

Yo turbaré sus amores, 540
disiparé su ilusión,
atizaré sus rencores,
y haré eternos sus dolores,
mal llagado el corazón.

SEGUNDA VOZ

Yo confundiré a sus ojos 545
la mentira y la verdad,
y la ciencia y los sucesos
su mente confundirán.

TERCERA VOZ

Marchitaré la hermosura,
rugaré la juventud, 550
el alma que nació pura
renegará la virtud,
maldecirá de su hechura.

CUARTA VOZ

Yo haré dudar del cariño
que muestra al tímido niño 555
el corazón maternal;
y haré vislumbre al través
del amor el interés
como su vil manantial.

QUINTA VOZ

Una barra de oro 560
su Dios será,
la avaricia del hombre
la adorará.
Viles pasiones
gobernarán tan sólo 565
sus corazones.

Genios, venid, venid
nuestro mal con el hombre a repartir.

SEXTA VOZ

Mi lanza impávida
derribará 570
ese Dios mísero
de vil metal.
Sobre sus aras
me asentaré,
y esclavo al hombre 575
dominaré.

Genios, venid, venid
Y esos esclavos a mi carro uncid.

SÉPTIMA VOZ

Yo romperé las cadenas,
daré paz y libertad, 580
y abriré un nuevo sendero
a la errante humanidad.

CORO

¡Quién sabe! ¡Quién sabe!
quizá ensueños son,
mentidos delirios, 585
dorada ilusión.

Genios, venid, venid
nuestro mal con el hombre a repartir.

Como nubes que en negra tormenta
precipita violento huracán, 590
y en confuso montón apiñadas,
de tropel y siguiéndose van,

y visiones y horrendos fantasmas,
monstruos raros de formas sin fin,
y palacios, ciudades y templos, 595
nuestros ojos figuran allí;

y entre masas espesas de polvo
desparece la tierra tal vez,
cual gigante cadáver que cubre
vil mortaja de lienzo soez; 600

como zumba sonante a lo lejos
el doliente rugido del mar,
cuando rompe en las rocas sus olas
fatigadas de tanto luchar,

y la brisa en la noche serena 605
en sus ráfagas trae la canción,
que al compás de los remos entona,
mar adentro quizá un pescador,[22]

así, en turbio veloz remolino
el diabólico ejército huyó. 610
Vagarosas pasaron sus sombras,
y el crujir de sus alas sonó.

Y en el yermo fantástico espacio,
largo tiempo se oyó su cantar,
y a lo lejos el flébil quejido[23] 615
poco a poco armonioso expirar.

Embargada y absorta la mente,
en incierto delirio quedó,
y abrumada sentí que mi frente
un torrente de lava quemó. 620

[22] El motivo triple noche/brisa/canción de marinero se encuentra en el romance *A la noche* y en "Y a la luz del crepúsculo serena" (véase la nota 107, página 196 de Clásicos Castalia, 20).

[23] V. 615 Ed. 1840: "Y a lo lejos un flébil quejido".

Y en mi loca falaz fantasía
sus clamores y cantos oí,[24]
y el tumulto y su inquieta porfía
encerrado en mí mismo sentí.

Así al son agudo de bélica trompa,[25] 625
y al compás del golpe que marca el tambor,
brioso en alarde, y magnífica pompa,[26]
en orden desfila guerrero escuadrón.

Y espadas, fusiles, caballos, cañones
pasan, y los ojos en confuso ven 630
brillar aun las armas, ondear los pendones,
fantásticas plumas del viento al vaivén,

relumbrar corazas, y el polvo y la gente,[27]
y se oye a lo lejos un vago rumor,
y queda en su encanto suspensa la mente, 635
y oír y ver piensa después que pasó.[28]

Mas ya del primer albor[29]
la luz pura tiñe el cielo[30]
y al naciente resplandor,

[24] Restablecemos el v. 622 tal como aparece en la edición de 1840; en la de 1841 y las siguientes: "sus clamores y cánticos oí" (sobra una sílaba).

[25] En los vv. 625-636, encontramos las mismas imágenes visuales que en los vv. 649-653 del *Pelayo* y 9-11 de *¡Guerra!* (Clásicos Castalia, 20. pp. 104 y 245). Cf. también *Blanca de Borbón*, acto 1.º, esc. 2, y *Sancho Saldaña*, capítulo XXVII (B.A.E., t. LXXII, pp. 258b y 476b-477a). Un antecedente de esta visión es la del poeta que, en la misma novela (cap. V) contempla "absorto a la luz de los relámpagos el trastorno sublime y la confusa belleza de la tempestad. Ya veía rasgarse el cielo en llamas y descubrir a sus ojos mil cielos ardiendo, ya seguido de espantosos truenos lanzarse el rayo en los aires brillante como las armas de mil guerreros, ya imaginaba que oía en los bramidos del huracán los cantos de guerra de un ejército numeroso". (*Ed. cit.*, pp. 335b-336a).

[26] V. 627 Ed. 1840: "brioso en alarde, magnífica pompa".

[27] V. 633 Ms. 2, primera red.: "Relumbrar corazas, y el polvo y gentes".

[28] V. 636 Ms. 2, primera red.: "y entender y ver piensa después que pasó".

[29] V. 637 Ms. 2, primera red.: "Mas ya [ilegible] serena".

[30] V. 638 Ms. 2, primeras red.: "alrededor se esparce"; encima, tachado: "teñido de la", "relumbra".

naturaleza su velo[31] 640
pinta con vario color.

Y se esparce por el mundo[32]
un armonioso concento,[33]
un confuso movimiento,
que en pensamiento profundo 645
suspende el entendimiento.

¿Es verdad lo que ver creo?
¿Fue un ensueño lo que vi[34]
en mi loco devaneo?
¿Fue verdad lo que fingí? 650
¿Es mentira lo que veo?

CANTO I

Sobre una mesa de pintado pino
melancólica luź lanza un quinqué,
y un cuarto ni lujoso ni mezquino
a su reflejo pálido se ve. 655
Suenan las doce en el reló vecino
y el libro cierra que anhelante lé
un hombre ya caduco, y cuenta atento
del cansado reloj el golpe lento.

Carga después sobre la diestra mano 660
la ya rugosa y abrumada frente,
y un pensamiento fúnebre, tirano,
fija y domina, al parecer, su mente.
Borrarlo intenta en su ansiedad en vano;

[31] V. 639-640 Ms. 2, primera red.: "abre su cáliz la flor, / levanta la alondra el vuelo". El v. 640, sin punto al final en Ed. 1840.

[32] V. 642 Ms. 2, al final del verso, tachado: "nuevas"; encima, tachado: "apenas".

[33] V. 643. Restablecemos este verso según el Ms. 2 y la ed. de 1840. En la de 1841: "un armonioso contento".

[34] V. 648 Ms. 2, primera red.: "¿Fue un sueño lo que vi?".

vuelve a leer, y en tanto que obediente 665
se somete su vista a su porfía,
lánzase a otra región su fantasía.

"¡Todo es mentira y vanidad, locura!"
con sonrisa sarcástica exclamó.
Y en la silla tomando otra postura, 670
de golpe el libro y con desdén cerró.
Lóbrega tempestad su frente obscura
en remolinos densos anubló,
y los áridos ojos quemó luego
una sangrienta lágrima de fuego. 675

"¡Ay, para siempre, dijo, la ufanía
pasó ya de la hermosa juventud,
la música del alma y melodía,
los sueños de entusiasmo y de virtud!...
Pasaron ¡ay! las horas de alegría, 680
y abre su seno hambriento el ataúd,
y único porvenir, sola esperanza,
la muerte a pasos de gigante avanza.

"¿Qué es el hombre? Un misterio. ¿Qué es la vida?
¡Un misterio también!... Corren los años 685
su rápida carrera, y escondida
la vejez llega envuelta en sus engaños;
vano es llorar la juventud perdida,
vano buscar remedio a nuestros daños;
un sueño es lo presente de un momento, 690
¡muerte es el porvenir; lo que fue, un cuento!...

"Los siglos a los siglos se atropellan;
los hombres a los hombres se suceden,
en la vejez sus cálculos se estrellan,
su pompa y glorias a la muerte ceden. 695
La luz que sus espíritus destellan
muere en la niebla que vencer no pueden,
¡y es la historia del hombre y su locura
una estrecha y hedionda sepultura!

"¡Oh, si el hombre tal vez lograr pudiera 700
ser para siempre joven e inmortal,
y de la vida el sol le sonriera,
eterno de la vida el manantial!
¡Oh, cómo entonces venturoso fuera,
roto un cristal, alzarse otro cristal 705
de ilusiones sin fin contemplaría
claro y eterno sol de un bello día!...

"Necio, dirán, tu espíritu altanero,
¿dónde te arrastra, que insensato quiere
en un mundo infeliz, perecedero, 710
vivir eterno mientras todo muere?
¿Qué hay inmortal, ni aun firme y duradero?
¿Qué hay que la edad con su rigor no altere?
¿No ves que todo es humo, y polvo, y viento?
¡Loco es tu afán, inútil tu lamento!..." 715

Todos más de una vez hemos pensado
como el honrado viejo en este punto;
y mucho nuestros frailes han hablado,
y Séneca y Platón sobre el asunto;
yo, por no ser prolijo ni cansado, 720
(que ya impaciente a mi lector barrunto)
diré que al cabo, de pensar rendido,
tendióse el viejo y se quedó dormido.

Tal vez será debilidad humana
irse a dormir a lo mejor del cuento, 725
y cortado dejar para mañana
el hilo que anudaba el pensamiento.
Dicen que el sueño, del olvido mana
blando licor que calma el sentimiento;
mas ¡ay! que a veces fijo en una idea, 730
¡bárbaro en nuestro llanto se recrea!

Quedóse en su profundo sueño, y luego
una visión... —¡Visión!... frunciendo el labio,
oigo que clama, de despecho ciego,

un crítico feroz—. Perdona, ¡oh sabio!, 735
sabio sublime, espérate, te ruego
y yo te juro por mi honor, ¡oh Fabio...![35]
Si no es Fabio tu nombre, en este instante
a dártelo me obliga el consonante;

juro que escribo para darte gusto 740
a ti solo, y al mundo entero enojo,
un libro en que a Aristóteles me ajusto
como se ajusta la pupila al ojo.
Mis reflexiones sobre el hombre justo
que sirve a su razón, nunca a su antojo, 745
publicaré después para que el mundo
mejor se vuelva, ¡oh crítico profundo!

Que yo bien sé que el mundo no adelanta
un paso más en su inmortal carrera
cuando algún escritor como yo canta 750
lo primero que salta en su mollera;
pero no es eso lo que más me espanta,
ni lo que acaso espantará a cualquiera:
terco escribo en mi loco desvarío
sin ton ni son y para gusto mío. 755

La zozobra del alma enamorada,
la dulce vaguedad del sentimiento,
la esperanza, de nubes rodeada,
de la memoria el dolorido acento,
los sueños de la mente arrebatada, 760
la fábrica del mundo y su portento,
sin regla ni compás canta mi lira:
¡Sólo mi ardiente corazón me inspira!

[35] Recuerdo, utilizado aquí irónicamente, de la *Canción a las ruinas de Itálica*. Compárense con los vv. 105-108 de *María*, de Miguel de los Santos Álvarez:

Estos, Fabio, ¡oh dolor! que ves ahora
rasgos de fealdad, mustio semblante,
fueron un tiempo ¡ay me! Tomasa hermosa.
(*María*, Madrid, 1840, p. 20.)

Y a la extraña visión volviendo ahora
que al triste viejo apareció en su sueño 765
(que algunas veces cuando el alma llora,
la mente en consolarnos pone empeño,
y bienes y delirios atesora
que hacen más duro, al despertar, el ceño
de la suerte fatal que en esta vida 770
nos persigue con alma empedernida),

es fama que soñó... y he aquí una prueba
de que nunca el espíritu reposa,
y esto otra vez a disgresar me lleva
de la historia del viejo milagrosa; 775
y a nadie asombre que a afirmar me atreva
que siendo al alma la materia odiosa,
aquí para vivir en santa calma,
o sobra la materia, o sobra el alma.

Quiere aquélla el descanso, y en el lodo 780
nos hunde perezosa y encenaga;
ésta presume adivinarlo todo,
y en la región del infinito vaga.
Flojo, torpe, a traspiés como un beodo
que con sueños su mente el vino estraga, 785
la materia al espíritu obedece
hasta que yerta al fin, cede y fallece.

Llaman pensar así, filosofía,
y al que piensa, filósofo, y ya siento
haberme dedicado a la poesía 790
con tan raro y profundo entendimiento.
Yo con erudición ¡cuánto sabría!...
Mas vuelta a la visión y vuelta al cuento,
aunque ahora que un sastre es *esprit-fort*,
no hay ya visión que nos inspire horror. 795

Más me valiera el campo lisonjero
correr de la política, y revista
pasar con tanto sabio y financiero,
diplomático, ecónomo, hacendista, 800

estadista, filósofo, guerrero,
orador, erudito y periodista
que honran el siglo: ¡Espléndidos varones,
dicha no, pero honor de las naciones!

Y mucho más sin duda me valiera,
que no andar por el mundo componiendo, 805
de niño haber seguido una carrera
de más provecho y menor estruendo;
que si no sabio, periodista fuera,
que es punto menos; mas ¡dolor tremendo!
mis estudios dejé a los quince años, 810
¡y me entregué del mundo a los engaños!

¡O padres! ¡O tutores! ¡O maestros,
los que educáis la juventud sencilla!
Sigan senda mejor los hijos vuestros,
donde la antorcha de las ciencias brilla: 815
tenderos ricos, abogados diestros,
del foro y de la bolsa maravilla,
pueden ser, y si no , sean diputados
graves, serios, rabiosos, moderados.

Y si llega a ministro el tierno infante, 820
llanto de gozo ¡o padres! derramad
al contemplarle demandar triunfante
a las Cortes un bill de indemnidad.[36]
—Perdón, lector, mi pensamiento errante
flota en medio a la turbia tempestad 825
de locas reprensibles digresiones—.
¡Siempre juguete fui de mis pasiones!!!

[36] Traducción casi literal de la expresión inglesa *bill of indemnity* (= ley absolutoria) utilizada en el lenguaje parlamentario. En su núm. 14 del 23 de mayo de 1840, *El Labriego* publicó un artículo titulado *Las leyes absolutorias* para protestar contra tales decisiones que tenían por objeto exceptuar a ciertas personas de las disposiciones legales vigentes. El autor escribe: "Por hoy sólo se nos ocurre hablar de lo que en común fraseología suele designarse con el nombre de *bill de indeminidad*, lo cual no significa en castellano cosa ninguna, para no decir *ley absolutoria*, lo cual algo significa en español. Pero no hay cosa como llamar a las leyes *bills*, a no ser que se nos antoje ponerles *bisontes*, que algo más sonoro y formidable sería".

Por la inerte materia vaga incierta
el alma en nuestra fábrica escondida,
a otra vida durmiendo nos despierta, 830
vida inmortal, a un punto reducida.
De la esperanza la sabrosa puerta
el espíritu abre, y la perdida
memoria renovando, allí en un punto
cuanta fue, es, y será, presenta junto. 835

¿Será que el alma su inmortal esencia
entre sueños revela, y desatada
del tiempo y la medida su existencia,
la eternidad formula a la espantada
mente oscura del hombre? ¡O ciencia! ¡O ciencia 840
tan grave, tan profunda y estirada!
Vergüenza ten y permanece muda.
¿Puedes tú acaso resolver mi duda?

Duerme entretanto el venerable anciano,
mientras que yo discurro sin provecho, 845
figuras mil en su delirio insano
fingiendo en torno a su encantado lecho.
El sueño su invisible y grave mano
posando silencioso sobre el pecho,
formas de luz y de color sombrío 850
arroja al huracán del desvarío.

Y como el polvo en nubes que levanta
en remolino rápidos el viento,
formas sin forma, en confusión que espanta,
alza el sueño en su vértigo violento; 855
del vano reino el límite quebranta
vago escuadrón de imágenes sin cuento,
y otros mundos al viejo aparecían,
y esto los ojos de su mente vían.

En lóbrego abismo que sombras eternas 860
envuelven en densa tiniebla y horror,
do reina un silencio que nunca se altera,
y ahuyenta el olvido del mundo el rumor,

con lástima y pena, mirando al anciano,
vaporosa sombra de un lejano bien, 865
de vagos contornos confusa figura,
cual bello cadáver, se alzó una mujer.

Y oyóse en seguida lánguida armonía,
música suave, y luego una voz
cantó, que el oído no la percibía, 870
sino que tan sólo la oyó el corazón:

"Débil mortal, no te asuste
mi oscuridad ni mi nombre;
en mi seno encuentra el hombre
un término a su pesar. 875
Yo compasiva le ofrezco
lejos del mundo un asilo,
donde a mi sombra tranquilo
para siempre duerma en paz.

"Isla yo soy de reposo 880
en medio el mar de la vida,
y el marinero allí olvida
la tormenta que pasó;
allí convidan al sueño
aguas puras sin murmullo, 885
allí se duerme al arrullo
de una brisa sin rumor.

"Soy melancólico sauce
que su ramaje doliente
inclina sobre la frente 890
que arrugara el padecer;
y aduerme al hombre, y sus sienes
con fresco jugo rocía,
mientras el ala sombría
bate el olvido sobre él. 895

"Soy la virgen misteriosa
de los últimos amores,

y ofrezco un lecho de flores
sin espinas ni color;
y amante doy mi cariño 900
sin vanidad ni falsía;
no doy placer ni alegría,
mas es eterno mi amor.

"En mí la ciencia enmudece,
en mí concluye la duda, 905
y árida, clara y desnuda
enseño yo la verdad;
y de la vida y la muerte
al sabio muestro el arcano,
cuando al fin abre mi mano 910
la puerta a la eternidad.

"Ven, y tu ardiente cabeza
entre mis brazos reposa;
tu sueño, madre amorosa,
eterno regalaré; 915
ven, y yace para siempre
en blanda cama mullida,
donde el silencio convida
al reposo y al no ser.

"Deja que inquieten al hombre, 920
que loco al mundo se lanza,
mentiras de la esperanza,
recuerdos del bien que huyó:
mentira son sus amores,
mentira son sus victorias, 925
y son mentira sus glorias,
y mentira su ilusión.

"Cierre mi mano piadosa
tus ojos al blando sueño,
y empape suave beleño 930
tus lágrimas de dolor.
Yo calmaré tu quebranto

y tus dolientes gemidos,
apagando los latidos
de tu herido corazón." 935

¿Visteis la luna reflejar serena[37]
entre las aguas de la mar sombría,
cuando se calma nuestra amarga pena,
y siente el corazón melancolía?

¿y el mar que allá a lo lejos se dilata, 940
imagen de la oscura eternidad,
y el horizonte azul bañado en plata,
rico dosel que desvanece el mar?[38]

¿y del aura sutil que se desliza
por las aguas, oísteis el murmullo, 945
cuando las olas argentadas riza
con blanda queja y con doliente arrullo?[39]

¿y sentisteis tal vez un tierno encanto,
una voz que regala el corazón,
dulce, inefable y misterioso canto[40] 950
de vago afán e incomprensible amor?

Blanda así la quimérica armonía[41]
sonó del melancólico cantar;
vibraciones del alma y melodía
de un corazón que fatigó el pesar.[42] 955

[37] Ms. 3, tachado, antes del v. 936: "Y el porvenir de la vida / sólo son los desengaños"; vv. 936-937, primera red.: "Tal vez orillas de la mar serena / visteis tranquila reflejar la luna"; v. 938, primeras red.: "cuando del alma la angustiosa pena" y "cuando trocada ya nuestra angustiosa pena"; encima del v. 939, tachado: "embriaga" y "en languidez".

[38] V. 943 Ms. 3, primera red.: "rico dosel que piérdese en el mar?".

[39] V. 947 Ms. 3, primera red.: "con blanda queja y amoroso arrullo?".

[40] V. 950 Ms. 3, primera red.: "indefinible sentim[ien]to santo".

[41] V. 952 Ms. 3, primera red.: "Así pues la quimérica armonía".

[42] Vv. 954-955 Ms. 3, primera red.: "eco sin voz de triste melodía / del alma fatig [sic]".

Y la amorosa y pálida figura
los amarillos brazos extendió,
y sus lánguidos ojos de dulzura
al triste viejo con piedad volvió.[43]

Ojos sin luz que su mirada hiela 960
íntima, intensa el corazón domina,[44]
en densas sombras los sentidos vela,
en mudo pasmo la razón fascina.

Coagularse su sangre el viejo siente[45]
poco a poco en sus venas con sabroso 965
desmayo, y que se trueca su impaciente[46]
afán en un letargo vaporoso;

entorpece sus miembros y embriaga
su mente aquella mágica figura,[47]
la breve luz de su existencia apaga 970
con su mirada de fatal ternura.[48]

Sus labios besa con mortal anhelo
cariñosa la pálida visión,
y a las entrañas se desprende el hielo
de sus áridos labios sin color. 975

Sus ojos fijos en los muertos ojos
desvanecidos de mirar sentía,[49]
los rayos de su luz yertos despojos
que la mirada mágica absorbía.

43 Vv. 958-959 Ms. 3, primeras red.: "y sus apagados ojos con dulzura / fijos al viejo con intenso amor" y "en el anciano y con piedad fijó".

44 Vv. 960-961 Ms. 3, primeras red.: "Ojos sin luz que su mirar fascina / íntima, turbia, intensa al alma va" e "íntima, intensa la razón domina".

45 V. 964 Ms. 3, primera red.: "Y cuajarse su sangre el viejo siente".

46 V. 966 Ms. 3, primera red.: "desmayo y poco a poco su impaciente".

47 V. 969 Ms. 3, primeras red.: "adormida y en paz su fantasía"; al final del verso: "de sus ojos la dulzura"; encima, al principio, tachado: "en profunda quietud".

48 V. 971 Ms. 3, primera red.: "con su mirada compasiva y fría". Después de este verso, en el Ms. 3, el orden de las estrofas es el siguiente: vv. 984-987; una primera red. de los vv. 1012-1015; vv. 980-983; vv. 976-979.

49 Vv. 976-977 y 979 Ms. 3, primera red.: "Sus ojos fijos en sus muertos ojos"; "desvanecidos en mirar sentía"; "que una mirada mágica absorbía".

Por su cuerpo un deleite serpeaba, 980
sus nervios suavemente entumeciendo,
y el espíritu dentro resbalaba,
grato sopor y languidez sintiendo.[50]

Ya su delgada, amarillenta mano,[51]
sobre su pecho a reposarla extiende,[52] 985
y exánime mirándola el anciano,
yerto e inmóvil su destino atiende.

Así el viajero fatigado, cuando
el sueño los sentidos entorpece,
las fuerzas poco a poco van faltando, 990
y el cuerpo perezoso desfallece,

y perdido en el áspera montaña,
sobre la nieve desplomado cae,
su juicio se devana y enmaraña,
gratas visiones su desmayo trae; 995

y lenta y muellemente adormecida
la máquina mortal, lánguidamente
bostezar torpe la ondulante vida
entre los brazos de la muerte siente.

¿Será que consumida por los años 1000
sienta placer la vida fatigada,
en dejar de este mundo los engaños,
el término al tocar de su jornada?

¿La trabazón de la materia inerte
desatada, disuelto el cuerpo expira, 1005
y el espíritu, cerca ya la muerte
por la perdida libertad suspira?

[50] Vv. 980 y 982-983 Ms. 3, primera red.: "Y un deleite en sus miembros serpeaba"; "un espíritu en su seno resbalaba"; "en apacible languidez cayendo".

[51] Vv. 984-987 Ms. 3, primeras red.: "Y ya su cruel amarillenta mano (después de "cruel", tachado: "flaca"; "delgada", encima de "flaca") / "iba a arrancar del corazón la vida / que allí se acoge fugitiva en vano / en aquel horno químico escondida".

[52] V. 985 Ed. 1840: "sobre su pecho a reposar la extiende,".

Rendido en tanto el moribundo anciano,
con deleite la eterna paz espera;
su mano estrecha la aterida mano 1010
que marca el fin de su vital carrera,

cuando a otra parte con estruendo el suelo[53]
crujir y el muro de su estancia siente,
y ven sus ojos un inmenso cielo
desarrollarse en luz de oro candente, 1015

rico manto de lumbre y pedrería,
tachonado de soles a millares,
olas de aljofarada argentería
meciendo el aire en esparcidos mares;

y un sol con otro sol que se eslabona 1020
en torno a una deidad orlan su frente,
y los rayos de luz de su corona
en un velo la envuelven transparente.

Majestuosa, diáfana y radiante
su hermosura, en su lumbre se confunde, 1025
agitada columna coruscante,
júbilo y vida por do quier difunde.

Eterno amor, inmarcesibles glorias,
armas, coronas de oro y de laurel,
triunfos, placeres, esplendor, victorias, 1030
ilusiones, riquezas y poder;

eterna vida, eterno movimiento,
los sueños de la dulce poesía,
el sonoro y quimérico concento
de la rica extasiada fantasía; 1035

[53] Vv. 1012-1015 Ms. 3, primeras red.: "cuando a otra parte con estre [sic]" y "cuando a otra parte estrepitoso estruendo / se alzó y sonoras voces retumbaron / y soles mil de pronto apareciendo / mares de lumbre entorno derramaron".

el eco blando del primer suspiro,
la dulce queja del primer amor,
la primera esperanza y el respiro,
que pura exhala la aromosa flor;

la faz hermosa de la noche en calma 1040
y el son del melancólico laúd,
los devaneos plácidos del alma,
el sosiego y la paz de la virtud;

la santa dicha del hogar paterno,
del amigo la plática sabrosa, 1045
el blando sueño en el regazo tierno
de la feliz, enamorada esposa;

el puro beso del alegre niño
que en torno de sus padres juguetea,
prenda de amor, emblema del cariño 1050
en que el alma gozosa se recrea;

la fe, la religión, bálsamo suave
que vierte en el espíritu consuelo,
y de las ciencias el estudio grave
que alza la mente a la región del cielo; 1055

la máquina del mundo y su hermosura,
que arrobado el espíritu contempla,
la augusta soledad que la amargura
tal vez del alma combatida templa;

de la pasión el goce turbulento, 1060
siguiendo atropellado a la esperanza,
ligero tamo que arrebata el viento
y despeñado a su ilusión se lanza;

el aplauso del mundo y la tormenta,
y el afán y el horrísono vaivén, 1065
el noble orgullo y la ambición sangrienta,
de nombre avara y de esplendente prez;

del tronante cañón el estampido,
el lujo y el furor de la batalla,
del corazón el bélico latido, 1070
que hace que hierva la abrasante malla;

el oro que famélico codicia
el hombre, y en montones lo atesora,
alimento infernal de la avaricia,
que hambre más siente cuanto más devora;[54] 1075

la crápula, el escándalo y mareo
de en vicios rica, estrepitosa orgía;
el pudor resistiéndosc al deseo,
y mezclándose el vino en la porfía;

la alegre danza en movimiento blando, 1080
que orna voluptuosa liviandad,
al goce, al apetito convidando
con sus mórbidas formas la beldad;

cuanto fingió c imaginó la mente,
cuanto del hombre la ilusión alcanza, 1085
cuanto creara la ansiedad demente,
cuanto acaricia en sueño la esperanza,

la radiante visión maravillosa
brinda con mano pródiga en montón,
y en óptica ilusoria y prodigiosa 1090
pasar el viejo ante sus ojos vio.

Y entre aplausos, y músicas, y estruendo,
y de ella en pos la humanidad entera,
y en torno de ella armónica volviendo
en giro eterno la argentada esfera, 1095

[54] Cf. el v. 17 del *Canto del Cosaco*:

Vedlos huir para esconder su oro.
(Clásicos Castalia, 20, p. 255.)

En los vv. 1-24 de *A la traslación de las cenizas de Napoleón* también fustigó Espronceda la codicia y la falta de ideal noble de la sociedad burguesa o aburguesada (*Ed. cit.*, pp. 273-274; véanse las citas de sus artículos políticos de 1840-1841, *ibid.*, pp. 39-40). Cf. también el v. 2652.

suenan voces y cánticos sonoros
que el aire en ecos derramados hienden,
y ángeles mil en matizados coros
el aire rasgan y en fulgor lo encienden.

Y una voz como ráfaga de viento, 1100
palpitando de vida y de armonía
sobre el vario, magnífico concento,
así cantando resonar se oía:

"Salve, llama creadora del mundo,
lengua ardiente de eterno saber, 1105
puro germen, principio fecundo
que encadenas la muerte a tus pies.

"Tú la inerte materia espoleas,
tú la ordenas juntarse y vivir,
tú su lodo modelas y creas 1110
miles seres de formas sin fin.

"Desbarata tus obras en vano
vencedora la muerte tal vez,
de sus restos levanta tu mano
nuevas obras triunfante otra vez. 1115

"Tú la hoguera del sol alimentas,
tú revistes los cielos de azul,
tú la luna en las sombras argentas,
tú coronas la aurora de luz.

"Gratos ecos al bosque sombrío, 1120
verde pompa a los árboles das,
melancólica música al río,
ronco grito a las olas del mar.

"Tú el aroma en las flores exhalas,
en los valles suspiras de amor, 1125
tú murmuras del aura en las alas,
en el bóreas retumba tu voz.

"Tú derramas el oro en la tierra
en arroyos de hirviente metal,
tú abrillantas la perla que encierra 1130
en su abismo profundo la mar.

"Tú las cárdenas nubes extiendes,
negro manto que agita aquilón,
con tu aliento los aires enciendes,
tus rugidos infunden pavor. 1135

"Tú eres pura simiente de vida,
manantial sempiterno de bien,
luz del mismo Hacedor desprendida,
juventud y hermosura es tu ser.

"Tú eres fuerza secreta que el mundo 1140
en sus ejes impulsa a rodar,
sentimiento armonioso y profundo
de los orbes que anima tu faz.

"De tus obras los siglos que vuelan
incansables artífices son, 1145
del espíritu ardiente cincelan
y embellecen la estrecha prisión.

"Tú en violento, veloz torbellino
los empujas enérgica, y van;
y adelante en tu raudo camino 1150
a otros siglos ordenas llegar.

"Y otros siglos ansiosos se lanzan,
desparecen y llegan sin fin,
y en su eterno trabajo se alcanzan,
y se arrancan sin tregua el buril. 1155

"Y afanosos sus fuerzas emplean
en tu inmenso taller sin cesar,
y en la tosca materia golpean,
y redobla el trabajo su afán.

"De la vida en el hondo oceano 1160
flota el hombre en perpetuo vaivén,
y derrama abundante tu mano
la creadora semilla en su ser.

"Hombre débil, levanta la frente,
pon tu labio en su eterno raudal, 1165
tú serás como el sol en Oriente,
tú serás como el mundo inmortal."

Calló la voz, y el armonioso coro
y el estruendo y la música siguió,
y repitiendo el cántico sonoro, 1170
turbas inmensas pasan en montón.

Sus alas lanzan luminosa estela,
como la nave en la serena mar,
y entre su viva luz la luz rièla
más pura de la imagen inmortal. 1175

Cruzando va cual fulgurante tromba
su cortejo magnífico en redor,
y el viento rompe cual lanzada bomba
sobre otros soles desprendido sol.

Atónito la faz alza el anciano, 1180
como el que vuelve en sí en el ataúd,
con ansia, angustia y con delirio insano,
aire buscando y anhelando luz,

que en el regazo del no ser dormido,
el alto estruendo en su estupor sintió, 1185
el intrépido canto hirió su oído,
y súbito sus nervios sacudió.

Y el yerto brazo de la sombra fría
que vierte al corazón hielo mortal,
aparta con afán en su agonía, 1190
volar ansiando a la gentil deidad.

Y entrambos brazos con anhelo tiende,
atento el canto animador escucha,
de la visión de muerte se desprende,
y por moverse y levantarse lucha. 1195

Los ojos abre al resplandor inciertos,
la luz buscando que su luz excita,
sienten grato calor sus miembros muertos,
con nuevo ardor su corazón palpita.

La sangre hierve en las hinchadas venas, 1200
siente volver los juveniles bríos,
y ahuyentan de su frente albas serenas
los pensamientos de la edad sombríos;

y desprendidas ráfagas de lumbre
su cuerpo bañan y su sien circundan; 1205
torrentes mil de la argentada cumbre,
vertiendo vida, en su esplendor le inundan;

y bajando la diosa encantadora,
mecida en olas de encendido viento,
en torno de él la tropa voladora 1210
esparce juventud y movimiento.

Y su rostro se pinta de hermosura,
viste su corazón la fortaleza,
brilla en su frente juvenil tersura,
negros rizos coronan su cabeza; 1215

el alma en su mirar se trasparenta,
mirar sereno, vívido y ardiente,
y su robusta máquina alimenta
la eterna llama que en el pecho siente.

Contra su seno la deidad le abraza, 1220
y en su velo le envuelve y le ilumina,
y a su ruïna y su destino enlaza
el destino del mundo y su ruïna.

"Tú los siglos hollarás,
sonó la voz de la altura, 1225
pasar los hombres verás,
del mundo la edad futura
como el mundo correrás.

"El sol que hoy nace en Oriente
y que ilumina tu frente, 1230
pasarán edades cien,
y cual hoy resplandeciente
la iluminará también.

"El crudo invierno sombrío,
del pintado abril las flores, 1235
las galas del bosque umbrío,
los rigorosos calores
de los meses del estío

"pasarán, y contarás
hora a hora y mes a mes, 1240
y un año y otro verás,
y un siglo y otro después,
sin que se acabe jamás;

"y eternamente bogando,
y navegando contino 1245
sin hallar descanso, andando
irás siempre, caminando,
sin acabar tu camino.

"Y los siglos girarán
en perpetuo movimiento, 1250
las naciones morirán,
y se escuchará tu acento
en los siglos que vendrán.

"Pero si acaso algún día
lloras tal vez tu orfandad, 1255
y al cielo clamas piedad,

y en lastimosa agonía
maldices tu eternidad,

"acuérdate que tú fuiste
el que fijó tu destino, 1260
que ser inmortal pediste,
y arrojarte al torbellino
de las edades quisiste.

"Y que el mundo te dará
cuanto el mundo en sí contiene, 1265
que tuyo el mundo será,
y ya para ti previene
cuanto ha tenido y tendrá."

En tanto el luciente coro
repitió luego el cantar, 1270
y remontándose al cielo,
la luz plegándose va

entre nubes de oro y nácar
que esconden a la deidad,
y las voces en los aires 1275
perdidas se escuchan ya

allá en lejana armonía
como un eco resonar:

"Y que el mundo te dará
cuanto el mundo en sí contiene, 1280
que tuyo el mundo será,
y ya para ti previene
cuanto ha tenido y tendrá."

Dicha es soñar cuando despierto sueña
el corazón del hombre su esperanza, 1285
su mente halaga la ilusión risueña,
y el bien presente al venidero alcanza;

y tras la aérea y luminosa enseña
del entusiasmo, el ánimo se lanza
bajo un cielo de luz y de colores, 1290
campos pintando de fragantes flores.

Dicha es soñar, porque la vida es sueño,
lo que fingió tal vez la fantasía,
cuando embriagada en lánguido beleño,
a las regiones del placer nos guía; 1295
dicha es soñar, y el rigoroso ceño
no ver jamás de la verdad impía;
dicha es soñar, y en el mundano ruido
vivir soñando y existir dormido.

Y en sueño[54bis] a la verdad pasa la vida, 1300
sueño al principio de dorada lumbre,
senda de flores mil, fácil subida
que a un monte lleva de lozana cumbre;
después vereda áspera y torcida,
monte de insuperable pesadumbre, 1305
donde cansada de una en otra breña,
llora la vida y lo pasado sueña.

Sueños son los deleites, los amores,[55]
la juventud, la gloria y la hermosura;
sueños las dichas son, sueños las flores, 1310
la esperanza, el dolor, la desventura;[56]
triunfos, caídas, bienes y rigores
el sueño son que hasta la muerte dura,
y en cierto y continuo movimiento
agita al ambicioso pensamiento. 1315

[54bis] En la Ed. 1840 y la Ed. 1841; "Y un sueño", que creemos errata.

[55] En su art. cit. en la *Noticia bibliográfica*, H. Hatzfeld compara los vv. 1308-1315 con estos del monólogo de Segismundo en *La Vida es sueño:*

Sueña el que a medrar empieza,
sueña el que afana y pretende,
sueña el que agravia y ofende [...]
que toda la vida es sueño
y los sueños sueños son.

[56] V. 1311 Ed. 1840: "La aspereza, el dolor, la desventura,".

Siento no sea nuevo lo que digo,
que el tema es viejo y la palabra rancia,
y es trillado sendero el que ahora sigo,
y caminar por él ya es arrogancia.
En la mente, lector, se abre un postigo, 1320
sale una idea y el licor escancia
que brota el labio y que la pluma vierte,
y en palabras y frases se convierte.

Nihil novum sub sole, dijo el sabio,
nada hay nuevo en el mundo; harto lo siento, 1325
que, como dicen vulgarmente, rabio
yo por probar un nuevo sentimiento.
Palabras nuevas pronunciar mi labio,
renovado sentir mi pensamiento.
ansío, y girando en dulce desvarío, 1330
ver nuevo siempre el mundo en torno mío.

Uniforme, monótono y cansado
es sin duda este mundo en que vivimos;
en Oriente de rayos coronado,
el sol que vemos hoy, ayer le vimos; 1335
de flores vuelve a engalanarse el prado,
vuelve el Otoño pródigo en racimos,
y tras los hielos del Invierno frío,
coronado de espigas el Estío.

¿Y no habré yo de repetirme a veces, 1340
decir también lo que otros ya dijeron,
a mí a quien quedan ya sólo las heces
del rico manantial en que bebieron?
¿Qué habré yo de decir que ya con creces
no hayan dicho tal vez los que murieron, 1345
Byron y Calderón, Shakspear, Cervantes,
y tantos otros que vivieron antes?

¿Y aun asimismo acertaré a decirlo?
¿Saldré de tanto enredo en que me he puesto?
Ya que en mi cuento entré, ¿podré seguirlo 1350

y el término tocar que me he propuesto?
y aunque en mi empeño logre concluirlo,
¿a ti no te será nunca molesto,
¡oh caro comprador!, que con zozobra
imploro en mi favor, comprar mi obra? 1355

Nada menos te ofrezco que un Poema
con lances raros y revuelto asunto,
de nuestro mundo y sociedad emblema,
que hemos de recorrer punto por punto.
Si logro yo desenvolver mi tema, 1360
fiel traslado ha de ser, cierto trasunto
de la vida del hombre y la quimera
tras de que va la humanidad entera.

Batallas, tempestades, amoríos,
por mar y tierra, lances, descripciones 1365
de campos y ciudades, desafíos,
y el desastre y furor de las pasiones,
goces, dichas, aciertos, desvaríos,
con algunas morales reflexiones
acerca de la vida y de la muerte, 1370
de mi propia cosecha, que es mi fuerte.

En varias formas, con diverso estilo,
en diferentes géneros, calzando
ora el coturno trágico de Esquilo,
ora la trompa épica sonando, 1378
ora cantando plácido y tranquilo,
ora en trivial lenguaje, ora burlando,
conforme esté mi humor, porque a él me ajusto,
y allá van versos donde va mi gusto.

Verás, lector, a nuestro humilde anciano, 1380
que inmortal de su lecho se levanta,
lanzarse al mundo de su dicha ufano,
rico de la esperanza que le encanta.
Verás luego también... pero ¿a qué en vano

me canso en ofrecerte empresa tanta, 1385
si hasta que el uno al otro nos cansemos
tú y yo en compaña caminando iremos?

Más vale prometerte poco ahora
y algo después cumplirte, lector mío,
no empiece yo con voz atronadora, 1390
y luego acabe desmayado y frío;
no una altiva columna vencedora
que jamás rinda con su planta, impío
el tiempo destructor, alzar intento;
yo con pasar mi tiempo me contento. 1395

No es dado a todos alcanzar la gloria
de alzar un monumento suntuoso
que eternice a los siglos la memoria
de algún hecho pasado grandïoso:
quédele tanto al que escribió la historia 1400
de nuestro pueblo, al escritor lujoso,
al conde que del público tesoro[57]
se alzó a sí mismo un monumento de oro;

al que supo, erigiendo un monumento
(que tal le llama en su modestia suma),[58] 1405

[57] V. 1402 Ed. 1840: "Y al conde que del público tesoro".

[58] Nota de Espronceda: "En una de las sesiones de esta última legislatura tuvo el egregio conde la llaneza de decir que había erigido a la gloria de su patria un monumento en su historia de la revolución de 1808". Menéndez y Pelayo (*Est. y disc. de crít. hist. y lit.*, t. VII de la Ed. Nacional, Madrid, C.S.I.C., 1942, p. 275) dice que este ataque a Toreno tuvo el origen siguiente: "Preguntaban al conde si había leído a Espronceda, y él respondió: "No, pero he leído a Lord Byron". No existe prueba alguna de la veracidad de tales palabras, que permita explicar como unas "represalias" del poeta los punzantes versos dedicados al conde, y reducirlos a la manifestación de una rencilla personal. En realidad, estas octavas se sitúan dentro de una violenta campaña contra Toreno a la que tomaron parte los periódicos del liberalismo avanzado a principios de 1840, y cuyo origen vamos a resumir brevemente según datos tomados del *Diario de sesiones*. En 1838, el general Seoane pidió al Congreso el nombramiento de una comisión encargada de aclarar ciertos actos de Toreno (que había salido de España después del motín de La Granja en 1836, y viajaba por Europa) como ministro de Hacienda que fuera, y en especial las condiciones del contrato firmado con la casa Rothschild para la explotación de los azogues de Almadén. En la legis-

premio dar a su gran merecimiento,
y en pluma de oro convertir su pluma,
al ilustre asturiano, al gran talento,
flor de la historia y de la hacienda espuma,
al necio audaz de corazón de cieno 1410
a quien llaman el CONDE DE TORENO.

¡Oh gloria! ¡Oh gloria! ¡Lisonjero engaño,
que a tanta gente honrada precipitas!

---

latura de 1840, el conde, nuevamente elegido diputado, pidió él mismo se formara la comisión para poder defenderse de las acusaciones de Seoane. El asunto dio lugar a numerosas discusiones en las Cortes; el 21 de marzo del mismo año, Toreno tomó la palabra el primero y pronunció en su intervención las siguientes frases: "La acusación se hizo además en términos impropios de la persona que la intentaba y de la persona contra quien se dirigía, porque entre varias expresiones no dignas del lenguaje que debe usarse en casos semejantes, y por ciertas gentes, decíase que deje el conde de Toreno los placeres de París, como si el conde de Toreno estando en París o en cualquiera otra parte no se ocupara sino de placeres groseros o reprensibles. El conde de Toreno, aunque haya pagado, a veces, tributo de flaqueza a la humanidad, se ha ocupado siempre más que en ese género de placeres, y fuera del Reino en placeres intelectuales y en los tiempos de la emigración y destierro se ha ocupado en levantar un monumento que perpetúe las glorias de la nación y la memoria de los hechos de la guerra de la independencia, monumento que si no es el más digno de asunto tan grandioso, es el que han podido levantar sus fuerzas". Como se ve, en sus versos y en la nota al v. 1405, Espronceda citó con bastante exactitud, si no literalmente, las palabras del petulante e inmodesto personaje, dueño por lo demás de una fortuna personal cuyo origen parecía —quizá con razón— sospechoso. Combatido por los progresistas San Miguel y Olózaga, pero apoyado por los diputados moderados de la mayoría, y sobre todo por J. F. Pacheco y Bravo Murillo, Toreno consiguió se declarase no había lugar a nombrar la comisión pedida en su propia proposición (sesión del 7 de mayo de 1840). *El Labriego* atacó muy duramente a Toreno, y, en el editorial de su núm. 6 (28 de marzo), se mofó también de la alusión de Su Señoría a su *Historia del levantamiento...* Antonio María Segovia defendió a Toreno en un artículo irónicamente titulado *Acusación contra el conde de Toreno, formalizada por El Estudiante. En la que se demuestra que el señor conde no debía sentarse en los bancos del Congreso* (en *El Piloto*, 12 marzo 1840); demostraba que los únicos crímenes del ex-ministro de Hacienda eran "el ser hombre de dinero y el ser hombre de talento", y que no tenía por qué defender su honor, ya que los que le atacaban eran tan faltos de dignidad (lo que, dicho sea de paso, no era una prueba de que sus acusaciones eran infundadas). F. Garrido, en su *Historia del reinado del último Borbón de España...* (Barcelona, 1868, tomo I, cap. IX, p. 113), escribe: "Cargado de impopularidad y de oro, Toreno se volvió al extranjero [en septiembre 1840] donde había pasado once años emigrado a deslumbrar con su fausto a los que antes vieron su pobreza, y entonces fue cuando [en realidad unos meses antes] Espronceda le consagró en el *Diablo Mundo* los célebres versos que reproducimos a continuación [siguen los vv. 1396-1411]".

Tú al mercader pacífico, en extraño
guerrero truecas, y a lidiar le excitas; 1415
su rostro vuelves bigotudo, huraño,
con entusiasmo militar le agitas,
y haces que sea su mirada horrenda
susto de su familia y de su tienda.

Tú al que otros tiempos acertaba apenas 1420
a escribir con fatigas una carta,
animas a dictar páginas llenas
de verso y prosa en abundante sarta;
político profundo en sus faenas,
folletos traza, artículos ensarta, 1425
suda y trabaja, y en marchar se emplea
resmas para envolver alcaravea.

Otros ¡oh gloria! sin aliento vagan[59]
solícitos huyendo acá y allá,
suponen clubs, y con recelo indagan 1430

[59] Compárense los vv. 1429-1459 con los siguientes de la *Epístola* de Lupercio de Argensola a don Juan de Albión:

Desde lejos mirando al que pretenda
por este mar, que tanta gente ahoga,
la vanidad de títulos y hacienda;

y al que busca morada o roja toga,
y no advierte que hay debajo espinas
más que suele tener una saboga;
[...]
y al que está relatando sus servicios
por todos los consejos que el Rey tiene,
bebiendo viento y esperando oficios,

y cuando va de casa y cuando viene,
al Presidente le sirve y acompaña,
que un hora desgorrado le detiene.
[...]
y anda tejiendo telas, como araña,
que un pájaro con pico de oro llega,
y da al través con toda su maraña.

(B.A.E., t. XLII, p. 268b.)

Espronceda "moderniza" los mismos temas, que también aparecen en la *Sátira primera* de Bartolomé de Argensola (*Ibid.*, pp. 299b-302): "Desprecio riquezas, gloria, fortuna", *etc.*

cuándo el gobierno a aprisionarlos va:
a éstos si los destierran, los halagan;
nadie en ellos pensó ni pensará,
y andan ocultos y mudando trajes,
creyéndose terribles personajes. 1435

Estos por lo común son buena gente,
son a los que llamamos *infelices*,
hombres todo entusiasmo y poca mente,
que no ven más allá de sus narices;
raza que el pecho denodado siente 1440
antes que ¡oh fiero mandarín! atices
uno de tus legales ramalazos,
que les dobla ante el rey los espinazos.

Otros te siguen, engañosa gloria,
que allá en sus pueblos son pozos de ciencia, 1445
que creyéndose dignos de la historia,
varones de gobierno y experiencia,
ansiosos de alcanzar alta memoria,
y abusos corregir con su elocuencia,
diputados al fin se hacen nombrar, 1450
tontos de buena fe para callar.

Estos viven después desesperados,
del ministro además desatendidos,
en el mundo político ignorados,
y del pueblo también desconocidos; 1455
andan en la cuestión extravïados,
siempre sin tino, torpes los sentidos,
dando a saber con pruebas tan acerbas
que pierden fuerzas en mudando yerbas.

A todos, gloria, tu pendón nos guía, 1460
y a todos nos excita tu deseo:
apellidarse socio ¿quién no ansía
y en las listas estar del Ateneo?
¿y quién, aficionado a la poesía,

no asiste a las reuniones del Liceo, 1465
do la luz brilla dividida en partes
de tanto profesor de bellas artes?[60]

Es cierto que allí van también profanos
en busca de las lindas profesoras,
hombres sin duda en su pensar livianos, 1470
que de todo hacen burla a todas horas,
sin gravedad, de entendimiento vanos,
gentes de natural murmuradoras,

[60] Pueden sorprender estos arañazos al Liceo, de cuya junta facultativa Espronceda había sido elegido consiliario en la sesión del 28 de noviembre de 1839 (y el mismo día fueron nombrados: presidente, J. García de Villalta; vicepresidente, Eugenio Moreno, colaborador de nuestro poeta en la comedia *Amor venga sus agravios*; secretarios, Salvador Bermúdez de Castro, y M. de los Santos Álvarez; delegado facultativo, Juan del Peral), según la *Gaceta de Madrid* del 30 de noviembre. En el número del 11 de octubre de 1840 del mismo periódico, se lee lo siguiente: "Anoche se ha celebrado una numerosa reunión de individuos del Liceo con objeto de acordar las medidas oportunas para llevar a aquella corporación al grado de esplendor y creciente prosperidad que debiera distinguirla. Para ello se ha acordado pedir a la actual Junta gubernativa la convocación de la general, y se ha nombrado al efecto una comisión de los siete individuos siguientes: D. José García de Villalta, D. José de Espronceda, D. Fulgencio Benítez, D. Juan del Peral, D. José de Eulate, D. Miguel Ortiz, D. Ramón de Navarrete." En realidad, se trataba de dar al Liceo (lo mismo que al Ateneo, presidido desde 1838 por Martínez de la Rosa) una orientación más liberal después del motín del 1.° de septiembre de 1840, según dice muy claramente *El Labriego* en su núm. 57 del 24 de octubre: "[...] concibieron algunos socios del *Ateneo* y del *Liceo Artístico Literario* de Madrid, la idea de que se renovasen las juntas gubernativas de estos institutos, para que en su organización quedasen acordes con las nuevas miras, con las nuevas necesidades, con los adelantos y progresos que, independientemente de la política, no podrá menos de producir la situación creada en 1.° de septiembre. Los esfuerzos de estos individuos han sido vanos, y el *Ateneo* y el *Liceo* se han resistido a admitir en su seno modificaciones que en nuestro sentir juzgan equivocadamente innecesarias, imaginando que la política de ninguna manera puede ni debe penetrar en el santuario de las artes; como si posible fuese que en el día, aconteciera en nuestra nación suceso alguno, libre y franco de políticos compromisos" (p. 490b). En efecto, siguió en la presidencia del Ateneo, hasta 1841, el moderado Martínez de la Rosa; en cuanto al Liceo, confirma las palabras de *El Labriego* esta frase de una carta de Ochoa a F. de Madrazo (París, 30 diciembre 1840): "En el Liceo últimam[en]te elecciones generales, y todos han recaído en moderados: tu papá ha sido electo *consiliario*, con Roca de Togores". (D. A. Randolph, "Cartas de Ochoa a sus cuñados D. Federico y D. Luis de Madrazo", *Bol. de la Bibl. Menéndez y Pelayo*, tomo XLIII, 1967, p. 36).

que se mofaran de Villena mismo[61]
evocando los diablos del abismo. 1475

Y yo ¡pobre de mí! sigo tu lumbre,
también ¡oh gloria! en busca de renombre,
trepar ansiando al templo de tu cumbre,
donde mi fama al universo asombre.
Quiero que de tu rayo a la vislumbre 1480
brille grabado en mármoles mi nombre,
y espero que mi busto adorne un día
algún salón, café, o peluquería.

O el lindo tocador de alguna hermosa
coronaré en figura de botella, 1485
lleno mi hueco vientre de olorosa
agua que pula el rostro a la doncella;
l'eau véritable de colonia y rosa
el rótulo en francés dirá a mi huella;
que de su vida al fin tanto blasón 1490
ha logrado alcanzar Napoleón.

En tanto ablanda, ¡oh público severo!,
y muéstrame la cara lisonjera;
esto le pido a Dios, y algún dinero,
mientras sigo en el mundo mi carrera; 1495
y porque fatigarte más no quiero,
caro lector, al otro canto espera,
el cual sin falta seguirá; se entiende
si éste te gusta y la edición se vende.

FIN DEL CANTO PRIMERO

[61] Nota de Espronceda: "Todo el mundo sabe que el marqués de Villena se hizo picar y enterrar en una redoma para renacer inmortal; tengo para mí que ha de ser fastidioso y dulzón al paladar el picadillo de sabio." El poeta alude a una de las leyendas que se formaron alrededor de Enrique de Villena (1384-1434), y que Hartzenbusch utilizó en su comedia *La redoma encantada*, estrenada el 26 de octubre de 1839 en el Príncipe, poco antes de la composición y publicación del presente *Canto*. Espronceda podía también conocer las obras de Alarcón (*La cueva de Salamanca*), Quevedo (*La visita de los chistes*) y Rojas (*Lo que quería ver el marqués de Villepa*) y desde luego el drama *Macías* y la novela *El Doncel de D. Enrique el Doliente*, de Larra, en que aparece este personaje.

CANTO II[62]

A TERESA
DESCANSA EN PAZ

Bueno es el mundo. ¡Bueno! ¡Bueno! ¡Bueno
como de Dios al fin obra maestra,
por todas partes de delicias lleno,
de que Dios ama al hombre, hermosa muestra!
¡Salga la voz, alegre, de mi seno,
a celebrar esta vivienda nuestra!
¡Paz a los hombres! ¡Gloria en las alturas!
¡Cantad en vuestra jaula, criaturas!!

(*María*, por don Miguel de los Santos Álvarez)[63]

¿Por qué volvéis a la memoria mía, 1500
tristes recuerdos del placer perdido,
a aumentar la ansiedad y la agonía
de este desierto corazón herido?[64]

[62] Ms. 6b), nota al título: "Este canto 2.º es un desahogo de mi corazón. Tal vez mis quejas parezcan fastidiosas y fuera de propósito a mis lectores. Yo tenía necesidad de escribir así, y he obedecido a un impulso superior a mi voluntad. Pongo aquí esta nota p[ar]a que el q[u]e no quiera leerlo lo salte sin escrúpulos, pues no está ligado de ninguna manera a la historia general del cuento". En las ediciones impresas, la nota aparece redactada en la siguiente forma: "Este canto es un desahogo de mi corazón; sáltelo el que no quiera leerlo sin escrúpulo, pues no está ligado de manera alguna con el Poema. (*N. del A.*)". En la parte superior de la hoja 1, recto, del Ms. 6b), se leen las líneas siguientes: "Amanece este hombre —no sabe quien es, el sol / el día todo hermoso, una vaga armonía que le importa lo pasado, el ruido del mundo, las gentes, impresiones— un criado / que le sirve —los periódicos— todas las gentes ap[r]esurándose a verlo, se canoniza por fin la maravilla y un médico materialista / explica el fenómeno y todo el mundo se da por satisfecho". Véase nuestra *Introducción crítica*, p. 49.

[63] Esta octava [que no figura en el Ms. 6b)] contiene los vv. 814-821 de *María*, por don Miguel de los Santos Álvarez, Madrid, 1840, p. 65. El primer verso, lo reproduce Espronceda en el v. 2157.

[64] V. 1503 Ms. 6b), primera red.: "del corazón [1 palabra ilegible] y el olvido"; entre "este" y "desierto", "ya", tachado. En su tesis doctoral (*M. J. de Larra et l'Espagne à la veille du romantisme*, París, 1949, ej. mecanografiados, pp. 190-191), A. Rumeau señaló muy acertadamente el parentesco entre la poesía *A Célida* (1795) de Quintana (Ed. A. Dérozier, Clásicos Castalia, 16, pp. 130-134), la elegía de Larra al duque de Frías (*Corona*

¡Ay! que de aquellas horas de alegría,[65]
le quedó al corazón solo un gemido, 1505
¡y el llanto que al dolor los ojos niegan,
lágrimas son de hiel que el alma anegan!

---

fúnebre en honor de la [...] *duquesa de Frías*..., Madrid, 1830, pp. 13-21), y el principio del *Canto a Teresa* Escribe Larra:

> [...] ¡ay de aquel triste
> que en el dolor no goza,
> y que en la insensatez de su alegría
> nunca excitó el placer de la tristeza
> en sus instantes bellos
> dulce melancolía!
> Ni hombre es, ni digno de vivir entre ellos.
> ¡Oh, cuál te miro en tu dolor cebarte,
> y repugnar consuelo,
> abriendo el pecho con placer tan sólo
> ansiosos de llorar, al triste duelo.

Y Quintana, en los vv. 152-160 y últimos de *A Célida*, escribía:

> Ángel consolador, ¿dónde te has ido?
> ¿Qué has hecho de aquel bálsamo suave
> que, sobre el triste corazón vertido,
> su acerba llama mitigar solía?
> Contrario el cielo a la ventura mía,
> me le robó, dejándome inclemente,
> con esta amarga soledad presente,
> recuerdos tristes de mi bien perdido.
> Ángel consolador, ¿dónde te has ido?

A. Rumeau apunta que Quintana y Espronceda expresan un sentimiento semejante al que Musset reprocha a Dante: "No hay peor miseria que un feliz recuerdo en un día de desdicha".

[65] V. 1504 Ms. 6b), "aquellas" debajo de "vuestras", tachado. Más tarde, se acordó Zorrilla del principio de este canto al escribir su *Ofrenda poética* al Liceo de Madrid (1848), que empieza:

> Sueños hermosos de la infancia mía,
> ¡a qué sobre las alas de oro y rosa
> volvéis a exaltar mi fantasía?
> ¿Qué buscáis? ¿Vuestro hogar? Ceniza fría
> guarda no más vuestra mansión dichosa.

(Citado por N. A. Cortés, *Zorrilla*..., 2.ª ed., Valladolid, 1942, p. 422.)

J. Heriberto García de Quevedo publicó en la *Revista literaria de El Español*, núm. 41, 9 marzo 1846, pp. 11-12 una poesía, titulada *Recuerdos*, directamente inspirada del *Canto a Teresa*, y que empieza:

> ¿Por qué venís a perturbar mi mente,
> memorias tristes de la patria amada?
> ¿Por qué me recordáis continuamente
> los dulces sueños de mi edad pasada?
> Cuando me sonreían blandamente
> tanto placer, tanta ilusión dorada,
> que luego una tras otra vi destruida
> del hado por la furia maldecida,

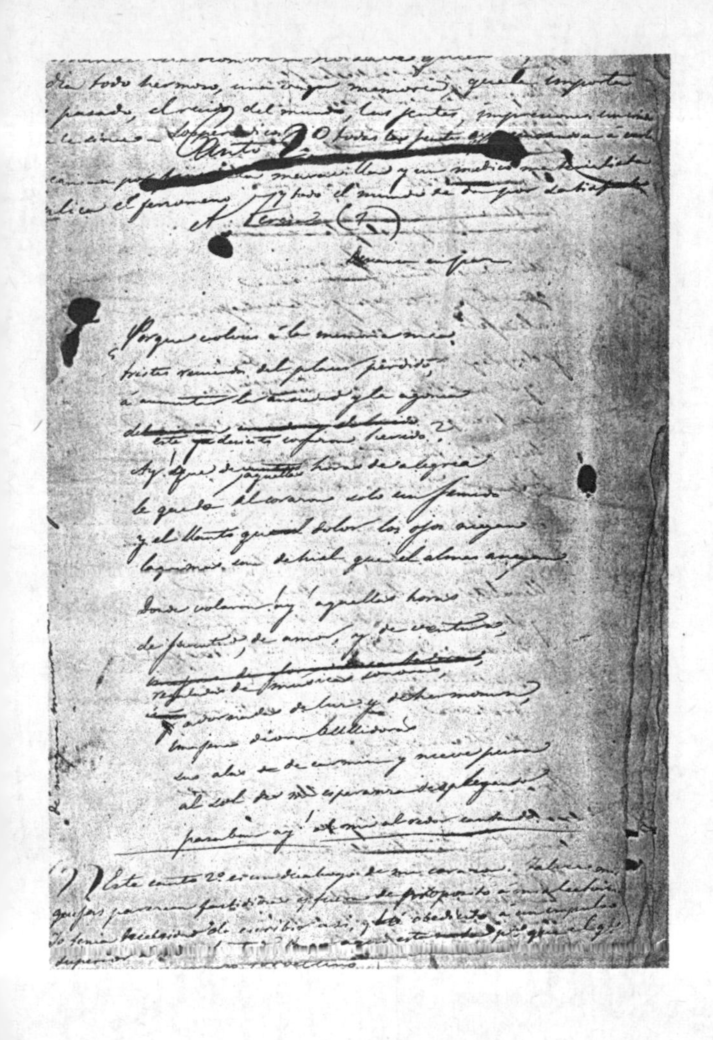

A Teresa (1)

¿Porque volveis á la memoria mia,
tristes recuerdos del placer perdido,
á aumentar la ansiedad y la agonia
de este pedacito corazon herido?
¡Ay! que de aquellas horas de alegria
le queda al corazon solo un gemido,
y el llanto que al dolor los ojos niegan
lagrimas son de hiel que el alma anegan.

Donde volaron ¡ay! aquellas horas
de juventud, de amor, y de ventura,
regaladas de musicas sonoras,
adornadas de luz y de hermosura,
Imagenes de oro bullidoras
sus alas de carmin y nieve pura
al sol de mi esperanza desplegando
pasaban ¡ay! á mi alrededor cantando.

Página autógrafa de el *Canto a Teresa* de *El diablo mundo* de Espronceda. Cortesía de E. Montero. Madrid.

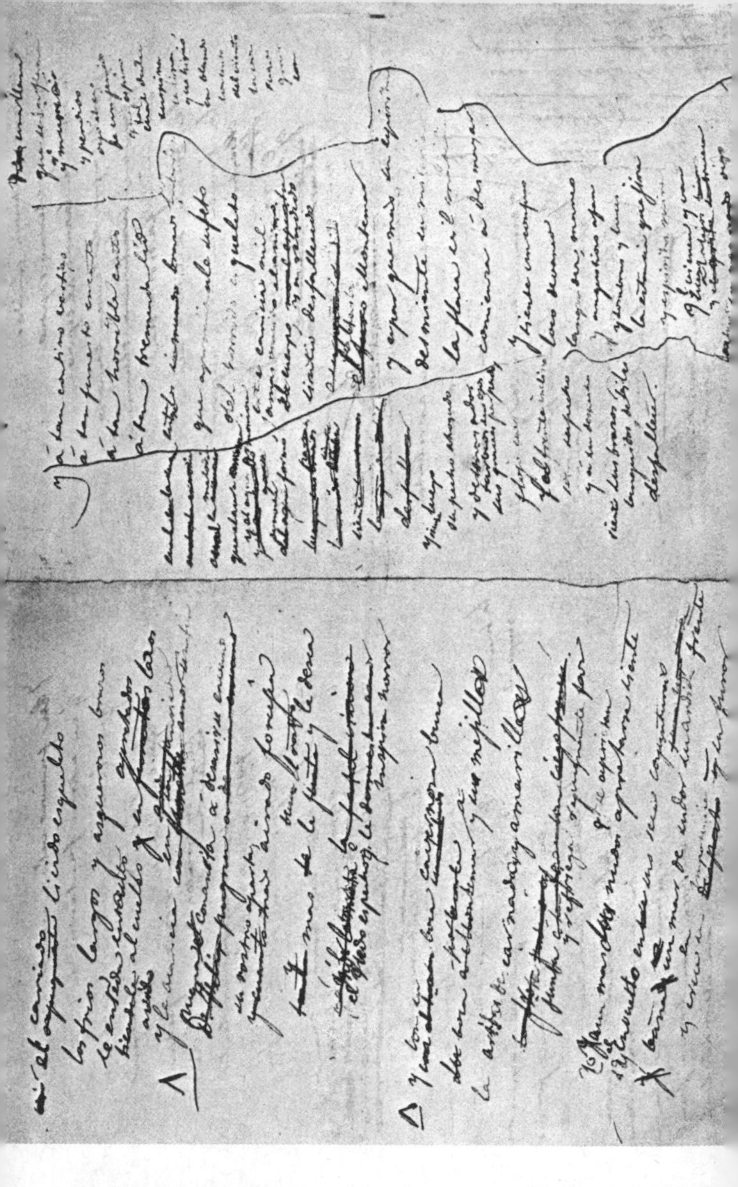

Página autógrafa de el *Canto a Teresa* de *El diablo mundo* de Espronceda. Cortesía de E. Montero. Madrid.

¿Dónde volaron ¡ay! aquellas horas
de juventud, de amor y de ventura,
regaladas de músicas sonoras,[66] 1510
adornadas de luz y de hermosura?
Imágenes de oro bullidoras,
sus alas de carmín y nieve pura,
al sol de mi esperanza desplegando,
pasaban ¡ay! a mi alredor cantando. 1515

Gorjeaban los dulces ruiseñores,[67]
el sol iluminaba mi alegría,
el aura susurraba entre las flores,
el bosque mansamente respondía,
las fuentes murmuraban sus amores... 1520
¡Ilusiones que llora el alma mía![68]
¡Oh! ¡Cuán süave resonó en mi oído
el bullicio del mundo y su ruïdo![69]

Mi vida entonces cual guerrera nave[70]
que el puerto deja por la vez primera, 1525
y al soplo de los céfiros suave,
orgullosa despliega su bandera,
y al mar dejando que a sus pies alabe[71]
su triunfo en roncos cantos, va velera,
una ola tras otra bramadora 1530
hollando y dividiendo vencedora;

---

ensueños ligeros de ventura
engalanaban mis floridos años,
mas breve marchitóse su hermosura
al embate de rudos desengaños, *etc.*

(El manuscrito, anónimo, de esta poesía, en: Papeles de Cañete, R II-2-11, Bibl. de Menéndez y Pelayo, Santander). Véase la nota 9.

[66] V. 1510 Ms. 6b), primera red.: "imágenes de gloria encantadora".

[67] V. 1516 Ms. 6b), primera red.: "Gorjeaban los pájaros cantores".

[68] V. 1521 Ms. 6b), primera red., ilegible.

[69] Vv. 1523-1524 Ms. 6b), primera red.: "¡Ay! cuán suave resonó en mi oído / el murmullo del mundo y su ruido"; a continuación, dos versos tachados: "con blanda paz mi corazón mecido" y "mi corazón por el placer mecido".

[70] V. 1524 Ms. 6b), primera red.: "Mi vida entonces generosa nave"; por encima de "generosa" (tachado): "fue guerrera".

[71] Vv. 1526-1528 Ms. 6b), primera red.: "al soplo de los céfiros suave / y despliega orgullosa su bandera / y al mar dejando que vencido alabe".

!ay! En el mar del mundo, en ansia ardiente
de amor volaba; el sol de la mañana
llevaba yo sobre mi tersa frente,
y el alma pura de su dicha ufana. 1535
Dentro de ella el amor cual rica fuente
que entre frescura y arboledas mana,
brotaba entonces abundante río
de ilusiones y dulce desvarío.[72]

Yo amaba todo: un noble sentimiento 1540
exaltaba mi ánimo, y sentía
en mi pecho un secreto movimiento,[73]
de grandes hechos generoso guía.
La libertad con su inmortal aliento,[74]
santa diosa mi espíritu encendía,[75] 1545
contino imaginando en mi fe pura[76]
sueños de gloria al mundo y de ventura.

El puñal de Catón, la adusta frente
del noble Bruto, la constancia fiera[77]
y el arrojo de Scévola valiente, 1550
la doctrina de Sócrates severa,
la voz atronadora y elocuente
del orador de Atenas, la bandera
contra el tirano macedonio alzando
y al espantado pueblo arrebatando;[78] 1555

[72] V. 1539 Ms. 6b): "de ilusiones sin fin al desvarío".
[73] V. 1542 Ms. 6b), primera red.: "en mi un inexplicable movim[ien]to".
[74] V. 1544 Ms. 6b), primera red.: "la libertad con generoso aliento".
[75] Alusión a la sociedad secreta de los *Numantinos*, fundada en 1823 por Patricio de la Escosura y Miguel Ortiz, y de la que Espronceda era presidente cuando tuvo lugar el suplicio de Riego. (Véanse los *Recuerdos literarios* de Escosura, en *La Ilustración Española y Americana*, 1876, así como el capítulo que dedicamos a los *Numantinos* en nuestro libro *José de Espronceda et son temps...*, París, 1974, pp. 49-58.
[76] V. 1546 Ms. 6b), primera red. del principio: "y en mi inocente fe".
[77] V. 1547-1548 Ms. 6b), primera red.: "El puñal de Catón, la frente adusta / y el noble [1 palabra ilegible] del [1 palabra ilegible] Bruto".
[78] V. 1555 Ms. 6b), primera red.: "y al deprimido pueblo concitando".

el valor y la fe del caballero,[79]
del trovador el arpa y los cantares,
del gótico castillo el altanero
antiguo torreón, do sus pesares
cantó tal vez con eco lastimero,[80] 1560
¡ay! arrancada de sus patrios lares,
joven cautiva, al rayo de la luna,
lamentando su ausencia y su fortuna;

el dulce anhelo del amor que aguarda
tal vez inquieto y con mortal recelo,[81] 1565
la forma bella que cruzó gallarda
allá en la noche, entre el medroso velo;
la ansiada cita que en llegar se tarda
al impaciente y amoroso anhelo,
la mujer y la voz de su dulzura, 1570
que inspira al alma celestial ternura;

a un tiempo mismo en rápida tormenta,
mi alma alborotaban de contino,
cual las olas que azota con violenta
cólera impetuoso[82] torbellino; 1575
soñaba al héroe ya, la plebe atenta
en mi voz[83] escuchaba su destino,
ya al caballero, al trovador soñaba
y de gloria y de amores suspiraba.[84]

79 En esta octava y la siguiente, Espronceda evoca los temas de sus primeras obras, entre las cuales *Blanca de Borbón*, *Canción de la cautiva*, *Canto del cruzado*, *A la patria*, *A la luna*.

80 V. 1560 Ms. 6b): "cantó acaso con eco lastimero".

81 V. 1565 Ms. 6b), primera red.: "Tal vez inquieto y con angustia y celo".

82 Vv. 1574-1575 Ms. 6b), primera red.: "cual tormenta que lanza con violenta furia al [1 palabra ilegible]".

83 Vv. 1576-1577 Ms. 6b), primera red.: "ora soñaba al [1 palabra ilegible] que la plebe atenta / escuchaba".

84 En el Ms. 6b), viene después de este verso, la octava siguiente, tachada:

"Ya al son de patrióticas canciones
la noble espada con ardor ceñía,
y a romper de mi patria las prisiones
volé y a derrocar la tiranía.
Ya embriagado en sabrosas ilusiones,
la mujer de mi amor doquier veía
sílfide allá en el bosque silencioso
brillar al sol en el salón lujoso."

Hay una voz secreta, un dulce canto, 1580
que el alma sólo recogida entiende,
un sentimiento misterioso y santo
que del barro al espíritu desprende;
agreste, vago y solitario encanto
que en inefable amor el alma enciende,[85] 1585
volando tras la imagen peregrina
el corazón de su ilusión divina.

Yo desterrado en extranjera playa
con los ojos, extático seguía
la nave audaz que en argentada raya 1590
volaba al puerto de la patria mía;[86]
yo cuando en Occidente el sol desmaya,
solo y perdido en la arboleda umbría,
oír pensaba el armonioso acento
de una mujer, al suspirar del viento. 1595

¡Una mujer! En el templado rayo[87]
de la mágica luna se colora,[88]
del sol poniente al lánguido desmayo,
lejos entre las nubes se evapora;[89]
sobre[90] las cumbres que florece el mayo, 1600
brilla fugaz al despuntar la aurora,
cruza tal vez por entre el bosque umbrío,
juega en las aguas del sereno río.

A continuación, vienen las dos octavas siguientes, la que empieza "Hay una voz secreta, un dulce canto", después de la que empieza "Yo desterrado en extranjera playa".

[85] Vv. 1580-1585 Ms. 6b), primeras red.: "Hay un amor premiado [?] con encantos / dentro del corazón que el alma eleva / con sentim[ien]to vaporoso y santo [este verso, sin tachar] / que del barro del mundo [...] / vierten los ojos del [1 palabra ilegible] lamento / del alma que en puro amor el corazón / y el suspiro tal vez que el aire hiende".

[86] Compárense los vv. 1588-1591 con la última estrofa de *La entrada del invierno en Londres*, que contiene la misma imagen del desterrado que ve salir del puerto extranjero el navío que vuelve a su patria (Clásicos Castalia, 20, página 132).

[87] V. 1596 Ms. 6b), primera red.: "Imagen sí de una mujer hermosa".

[88] V. 1597 Ms. 6b): "de la mágica luna se evapora".

[89] V. 1599 Ms. 6b): "lejos entre las nubes se colora". Cf. los vv. 212-216 de *El Estudiante de Salamanca*.

[90] V. 1600 Ms. 6b), primera red.: "entre".

¡Una mujer! Deslízase en el cielo
allá en la noche desprendida estrella, 1605
si aroma el aire recogió en el suelo,
es el aroma que le presta ella.
Blanca es la nube que en callado vuelo
cruza la esfera, y que su planta huella,
y en la tarde la mar olas la ofrece 1610
de plata y de zafir donde se mece.

Mujer que amor en su ilusión figura,
mujer que nada dice a los sentidos,[91]
ensueño de suavísima ternura,[92]
eco que regaló nuestros oídos, 1615
de amor la llama generosa y pura,[93]
los goces dulces del placer cumplidos,
que engalana la rica fantasía,[94]
goces que avaro el corazón ansía;

¡ay! aquella mujer,[95] tan sólo aquélla, 1620
tanto delirio[96] a realizar alcanza,
y esa mujer tan cándida y tan bella
es mentida ilusión de la esperanza.
Es el alma que vívida destella
su luz al mundo cuando en él se lanza, 1625
y el mundo con su magia y galanura,
es espejo no más de su hermosura;[97]

[91] El v. 1613 sirve de epígrafe a un poema en octavas firmado "L" y titulado *Favores y deseos. Fragmentos* que publicó la revista granadina *El Capricho*, núm. 7, 1.º de diciembre de 1846, p. 62.

[92] V. 1614 Ms. 6b), primera red.: "ensueño mentiroso de ternura".

[93] V. 1616 Ms. 6b), primera red.: "de amor la llama misteriosa y pura".

[94] Vv. 1617-1618 Ms. 6b), primeras red.: "del corazón ardiente los latidos / que al alma ansiosa con su encanto inspira / y el afán con que su pesar / la mujer! la mujer ¡ay! no lo inspira / que pinta al corazón la fantasía".

[95] V. 1620 Ms. 6b), primera red.: "Ay la mujer jamás!".

[96] V. 1621 Ms. 6b): "tanto delirio", por encima de 2 palabras tachadas ilegibles.

[97] Vv. 1624-1628 Ms. 6b), primeras red.: "es del alma oprimida la querella [por encima, 2 palabras tachadas ilegibles] / que de su cárcel quisiera se lance / [1 verso ilegible] / raudo levanta [...] alzar [4 palabras ilegibles]". Estos cinco versos están escritos verticalmente, al margen derecho de los siguientes, tachados: "Ay! la mujer que oyó nuestra querella / que el fuego

es el amor que al mismo amor adora,
el que creó las sílfides y ondinas,
la sacra ninfa que bordando mora 1630
debajo de las aguas cristalinas;[98]
es el amor que recordando llora
las arboledas del Edén divinas,
amor de allí arrancado, allí nacido,
que busca en vano aquí su bien perdido.[99] 1635

¡Oh llama santa! ¡Celestial anhelo!
¡Sentimiento purísimo! ¡Memoria
acaso triste de un perdido cielo,
quizá esperanza de futura gloria!
¡Huyes y dejas llanto y desconsuelo! 1640
¡Oh mujer, que en imagen ilusoria
tan pura, tan feliz, tan placentera,[100]
brindó el amor a mi ilusión primera...!

---

dio de nuestro [2 palabras ilegibles] / será del lodo miserable hechura / ramera vil en el placer impura [por encima y por debajo, varias palabras tachadas ilegibles] rasgo impalpable, alma [?] fugaz de su desdén [varias palabras ilegibles] / lleva el aura fugaz nuestra querella / y el suspiro de amor que el pecho lanza / vuelve [tachado] y rendido va y a su sentido acento / responde al recogerlo el [1 palabra ilegible]". Hay además varias palabras tachadas e ilegibles por encima de las citadas.

[98] Menéndez y Pelayo (en su discurso de respuesta al de recepción de F. Rodríguez Marín, Madrid, 1907, p. 86) y P. Henríquez Ureña ("Notas sobre Pedro Espinosa", *Rev. de filología española*, 1917, IV, p. 292) han señalado que estos dos versos están inspirados de los siguientes de la *Fábula del Genil*:

Corta las aguas con los blandos brazos
la ninfa, que con otras ninfas mora
debajo de las aguas cristalinas
en aposentos de esmeraldas finas.

Northup (en su edición de *El Estudiante de Salamanca and other Selections*, Boston, 1919, p. 110) añade que Espronceda pudo tener presentes estos dos versos de la misma poesía:

El desgraciado dios su dulce amante
con las náyades vido estar bordando.

[99] Vv. 1634-1635 Ms. 6b), primeras red.: "la llama pura que dentro [1 palabra ilegible] / Eva y Adán cuando inocentes eran / y allá también [2 veces, tachado] por nuestro bien perdido".

[100] Vv. 1636-1643 Ms. 6b), primeras red.: "Oh llama pura, celestial anhelo! / sentim[ien]to feliz! purísimo, memoria / o [1 palabra ilegible] tal vez del mismo cielo / y solo dejarte te seguirá tu vuelo / Oh! Teresa [por encima de: "mujer"] que en óptica ilusoria / mostró el amor a mi primer [varias palabras ilegibles tachadas] / a donde estás para amar todavía / [varias palabras tachadas ilegibles] tan cándida como el alba y placentera!...".

¡Oh Teresa! ¡Oh dolor! Lágrimas mías,
¡ah! ¿dónde estáis que no corréis a mares? 1645
¿Por qué, por qué como en mejores días
no consoláis vosotras mis pesares?
¡Oh! los que no sabéis las agonías
de un corazón, que penas a millares,
¡ay! desgarraron, y que ya no llora, 1650
¡piedad tened de mi tormento ahora! [101]

¡Oh! ¡dichosos mil veces! sí, dichosos
los que podéis llorar y ¡ay! sin ventura [102]
de mí, que entre suspiros angustiosos,
¡ahogar me siento en infernal tortura! 1655
¡Retuércese entre nudos dolorosos
mi corazón gimiendo de amargura!...
También tu corazón hecho pavesa,
¡ay! llegó a no llorar, ¡pobre Teresa! [103]

¿Quién pensara jamás, Teresa mía, 1660
quc fuera eterno manantial de llanto
tanto inocente [104] amor, tanta alegría,
tantas delicias y delirio tanto?
¿Quién pensara jamás llegase un día [105]
en que perdido el celestial encanto 1665
y caída la venda de los ojos,
cuanto diera placer causara enojos?

Aún parece, Teresa, que te veo
aérea como dorada mariposa,
ensueño delicioso del deseo, 1670

[101] Vv. 1650-1651 Ms. 6b), primeras red.: "ay! desgarraron oh Dios! que nunca llora / llorad piadoso al [1 palabra ilegible] / no comprendéis mi sufrim[ien]to ahora".

[102] Vv. 1653 Ms. 6b): "los que podéis llorar! y ¡ay! sin ventura".

[103] Vv. 1655-1659 Ms. 6b), primeras red.: "guardo en mi corazón mi desventura / Teresa ¡o dulce nombre! [...] / el corazón y gozando amargura / O Teresa también tú has sufrido / fuiste infeliz como infeliz yo he sido / y has querido llorar y no has podido".

[104] V. 1662 Ms. 6b), primera red.: "Tan dulce".

[105] V. 1664 Ms. 6b), primera red.: "quien pensara nunca que llegara un día".

sobre tallo gentil temprana rosa,
del amor venturoso devaneo,
angélica, purísima y dichosa,
y oigo tu voz dulcísima, y respiro
tu aliento perfumado en tu suspiro.[106] 1675

Y aún miro aquellos ojos que robaron
a los cielos su azul, y las rosadas
tintas sobre la nieve, que envidiaron[107]
las de mayo serenas alboradas;
y aquellas horas dulces que pasaron 1680
tan breves ¡ay! como después lloradas,
horas de confianza y de delicias,
de abandono, y de amor, y de caricias.[108]

Que así las horas rápidas pasaban,
y pasaba a la par nuestra ventura;[109] 1685
y nunca nuestras ansias las contaban,
tú embriagada en mi amor, yo en tu hermosura,
las horas ¡ay! huyendo[110] nos miraban
llanto tal vez vertiendo de ternura,
que nuestro amor y juventud veían,[111] 1690
y temblaban las horas que vendrían.

[106] V. 1675 Ms. 6b): "tu perfumado aliento y tu suspiro"; arriba de la hoja, en la parte derecha, se lee: "Las mujeres sólo son mujeres / Los ángeles cuando se convierten en demonios / sólo queda una tumba una mujer [1 palabra ilegible]". Cf. los vv. 18-21 de "Suave es tu sonrisa, amada mía":

y yo en tus labios de rubí encendidos
recojo enajenado
tu lánguido suspiro
y tu aliento purísimo respiro
(Clásicos Castalia, 20, p. 201.)

Véanse también la nota 17 de *El Estudiante de Salamanca*, y la nota 222 de *El Diablo Mundo*.

[107] Vv. 1676-1678 Ms. 6b), primera red.: "aquí los ojos que su azul robaron / al más sereno cielo y las rosadas / tintas sobre la nieve que probaron [?]".

[108] V. 1683 Ms. 6b): "de palabras de amor y de caricias".

[109] V. 1685 Ms. 6b), primera red.: "Y así las horas sin cesar pasaban / nuestra dicha llevándose consigo".

[110] V. 1688 Ms. 6b), primera red.: "y las horas huyendo".

[111] Vv. 1690-1691 Ms. 6b), primera red.: "que nuestro engaño y nuestro amor veían / y con dolor a su pesar huían".

Y llegaron en fin. ¡Oh! ¿Quién impío,[112]
¡ay! agostó la flor de tu pureza?
Tú fuiste un tiempo un cristalino río,
manantial de purísima limpieza; 1695
después torrente de color sombrío,
rompiendo entre peñascos y[113] maleza,
y estanque en fin de aguas corrompidas,
entre fétido fango detenidas.[114]

¿Cómo caíste despeñado al suelo,[115] 1700
astro de la mañana luminoso?
Ángel de luz ¿quién te arrojó del cielo
a este valle de lágrimas odioso?[116]
Aún cercaba tu frente el blanco velo
del serafín, y en ondas fulgoroso, 1705
rayos al mundo tu esplendor vertía.
Y otro cielo el amor te prometía.[117]

Mas ¡ay! que es la mujer ángel caído
o mujer nada más y lodo[118] inmundo,
hermoso ser para llorar nacido,[119] 1710

[112] V. 1692 Ms. 6b), primera red.: "Porque después, Teresa, el aquilón"; al principio, tachado también: "Cuantas veces"; en lugar de "enfin", el poeta escribió primero: "Teresa".

[113] V. 1697 Ms. 6b), primera red.: "entre rocas rompiendo y [...]".

[114] Cf. los vv. 69-72 de *A Jarifa en una orgía*, en que está expresada la misma idea, pero en sentido general:

Mujeres vi de virginal limpieza
entre albas nubes de celeste lumbre;
yo las toqué, y en humo su pureza
trocarse vi, y en lodo y podredumbre.
(Clásicos Castalia, 20, p. 261.)

Además, recordemos que los vv. 41-88 de la misma poesía describen un proceso sentimental —de la ilusión al desengaño— idéntico al del *Canto a Teresa*.

[115] En el Ms. 6b), antes de este verso, vienen los siguientes, tachados: "Las ilusiones que doró el deseo / flores del corazón, se deshojaron / Ángel de luz que descendiste al mundo [y, por encima: "suelo"] / como la edad de la inocencia hermoso"; v. 1700, primera red.: "Como caíste, Ángel de luz".

[116] Vv. 1700-1703 Cf. Isaías, XIV, 12 y 15.

[117] Vv. 1706-1707 Ms. 6b), primera red.: "rayos al mundo de esplendor vertía / y en derredor los aires encendía / y esperanzas y amor te prometía".

[118] V. 1709 Ms. 6b), primera red.: "de lodo".

[119] V. 1710 Ms. 6b), al principio del verso, "Ángel", tachado.

o vivir como autómata en el mundo;[120]
sí, que el demonio en el Edén perdido
abrasara con fuego del profundo
la primera mujer, y ¡ay! aquel fuego
la herencia ha sido de sus hijos luego.[121] 1715

Brota en el cielo del amor la fuente
que a fecundar el universo mana,
y en la tierra su límpida corriente
sus márgenes con flores engalana;[122]
mas ¡ay! huid: el corazón ardiente 1720
que el agua clara por beber se afana,
lágrimas verterá de duelo eterno,
que su raudal lo envenenó el infierno.[123]

Huid, si no queréis que llegue un día
en que enredado en retorcidos lazos 1725
el corazón, con bárbara porfía
luchéis por arrancároslo a pedazos;
en que al cielo en histérica agonía
frenéticos alcéis entrambos brazos,[124]
para en vuestra impotencia maldecirle, 1730
y escupiros, tal vez, al escupirle.

Los años ¡ay! de la ilusión[125] pasaron;
las dulces esperanzas que trajeron,

[120] V. 1711 Ms. 6b): "o vivir sin espíritu en el mundo"; primera red.: "o vegetar sin ánimo en el mundo".

[121] Vv. 1712-1715 Ms. 6b), primera red.: "Sí, que sin duda en el Edén perdido / vertió su fuego el ángel del profundo / en la mujer primera y aquel fuego / sus tristes hijas lo heredaron luego".

[122] En el Ms. 6b), después del v. 1715, dos versos tachados: "Un tiempo fue. Los años ya pasaron / que tu fuiste el amor de mis amores"; vv. 1716-1719, primeras red.: "Que [tachado] ¿está en el cielo del amor la fuente / y su raudal envenenó el M[undo?] / fuente de dichas mil / que a fecundar la tierra se derrama / de aguas claras y purísima corriente / el camino de la vida y la [1 palabra ilegible]"; hay además varias palabras tachadas e ilegibles entre los versos.

[123] V. 1723 Ms. 6b): "Ay! que el raudal lo envenenó el infierno".

[124] Vv. 1725-1729 Ms. 6b), primera red.: "en que enredado en vueltos lazos / queréis [3 palabras ilegibles] bárbara porfía / ansiáis por arrancaros a pedazos / en que [ilegible] crecer su agonía [por encima, tachado: "Y condenado ya en"] / al Cielo levantáis entrambos brazos".

[125] V. 1732 Ms. 6b), primeras red.: "Los años entretanto ya" y "Los años melancólicos".

con sus blancos ensueños se llevaron,
y el porvenir de oscuridad vistieron; 1735
las rosas del amor se marchitaron,
las flores en abrojos convirtieron,
y de afán tanto y tan soñada gloria
sólo quedó una tumba, una memoria.[126]

¡Pobre Teresa! ¡Al recordarte siento 1740
un pesar tan intenso...! Embarga impío
mi quebrantada voz mi sentimiento,[127]
y suspira tu nombre el labio mío;
para allí su carrera el pensamiento,
hiela mi corazón punzante frío,[128] 1745
ante mis ojos la funesta losa,[129]
donde vil polvo tu beldad reposa.

Y tú feliz, que hallastes en la muerte
sombra a que descansar en tu camino,
cuando llegabas mísera a perderte,[130] 1750
y era llorar tu único destino;
cuando en tu frente la implacable suerte
¡grababa de los réprobos el sino...!
¡Feliz! la muerte te arrancó[131] del suelo,
y otra vez ángel te volviste al cielo.[132] 1755

[126] Compárese esta octava con el primer cuarteto de *A^{xxx} dedicándole estas poesias:*

> Marchitas ya las juveniles flores,
> nublado el sol de la esperanza mía,
> hora tras hora cuento y mi agonía
> crecen y mi ansiedad y mis dolores.
>
> (Clásicos Castalia, 20, p. 264.)

El mismo motivo, pero tratado irónicamente, en los vv. 4025-4035.

[127] Vv. 1740-1741 Ms. 6b): "un pesar tan amargo embarga impío / mi dolorosa voz, mi sentim[ien]to"; primera red.: "el placer del dolor, que rasga impío / mi [1 palabra ilegible] corazón".

[128] Vv. 1744-1745 Ms. 6b), primeras red.: "cesa de discurrir mi pensam[ien]to / de los sepulcros el helado aliento / coagula el corazón y un soplo frío [por encima: "horrible", tachado]; hay además varias palabras tachadas e ilegibles entre los versos.

[129] V. 1746 Ms. 6b): "mis ojos fijos en la triste losa".

[130] V. 1750 Ms. 6b), primera red.: "cuando eras ya [1 palabra ilegible] de la suerte".

[131] V. 1754 Ms. 6b), primera red.: "Mujer! El barro te mancha".

[132] V. 1755 Ms. 6b), primera red.: "ángel, enfin te remontaste al cielo";

Roída de recuerdos de amargura,
árido el corazón sin ilusiones,
la delicada flor de tu hermosura
ajaron del dolor los aquilones;
sola, y envilecida, y sin ventura, 1760
tu corazón secaron las pasiones,
tus hijos ¡ay! de ti se avergonzaran,[133]
y hasta el nombre de madre te negaran.[134]

Los ojos escaldados de tu llanto,
tu rostro cadavérico y hundido, 1765
único desahogo en tu quebranto,[135]

---

después de este verso, el principio, muy tachado, de una octava: "No fue tu mal destino culpa mía / No fue el amor que fue mi desventura / que mi [lo demás, ilegible] / vil condición de la materia impura".

[133] En este canto, Espronceda evoca tres veces los hijos de Teresa (vv. 1761, 1817 y 1835). Sabemos que la hija del coronel Mancha se casó en Londres, probablemente en 1829, con un comerciante de Bilbao llamado Gregorio Bayo; parece que fue en 1832 cuando, en París, abandonó a su marido para vivir con Espronceda, al cual siguió a Madrid en 1833. Tuvieron en 1834 una hija llamada Blanca, y se separaron al parecer a fines de 1836. (Véase Clásicos Castalia, 20, *Introducción biográfica y crítica*, pp. 12-13, 16 y 19-20, y el estudio que dedicamos a los amores del poeta en *José de Espronceda et son temps...*, París, 1974, pp. 175-186). Teresa murió el 18 de septiembre de 1839. Según se deduce de un documento otorgado en Madrid el 27 de mayo de 1845, después de la muerte de su padre el coronel Epifanio Mancha, Teresa había tenido dos hijos, Ricardo y Julia, de su esposo G. de Bayo (Arch. Hist. Nac., Hacienda, leg. 2053/162). En una copia de la partida de defunción de Teresa (Arch. de Foulché-Delbosc, Institut d'Études Hispaniques, París), consta que ésta dejaba "dos hijas llamadas Luisa y Clara"; una nota del hispanista francés dice: "Realmente dejaba cinco: Ricardo, tenido de su legítimo esposo; Blanca, de Espronceda, y Clara, Luisa y Narciso, del que después fue su yerno (por casarse con Blanca) D. Narciso de la Escosura"; añade J. Nombela: "[...] según se decía entre los escritores de aquel tiempo, después de haber sido heredero de Espronceda en el amor de la célebre Teresa (citado por J. Campos, B.A.E., t. LXXII, *Introducción*, p. XXII). Narciso casó con Blanca el 12 de junio de 1854, y de ella tuvo siete hijos; él murió el 14 de febrero de 1875, y ella el 17 de enero de 1895 (Arch. de Clases Pasivas, E = 1178, Pensiones, exp. de Blanca de Espronceda y Escosura). No sabemos nada más de los hijos de Teresa y Gregorio Bayo.

[134] Vv. 1755-1763 Ms. 6b): "Sola, y envilecida y sin ventura [primera red.: "Que ya quedaba para ti en la tierra"] / Tu corazón secaron las pasiones / la delicada flor de tu hermosura [primera red.: "La flor de tu hermosura (tachado); por encima: "belleza"] en dura [1 palabra ilegible] / ajaron del dolor los aquilones / roída de recuerdos de amargura, / árido el corazón sin ilusiones / tus [tachado: "mis sus"] hijos ¡ay! de ti se avergonzaran / y hasta el nombre de madre te negaran".

[135] Vv. 1764-1766 Ms. 6b), primera red.: "los ojos fatigados de tu llanto /

el histérico ¡ay! de tu gemido,
¿quién, quién pudiera en infortunio tanto
envolver tu desdicha en el olvido,
disipar tu dolor y recogerte 1770
en su seno de paz? ¡Sólo la muerte![136]

¡Y tan joven, y ya tan desgraciada!
Espíritu indomable, alma violenta,
en ti, mezquina sociedad, lanzada
a romper tus barreras turbulenta,[137] 1775
nave contra las rocas quebrantada,
allá vaga, a merced de la tormenta,
en las olas tal vez náufraga tabla,[138]
que sólo ya de sus grandezas habla.

Un recuerdo de amor que nunca muere[139] 1780
y está[140] en mi corazón; un lastimero
tierno quejido que en el alma hiere,[141]
eco suave de su amor primero,
¡ay! de tu luz en tanto yo viviere,
quedará un rayo en mí, blanco lucero,[142] 1785
que iluminaste con tu luz querida
la dorada mañana de mi vida.[143]

---

de lágrimas [ilegible] tu mejilla / único compañero en tu quebranto"; hay varias palabras ilegibles y tachadas encima del último verso.

[136] Vv. 1769-1771 Ms. 6b), primera red.: "poner en fin a tu desdicha olvido / la muerte sola con su negro velo / la muerte ¡ay! del infeliz consuelo".

[137] Espronceda presta a la Salada (vv. 3461-3465) la misma actitud de desafío a la sociedad.

[138] Vv. 1774-1778 Ms. 6b), primera red.: "Oh sociedad en ti a romper lanzada / sus trabas y barreras turbulenta / ora arrebata nave quebrantada / sus mástiles y jarcias y sus pompas y sus ricas banderolas / ante las olas perdida alguna tabla".

[139] En el Ms. 6b), antes de esta octava, y en la parte superior izquierda de la hoja, se lee lo siguiente: "Oh yo hubiera querido hollar la / sociedad y haberte ofrecido el trono [1 palabra ilegible] / pero soy hombre"; v. 1780, primera red.: "Un recuerdo de amor que eterno queda".

[140] Ms. 6b): "Y está", por encima de "al que" y "queda", tachados.

[141] V. 1782 Ms. 6b), primera red.: "tierno quejido que en el alma vibra".

[142] Vv. 1784-1785 Ms. 6b), primera red.: "de tu perdida luz mientras viviere / un rayo quedará blanco lucero".

[143] V. 1787 Ms. 6b), primera red.: "alumbrará la mañana de mi vida". La misma imagen, más ampliamente desarrollada, en *A una estrella*, vv. 49-63 (Clásicos Castalia, 20, p. 251).

Que yo como una flor que en la mañana[144]
abre su cáliz al naciente día,
¡ay! al amor abrí[145] tu alma temprana, 1790
y exalté tu inocente fantasía,
yo inocente también; ¡oh! ¡cuán ufana
al porvenir mi mente sonreía,
y en alas de mi amor con cuánto anhelo
pensé contigo remontarme al cielo![146] 1795

Y alegre, audaz, ansioso, enamorado,
en tus brazos en lánguido abandono,
de glorias y deleites rodeado,[147]
levantar para ti soñé yo un trono,
y allí tú venturosa y yo a tu lado, 1800
vencer del mundo el impacable encono,
y en un tiempo sin horas ni medida[148]
ver como un sueño resbalar la vida.

¡Pobre Teresa! Cuando ya tus ojos[149]
áridos ni una lágrima brotaban, 1805
cuando ya su color tus labios rojos[150]
en cárdenos matices cambïaban,

144 En el Ms. 6b), antes de esta octava, se leen los versos siguientes, tachados: "Oh! yo también al mar de la esperanza / Pobre Teresa, me arrojé contigo / contigo en la borrasca y la [...] / Yo me arrojé contigo a las regiones / que en mi sueño de amores [por encima de 'yo', tachado] delirante / adornaron mis ricas ilusiones".

145 Ms. 6b), primera red.: "ay! ahí al amor".

146 Vv. 1794-1795 Ms. 6b), primera red.: "y al bonancible amor [ilegible] / Pobre Teresa me arrojé contigo". Compárense los vv. 1788-1795 con los vv. 9-16 de "Y a la luz del crepúsculo serena" (Clasicos Castalia, 20, pp. 196-197).

147 V. 1798 Ms. 6b): "de gloria [por encima de: "armas", tachado] allí y delicias rodeado".

148 Restablecemos el v. 1802 tal como está en el Ms. 6b) y en la edición de 1840; en la de 1841: "Y en un tiempo sin horas y medida". En el Ms. 6b), hay además una primera red. tachada e ilegible de los vv. 1802-1803.

149 En el Ms. 6b), antes de esta octava, y en la parte superior izquierda de la hoja, se lee: "Y mi amor te perdió:".

150 En el Ms. 6b), entre los vv. 1805 y 1806, se lee lo siguiente, tachado: "Y tristes restos / cuando tus delicados pies / cuando tendida en lecho [encima: "bajo", tachado] de ásperos abrojos / la vida y sus ilusiones te abandonaban / cuando en tu baba los claveles rojos". Además, hay varias palabras y fragmentos de versos tachados e ilegibles.

cuando de tu dolor tristes despojos
la vida y su ilusión te abandonaban
y consumía lenta calentura 1810
tu corazón al par de tu amargura;[151]

si en tu penosa y última agonía
volviste a lo pasado el pensamiento,
si comparaste a tu existencia un día[152]
tu triste soledad y tu aislamiento; 1815
si arrojó a tu dolor tu fantasía[153]
tus hijos ¡ay! en tu postrer momento,
a otra mujer tal vez acariciando,
madre tal vez a otra mujer llamando;[154]

si el cuadro de tus breves glorias viste[155] 1820
pasar como fantástica quimera,
y si la voz de tu conciencia oíste
dentro de ti gritándote severa;[156]
sí, en fin entonces tú llorar quisiste
y no brotó una lágrima siquiera 1825
tu seco corazón,[157] y a Dios llamaste,
y no te escuchó Dios, y blasfemaste;

¡oh! ¡Cruel! ¡Muy cruel! ¡Martirio horrendo!
¡Espantosa expiación de tu pecado!
¡Sobre un lecho de espinas maldiciendo,[158] 1830

[151] V. 1811 Ms. 6b): "tu corazón al par de tu tristura".
[152] Vv. 1812-1814 Ms. 6b), primera red.: "Cuando en tu larga y última agonía / moribunda volviste el pensam[ien]to / a recordarte lo que fuiste un día".
[153] V. 1816 Ms. 6b), primera red.: "si en fin te retrató tu fantasía".
[154] Vv. 1818-1819 Ms. 6b), primera red.: "de ti olvidada, cándidos jugando / madre llamando a otra mujer en tanto". Y entre estos mismos versos, tachado: "olvidada de ti lejos olvidada / sin escuchar [por encima: "tan hermoso", tachado] tu mísera querella".
[155] V. 1820 Ms. 6b), primera red.: "Y el cuadro alegre y lisonjero viste"; antes de este verso, se leen los siguientes, tachados: "Y enfín si recordaste cariñosa / cuando feliz la estrechaba al seno".
[156] V. 1823 Ms. 6b), primera red.: "dentro de ti gritar con voz severa".
[157] Ms. 6b), primera red.: "a tus ojos".
[158] Vv. 1828-1830 Ms. 6b), primeras red.: "Cruel Cruel! desventurada hermosa / Oh! La expiación de tu pecado ha sido / Duerme, pobre Teresa, en paz reposa / Oh! tu esperanza de tu lecho huy[ó]".

morir el corazón desesperado!
¡Tus mismas manos de dolor mordiendo,
presente a tu conciencia lo pasado,[159]
buscando en vano con los ojos fijos
y extendiendo tus brazos a tus hijos![160] 1835

¡Oh! ¡Cruel! ¡Muy cruel!... ¡Ah! yo entretanto
dentro del pecho mi dolor oculto,
enjugo de mis párpados el llanto
y doy al mundo el exigido culto;
yo escondo con vergüenza mi quebranto, 1840
mi propia pena con mi risa insulto,[161]
y me divierto en arrancar del pecho
mi mismo corazón pedazos hecho.[162]

Gocemos, sí; la cristalina esfera[163]
gira bañada en luz: ¡bella es la vida! 1845
¿Quién a parar alcanza la carrera

[159] V. 1833 Ms. 6b), primera red.: "presente ante tus ojos lo pasado".

[160] Vv. 1834-1835 Ms. 6b), primeras red.: "y tus hijos, tu Blanca [...] / morir sin que en tu tumba solitaria / sola en torno de ti todo desierto / los yertos brazos [...]".

[161] D. L. Shaw, en su artículo citado en la *Noticia bibliográfica*, apunta que este verso traduce una actitud semejante a la que Byron expresa en su *Don Juan*, canto III, 139:

...and if I laugh at any mortal thing
'tis that I may not weep...

Esta actitud es la del hombre que ha agotado todas las posibilidades de escapar a la angustia, sea por el amor, sea por la acción.

[162] Vv. 1836-1843 Ms. 6b), primeras red.: "Y yo triste de mí... Ah! Yo mi llanto / dentro del pecho mi dolor escondo / en divertida risa troqué el llanto / mi propia pena con mi risa insulto / Yo muy feliz escondo con vergüenza / burla cruel, y por el yermo inculto / del desengaño sigo mi camino / siendo indiferente a mi destino"; después se leen los versos siguientes, tachados: "y el mundo va también indiferente / burlando del dolor de cada uno / que a nadie importa del tormento [encima de: "desastre", tachado] / mostrando paz en la tranquila frente / risa en los labios y ademán sereno / y a su risa que gira complaciente / alegrando la faz brota [?] veneno".

[163] Vv. 1844-1851 Ms. 6b), primeras red.: "Oh! gocemos! gocemos! quiera el cielo / Gocemos sí! Benigno el cielo quiera / por largos años dilatar la vida / y sembrar de venturas [por encima de: "dichas", tachado] la carrera / Oh venid gente alegre y placentera / [1 verso ilegible] / hoy en gozar mi mente embebecida / no alcanza a más y su intención es vana [las 5 últimas palabras, debajo de otras, tachadas e ilegibles] / quizá [1 palabra ilegible] calma empezará mañana".

del mundo hermoso que al placer convida?
Brilla radiante el sol, la primavera
los campos pinta en la estación florida:
truéquese en risa mi dolor profundo...[164] 1850
Que haya un cadáver más, ¡qué importa al mundo![165]

FIN DEL CANTO SEGUNDO

CANTO III

"¡Cuán fugaces los años,[166]
¡ay! se deslizan, Póstumo!" gritaba
el lírico latino que sentía
cómo el tiempo cruel le envejecía, 1855
y el ánimo y las fuerzas le robaba.
Y es triste a la verdad ver cómo huyen
para siempre las horas y con ellas
las dulces esperanzas que destruyen
sin escuchar jamás nuestras querellas; 1860
¡fatalidad! ¡fatalidad impía!
Pasa la juventud, la vejez viene,
y nuestro pie que nunca se detiene,
recto camina hacia la tumba fría!
Así yo meditaba 1865
en tanto me afeitaba
esta mañana mismo, lamentando
cómo mi negra cabellera riza,
seca ya como cálida ceniza,

[164] V. 1850 Ms 6b), primera red.: "Yo sólo siento mi dolor profundo"; después del v. 1851, tachado: "que mi aflicción ni mi dolor profundo", y encima del principio de este último verso, "un desdichado más", sin tachar.
[165] Véase la nota 49 de *El Estudiante de Salamanca*. Los vv. 1850-1851 fueron tomados por Miguel Sánchez Plazuelos como epígrafe de su composición *Un muerto*, en *¡Pedro Babilonia y Justicia de Dios!*, poema, Madrid, 1859, p. 155.
[166] El primer fragmento publicado en *El Pensamiento*, I, [15 mayo] 1841, comprende los vv. 1852-1920.
[167] Traducción de los famosos versos de Horacio (*Odas*, II, XIV, vv. 1-2):
Eheu fugaces, Postume, Postume,
labuntur anni...

iba por varias partes blanqueando; 1870
y un triste adiós mi corazón sentido
daba a mi juventud, mientras la historia
corría mi memoria
del tiempo alegre por mi mal perdido,[168]
y un doliente gemido 1875
mi dolor tributaba a mis cabellos
que canos se teñían,
pensando que ya nunca volverían
hermosas manos a jugar con ellos.

¡Malditos treinta años, 1880
funesta edad de amargos desengaños!

Perdonad, hombres graves, mi locura,
vosotros los que veis sin amargura
como cosa corriente,
que siga un año al año antecedente, 1885
y nunca os rebeláis contra el destino:
¡Oh! será un desatino,
mas yo no me resigno a hallarme viejo
al mirarme al espejo,
y la razón averiguar quisiera 1890
que en este nuestro mundo misterioso
sin encontrar reposo
nos obliga a viajar de esta manera.

Y luego las mujeres, todavía[169]
son mi dulce manía: 1895
ellas la senda de ásperos abrojos
de la vida suavizan y coloran,
¡y a las mujeres los llorosos ojos

[168] ¿Recuerdo del soneto X de Garcilaso?:
¡O dulces prendas por mi mal halladas,
dulces y alegres cuando Dios quería,
juntas estáys en la memoria mía
y con ella en mi muerte conjuradas!
(Ed. Rivers, Castalia, 1964, p. 12.)

[169] Sin espacio entre los vv. 1893-1894 en *El Pensamiento*.

y los cabellos canos no enamoran!
¡Griegos liceos! ¡Célebres hospicios![170] 1900
(exclamaba también Lope de Vega
llorando la vejez de su sotana)
que apenas de haber sido dais indicios,
si moristeis del tiempo en la refriega
y ejemplo sois de la locura humana, 1905
¡ah! no es extraño que el que a treinta llega
¡llegue a encontrarse la cabeza cana!

Adiós amores, juventud, placeres,[171]
adiós vosotras las de hermosos ojos,
hechiceras mujeres, 1910
que en vuestros labios rojos
brindáis amor al alma enamorada;
dichoso el que suspira
y oye de vuestra boca regalada,
siquiera una dulcísima mentira 1915
en vuestro aliento mágico bañada.
¡Ah! para siempre adiós;[172] mi pecho llora
al deciros adiós: ¡ilusión vana!
Mi tierno corazón siempre os adora,
mas mi cabeza se me vuelve cana. 1920

Coloraba en Oriente
el sol resplandeciente
los campos de zafir con rayos de oro,

170 Los vv. 1900 y 1903 son respectivamente los vv. 5 y 4 (este último sin "que" al principio) del soneto de Lope de Vega "Soberbias torres, altos edificios", publicado en las *Rimas humanas y divinas del licenciado Burguillos*. Después de evocar la destrucción de estos famosos monumentos, Lope escribe en el último terceto:

¡Oh gran consuelo a mi esperanza vana,
que el tiempo que os volvió breves rüinas
no es mucho que acabase mi sotana!
(B.A.E., t. XXXVIII, p. 388a, núm. 255.)

Espronceda pudo leer estas *Rimas* en el t. XIX de la edición de Sancha, o en la edición de París, Didot l'aîné, 1828.

171 Sin espacio entre los vv. 1908-1909 en *El Pensamiento*.

172 El mismo hemistiquio en los vv. 29 y 111 de *Despedida...* (Clásicos Castalia, 20, pp. 184 y 186), Cf. también el v. 233 de *El Estudiante de Salamanca*.

y su rico tesoro
del faldellín de plata derramaba 1925
la aurora y esmaltaba
la esmeralda del prado con mil flores,
brotando aromas y vertiendo amores,
y llenaban el mundo de armonía,
la mar serena y la arboleda umbría, 1930
rizando aquélla sus lascivas olas,
y ésta las verdes copas ondeando,
coronadas de vagas aureolas
a los rayos del sol que se va alzando,

y era el año cuarenta en que yo escribo 1935
de este siglo que llaman positivo
cuando el que viejo fue, por la mañana
en vez de hallarse la cabeza cana
y arrugada la frente,
se encontró de repente 1940
joven al despertar, fuerte y brioso;
y el antes fatigoso
del triste corazón flaco latido
en vigoroso golpe convertido,
y palpitantes conteniendo apenas 1945
la hirviente sangre las hinchadas venas.
Y sintió nueva fuerza en los nervudos
músculos antes de calor desnudos,
mientras en su agitada fantasía
volando con locura el pensamiento, 1950
en vaga tropa imágenes sin cuento
de oro y azul el porvenir traía.

El corazón henchido de esperanza,
sin temor de mudanza
mecida el alma en el placer futuro, 1955
el ánimo seguro
tras su ilusión lanzándose a la gloria,
y libre de recuerdos la memoria,
y el alma y todo nuevo,
todo esperanzas el feliz mancebo. 1960

La nube más ligera
no empañaba la atmósfera siquiera
de su nuevo atrevido pensamiento.
Nuevo su sentimiento
y pura y nueva su esperanza era; 1965
a su espalda las aguas del olvido
sus antiguos recuerdos se llevaron
y de la vida con raudal crecido
correr el limpio manantial dejaron.

Y era el primer latido 1970
que daba el corazón, y era el primero
pensamiento ligero
que formaba la mente, y la primera
nacarada ilusión del alma era;
sus ojos a mirar no se volvían 1975
los recuerdos que huían
y el denso velo de la muerte oculta,
porque muertos habían,
muerto ya hasta el recuerdo de su nombre
que allá también la eternidad sepulta, 1980
y al despertar amaneció otro hombre.

¿Quién dudará que el nombre es un tormento?
Todo el tiempo pasado
va para siempre atado
al nombre que conserva el pensamiento 1985
y trae a la memoria
un solo nombre, una doliente historia.
Hilo tal vez de la madeja suelto,
en el nombre va envuelto
el despecho, el placer, las ilusiones 1990
de cien generaciones
que su historia acabaron
y cuyos nombres sólo nos quedaron;
clavo de donde cuelgan nuestras vidas
en mil jirones pálidos rompidas, 1995
que traen a la memoria
cual rota enseña la pasada gloria.

Porque el nombre es el hombre
y es su primer fatalidad su nombre,
y en él se encarna a su existencia unido, 2000
y en su inmortal espíritu se infunde,
y en su ser se confunde,
y arranca su memoria del olvido.
Y viviendo de ajena y propia vida,
alma de los que fueron, desprendida 2005
júntase al alma del que vive y lleva
cual parte de su vida en su memoria
la ajena vida y la pasada historia.

Cuanto diciendo voy se me figura
metafísica pura, 2010
puro disparatar, y ya no entiendo,
lector, te juro, lo que voy diciendo.
Vuelvo a mi cuento y digo
que el viejo nuestro amigo
amaneció tan otro y tan ufano, 2015
tan orondo y lozano,
que envidia y gloria diera
a un jerónimo antiguo si le viera.
No hablo de los jerónimos de hoy día,
que flacos, macilentos, 2020
tal vez recuerdan con la panza fría
la abundancia y la paz de sus conventos.

Tersa y luciente brilla
la morena mejilla;
los afilados dientes 2025
unidos, trasparentes,
entre sus labios de carmín blanquean,
y en negros rizos por su espalda ondean
los cabellos de ébano bruñido,[173]

[173] Es frecuente en Espronceda el motivo de la cabellera negra y rizada. Lo encontramos en *Sancho Saldaña*, cap. VIII, donde escribe, hablando de Zoraida: "su cabello negro y luciente como el azabache, le caía en rizos,

en tanto que encendido 2030
fuego sus negros ojos centellean;
y su frente diáfana ilumina
su raudo pensamiento,
prestando a su semblante movimiento
vívido rayo de la luz divina. 2035
ancha la espalda, levantando el pecho,
de férreos nervios hecho
el vigoroso cuerpo, y la belleza
junta a la fortaleza:
maravillosa máquina formada 2040
por ingenio divino
de siglos mil a resistir lanzada
el choque y torbellino.

¡Y el alma! ¡El corazón! ¡La fantasía!
¡Oh! la aurora más pura y más serena 2045
de abril florido en la estación amena
fuera junto a su luz noche sombría.

Nosotros ¡ah! los que al nacer lloramos,
que paso a paso a la razón seguimos,
que una impresión tras otra recibimos, 2050
que ora a la infancia, a la niñez llegamos,
luego a la juventud, ¡ah! no alcanzamos
a imaginar la dicha y la limpieza
del alma en su pureza.
¿Quién no lleva escondido 2055

---

sombreando a trechos la nieve de la más airosa espalda que puede pensar la imaginación". (B.A.E., t. LXXII, p. 354a), y también en la *Descripción de un serrallo* del *Pelayo* (vv. 783-785): una de las moras

con aguas de riquísimos olores
baña la negra cabellera riza
que por la airosa espalda se desliza.

(Clásicos Castalia, 20, p. 109.)

Notemos que los dos primeros versos reaparecen casi textualmente en el canto IV de *El Diablo Mundo* (vv. 3941-3942). Cf. también, en el retrato de la condesa de Alcira, el v. 5023:

Vaga suelta su negra cabellera

y más lejos (v. 5319):

Aquellos rizos que en sus hombros flotan.

un rayo de dolor dentro del pecho?
¿Por cuál dichoso rostro no han corrido
lágrimas de amargura y de despecho?
¡Quién no lleva en su alma,
¡ah! por muy joven y feliz que sea, 2060
un penoso recuerdo, alguna idea,
que nublando su luz turba su calma!

Tal nuestro padre Adán... Pero dejando
comparaciones frías
que el alma atormentando, 2065
nos traen recuerdos de mejores días,
y de aquella fatal, negra mañana
de la flaqueza o robustez de Eva,
cuando alargó la mano a la manzana
y... Pero, pluma, queda. 2070
¿A qué vuelvo otra vez al Paraíso
cuando la suerte quiso
que no fuera yo Adán, sino Espronceda?
Ni el primer hombre, ni el varón segundo,
sino Dios sabe el cuántos, que no tengo 2075
número conocido y me entretengo
en este mundo tan alegre y vario
como en jaula de alambres el canario,
divertido en cantar mi *Diablo Mundo*,
grandílocuo poema y elocuente, 2080
en vez de hablar allí con la serpiente...,
reptil sin instrucción, poco profundo,
poco *espiritual* y al cabo un ente
de fe traidora y de melosa lengua,
el cual tal vez me hubiera pervertido 2085
y como a Eva para eterna mengua
deshonrado además y seducido:
y al fin no había
cátedras ni colegios todavía.

Y dejando también mis digresiones, 2090
más largas cada vez, más enojosas,

que para mí son tachas y borrones
de las mejores obras, fastidiosas
haciéndolas, llevando al pacienzudo
lector confuso siempre, aunque es defecto 2095
de escritor concienzudo
que perdona el efecto,
con la intención de mejorar conciencias
con sus disertaciones y advertencias,

el hombre el fin se levantó del lecho 2100
mancebo ardiente y vigoroso hecho,
fuera de sí de esfuerzo y de alegría,
rebosándole el gozo
al rostro y en el el alma el alborozo
al impulso secreto que sentía. 2105

Era en el mes de abril una mañana;
con un rayo de sol dorado el viento
alegraba el cristal de su ventana,
y mecidas en blando movimiento
de varios tiestos las pintadas flores, 2110
sus corolas erguían
y al transparente céfiro esparcían
juveniles aromas y colores.

Desplegaba ligera [174]
entre las flores y el cristal sus alas, 2115
ninfa de la galana primavera,
de su color vestida y ricas galas,
en círculos volando bulliciosa
alegre mariposa,
sus alas dando al sol rico tesoro 2120
de nieve y de zafir con polvos de oro.
y la aromosa flor que se mecía,
y el aliento del aura enamorada,
y la brillante luz que se bullía,

[174] El segundo fragmento publicado en *El Pensamiento*, I, [15 mayo] 1841, comprende los vv. 2114-2156.

y el inquieto volar de la encantada 2125
mariposa feliz girando en torno,
imágenes doradas de la vida
eran y rico adorno
que a la ilusión del porvenir convida.
Flores, luces, aromas y colores, 2130
que sueña el alma enamorada cuando
guardan su sueño a su alrededor cantando
la virtud, la esperanza y los amores.[175]

Y un alegre rumor que el vago viento[176]
en confundido acento 2135
de la calle elevaba,
bullicio de la gente que pasaba,
cada cual acudiendo a sus quehaceres,
acá y allá esparcidos
su afán mezclando y diferentes ruidos 2140
al confuso rumor de los talleres,[177]
escalando a la estancia del mancebo
con estrépito alegre y armonía,[178]
a su encantado pensamiento nuevo
regocijo añadía. 2145

¡Oh mundo encubridor, mundo embustero!
¡Quién en la calle de Alcalá creyera
tanta felicidad que se escondiera
y en un piso tercero!
Mas todo son jardines de hermosura, 2150
si con su varia tinta
el alma en su ventura
y mágica ilusión el cuadro pinta;
¡y el más bello pensil trueca y convierte

[175] Compárense los vv. 2114-2133 con el soneto, anteriormente compuesto por Espronceda, *A una mariposa* (Véase Clásicos Castalia, 20, pp. 198-199, y las notas).

[176] Sin espacio entre los vv. 2133-2134 en *El Pensamiento*.

[177] Compárense los vv. 2134-2141 con los vv. 1691-1694 de *El Estudiante de Salamanca*.

[178] V. 2143 *El Pensamiento*: "En estrépito alegre y armonía".

del alma la amargura 2155
en páramo erial de luto y muerte!

¡Bueno es el mundo! ¡bueno! ¡bueno! ¡bueno![179]
ha cantado un poeta amigo mío,
mas es fuerza mirarlo así de lleno,
el cielo, el campo, el mar, la gente, el río, 2160
sin entrarse jamás en pormenores
ni detenerse a examinar despacio,
que espinas llevan las lozanas flores,
y el más blanco y diáfano topacio
y la perla más fina 2165
manchas descubrirá si se examina.

Pero ¿qué hemos de hacer, no examinar?
¿y el mundo que ande como quiera andar?
Pasar por todo y darlo de barato
fuera vivir cual sandio mentecato; 2170
elegir la virtud en un buen medio
es un continuo tedio;
lanzarse a descubrir y alzarse al cielo
cuando apenas alcanza nuestro vuelo
a elevarnos un palmo de la tierra, 2175
miserables enanos,
y con voces hacer mezquina guerra
y levantar las impotentes manos,
es ridículo asaz y harto indiscreto.
Vamos andando pues y haciendo ruido, 2180
llevando por el mundo el esqueleto
de carne y nervios y de piel vestido,
¡y el alma que no sé yo do se esconde!
Vamos andando sin saber a dónde.

Vagaba en tanto por la estancia en cueros 2185
sin respeto al pudor como un salvaje,

179 Véase la nota 63.

o como andaba allá por los oteros
floridos del Edén, o por los llanos,
sin arcabuz ni paje,
el padre universal de los humanos, 2190
que sin duda andaría
solo y sin su mujer el primer día,
o como van aún en las aldeas,
sucias las caras feas
y el cuerpo del color de la morcilla, 2195
los chicos de la Mancha y de Castilla,
nuestro héroe gritando,
gestos haciendo y cabriolas dando,
hasta que al fin al ruido
entró allí su patrón medio dormido. 2200
Frisaba ya el patrón en sus cincuenta,
hombre grave y sesudo,
tenido entre sus gentes por agudo,
con lonja de algodones por su cuenta;
elector, del sensato movimiento 2205
partidario en política, y nombrado
regidor del heroico ayuntamiento
por fama de hombre honrado,
y odiar en sus doctrinas reformistas
no menos al partido moderado 2210
que a los cuatro anarquistas,[180]
aunque éstos le incomodan mucho más;
por no verlos se diera a Barrabás,
y tiene persuadida a su mujer
que es gente que no tiene qué perder. 2215

Leyendo está las *Ruinas de Palmira*[181]
detrás del mostrador a aquellas horas
que cuenta libres, y a educarse aspira

[180] El mote de "anarquistas" designaba entonces, en la prensa moderada, a los que defendían las ideas democráticas y republicanas, entre los cuales figuraba Espronceda en 1840. (Véase Clásicos Castalia, 20, *Introducción biográfica y crítica*, pp. 21-23). Cf. también los vv. 2586-2587, 2594-2596, 2616-2630 y 2832, y la nota 105.

[181] El libro del conde Constantin-François de Chasseboeuf de Volney (1757-1820) *Les Ruines ou Méditations sur les révolutions des empires* se

en la buena moral,
y a la patria a ser útil en su oficio, 2220
habiendo ya elegido en su buen juicio,
en cuanto a religión, la natural;
y mirando con lástima a su abuelo,
que fue al fin un esclavo,
y el mezquino desvelo 2225
de los pasados hombres y porfías,
rinde gracias a Dios, que el mundo al cabo
ha logrado alcanzar mejores días.
Así filosofando y discurriendo,
sus cuentas componiendo, 2230
cuidando de la villa y su limpieza,
sólo tal vez alguna ligereza
turba su paz doméstica, que ha dado
en darle celos su mujer furiosa,
y aunque sobremanera 2235
los celos sin razón ella exagera,
suena en el barrio como cierta cosa
que aunque viejo es de fuego
corriente en una broma y mujeriego.

En la estancia al estruendo y algazara 2240
entra el discreto concejal gruñendo
y con muy mala cara
de las bromas del huésped maldiciendo;
bromas de un hombre de su edad ajenas,
con un pie en el sepulcro dando voces, 2245
haciendo el niño y disparando coces...

---

publicó en París en 1791. El autor desarrolla en él la teoría según la cual todas las desgracias del hombre tienen por causas el abandono de la "religión natural" (véanse los vv. 2221-2222), el despotismo de los tiranos y el fanatismo de la Iglesia; expresa además su fe en que sólo el progreso y la razón podrán restablecer la felicidad del género humano. El libro contiene algunas bellas descripciones de costumbres, trajes y particularidades de los países de Oriente. La primera traducción española de *Las Ruinas* es, según Quérard, la de París, 1817 (con falso pie de imprenta: Nueva York). Pueden que sean reimpresiones de la misma las publicadas en Burdeos en 1820 y 1822 (firmadas por José Marchena) y en París en 1842. En Madrid y en 1839 se publicó la primera edición española del libro en castellano.

Mas lo que puede el regidor apenas
(don Liborio) llegar a comprender,
es cómo a tanto escándalo se atreve
un hombre que le debe 2250
cuatro meses lo menos de alquiler.

"¿Es posible, al entrar dijo, don Pablo
(sin reparar siquiera
que su huésped el mismo ya no era),
que os tiente así tan de mañana el Diablo? 2255
¡Vive Dios, que os encuentro divertido!...
¿Parece bien que un viejo que ya tiene
más años que un palmar, hecho un orate
arme él solo más ruido
que cien chiquillos juntos?... ¡Botarate! 2260
¡Más valiera que tantas alegrías
fueran pagar contado
mis cuatro meses y diez y ocho días!"

Tal con rostro indigesto
dijo, y en ademán de hombre enojado 2265
con desdén la cabeza torció a un lado
y empujó el labio con severo gesto.

Con una interjección y un fiero brinco,
digno de Auriol[182] el saltarín payaso,
al grave regidor le salta al paso, 2270
colgándose a su cuello con ahínco
y amorosa locura,
su improvisado huésped que se afana
(tal simpatiza la familia humana)
por conocer aquel confuso ente 2275

182 Jean-Baptiste Auriol (1797-1870) era un famoso artista francés nacido en Toulouse. Empezó su carrera en 1834, en el Cirque Olympique del Boulevard du Temple en París, y en seguida conoció una gran celebridad. Hacía juegos malabares, pero también era payaso, equilibrista y caballista. En 1841, dio algunas representaciones en Madrid con tanto éxito que sus admiradores le ofrecieron una medalla de oro.

de tan rara figura
que aparece a sus ojos de repente;
y ambas manos le planta
en los carrillos y su faz levanta
por verle bien y en la nariz le arroja 2280
tan súbita y ruidosa carcajada,
fijando en él su vívida mirada,
que al pequeñuelo regidor enoja.

¡Cómo! ¡A mí! ¡Voto a tal! gritó en su ira
furioso el pobre concejal en tanto, 2285
viendo aquel tagarote con espanto
que con salvaje júbilo le mira,
que le acaricia rudo,
Hércules sin pudor, Sansón desnudo,
con atención tan rara y tan prolija 2290
que al contemplar sus gestos y oír su voz
cada vez más se alegra y regocija
con delirio feroz.
Crujiéndole de cólera los huesos
en su impotencia don Liborio en vano 2295
a remediar se esfuerza los excesos
de aquel bárbaro audaz y casquivano;
confuso y sin saber quién le ha traído,
ni por dónde ha venido,
ni cómo, por qué arte prodigioso 2300
su pacífico viejo en tan furioso
huésped se ha convertido.

Su alegre huésped que le palpa y ríe
como a juguete vil contempla el niño,
que en su brutal cariño 2305
ni un punto le permite se desvíe;
que imperturbable, en tanto que murmulla
el patrón amenazas y razones,
súplicas, maldiciones,
gritos inortográficos le aúlla, 2310
pálpale el rostro y pízcale el semblante.

¿Qué hombre formal se vio
en situación jamás tan apurada?
Su grave dignidad comprometida,
¡y aquí la autoridad desconocida 2315
yace además y ajada
con que la sociedad le revistió!

Ya le levanta en alto y le examina
y al verle mal formado y tan pequeño,
le contempla risueño 2320
entre cariño y burla con ternura,
y que un poder providencial lo envía
(¡oh presunción del hombre!) se figura
a servirle y hacerle compañía.

En fin los gritos fueron 2325
tales y tantas del patrón las voces,
que todos los vecinos acudieron
al estruendo y estrépito feroces.
Acudió, como era
de su deber, al punto la primera, 2330
su mujer con vestido de mañana
y tres moños no más en la marmota,[183]
dos de color de rosa, otro de grana,
que aunque el afán de ver quién alborota
la hizo subir con el vestido abierto, 2335
la negra espalda al aire y sin concierto,
la marmota y los lazos con descuido,
por el bien parecer se los ha puesto,
que un traje limpio y un semblante honesto
decoro en la mujer dan al marido. 2340
Acudió a la par de ella

[183] La voz "marmota" parece un galicismo. Así define y explica Littré "marmotte": "Coiffure de femme qui consiste dans un morceau d'étoffe placé sur la tête, la pointe en arrière et les bouts noués sous le menton; dénomination qui vient de ce que les petites Savoyardes, montreuses de marmottes au siècle dernier, étaient ainsi coiffées".

un pintor joven, cuya mala estrella
trajo a Madrid con más saber que Apeles,
mas no llegó a pintar porque el dinero
a su llegada le ganó un fullero 2345
y no compró ni lienzo ni pinceles;
y en la boardilla vive
lejos del ruido y pompas de este mundo,
junto a Dios nada menos, que el profundo
genio de Dios la inspiración recibe; 2350
mas tanto genio por causa tan fútil
estéril es, la inspiración inútil.
Y ¡oh prosa! ¡oh mundo vil! no inspiraciones
pide el pintor a Dios sino doblones.

Un cachazudo médico, vecino 2355
del cuarto principal, materialista,
sin turbarse subió, y entre otros vino
un romántico joven periodista,
que en escribir se ocupa folletines,
de alma gastada y botas de charol, 2360
que ora canta a los muertos paladines,
ora escribe noticias del Mogol
cada línea a real, y anda buscando
mundo adelante nuevas sensaciones,
las ilusiones que perdió llorando, 2365
lanzando a las mujeres maldiciones.[184]

En tanto le ha quitado su gorreta
griega al patrón el héroe, y decidido
sobre su noble frente la encasqueta,
ancho de vanidad, de gozo henchido, 2370
y en cueros con su gorro se pasea
por el cuarto, y gentil se pavonea,
que es natural al más crudo varón
ser algo retrechero y coquetón,
echándole al patrón con desparpajo 2375

184 Este "romántico joven periodista", ¿sería acaso un trasunto humorístico del propio Espronceda?

miradas que le miden de alto a abajo,
sin hacer caso de sus voces fieras,
creyéndole en su estado natural,
ni atender al estrépito infernal
de los que suben ya las ecaleras. 2380

Se abrió de golpe la entornada puerta
y de tropel entraron los vecinos,
y hallaron al patrón que a hablar no acierta
y al Hércules haciendo desatinos.
Su esposa la primera, medio muerta 2385
de espanto y de dolor, gritó: "¡Asesinos!",
porque tiene el amor ojos de aumento
y quita la pasión conocimiento.[185]

Fue del patrón, cuando llegó socorro,
echarla lo primero de valiente 2390
y recobrar su dignidad y el gorro,
tomando un ademán correspondiente.
Y así mirando indiferente al corro,
que es máxima que tiene muy presente
la de *nihil admirari*, y la halló un día 2395
en un tratado de filosofía,

tendió la mano al loco señalando,
y al mismo punto su inocente esposa
la misma infausta dirección, temblando
¡con los ojos siguió toda azarosa! 2400
¡Oh terribile visu! ¡Cuadro infando!
¡Oh! La casta matrona ruborosa
vio... mas ¿qué vio, que de matices rojos
cubrió el marfil y se tapó los ojos?[186]

[185] Los vv. 2387-2388 son como una transposición irónica y burlesca, de los vv. 299-302 de *El Estudiante de Salamanca*. Véanse también los vv. 777-780 y la nota 26 del mismo poema.

[186] P. Henríquez Ureña (en su artículo citado en la *Noticia bibliográfica*) señala que hay en estos versos 2403-2404 una reminiscencia de la *Fábula del Genil* de Espinosa:

Dijo, y la ninfa de matices rojos
cubrió el marfil, y vuelta la cabeza
con desdén...

Musas, decid qué vio... La Biblia cuenta 2405
que hizo a su imagen el Señor al hombre,
y a Adán desnudo a su mujer presenta,
sin que ella se sonroje ni se asombre;
después se la ha llamado, y a mi cuenta,
mientras peritos prácticos no nombre 2410
la familia animal, está dudoso,
entre todos al hombre el más hermoso.

Y muy cara se vende una pintura
de una mujer o un hombre en siendo buena,
y estimamos desnudo en la escultura 2415
un atleta en su rústica faena;
mas eso no: la natural figura
es menester cubrirla y darla ajena
forma, bajo un sombrero de castor,
con guantes, fraque y botas por pudor. 2420

No que me queje yo de andar vestido,
y ahora mucho menos en invierno,
y que el pudor se dé por ofendido
de ver desnudo un hombre lo discierno;
y mucho más si el hombre no es marido 2425
ni cuñado siquiera, suegro o yerno,
que entonces la mujer no tiene culpa
y el mismo parentesco la disculpa.

Mas es el caso aquí que aquella dama
mujer del concejal... ¡Oh! sin lisonja, 2430
¿cómo diré la edad que le reclama
el tiempo que hace ya vive en la lonja,
yo que me precio de galán? La fama,
viéndola hacer escrúpulos de monja,
a los presentes reveló la cuenta 2435
y hubo vecino que la echó cincuenta.

Añadiremos que nos parece una reminiscencia voluntaria, y con intención humorística, lo mismo que la cita de Lope de Vega en los vv. 1900 y 1903.

¡Tanto pudor a los cincuenta años!
¡Oh incansable virtud de la matrona!
Después de tanto ataque y desengaños,
en este mundo pícaro que abona 2440
el vicio con sus crímenes y amaños,
el tiempo que peñascos desmorona
no pudo su virtud jamás vencer:
¡Oh feliz don Liborio! ¡Oh gran mujer!

¿Y habrá de irse sin mirar siquiera 2445
a un monstruo, a un loco? ¿Y dejará en el riesgo
a su Liborio con aquella fiera
en trance que ha tomado tan mal sesgo?
No lo permita Dios; Liborio muera
y ella también con él. —Y aquí yo arriesgo, 2450
por seguir en octavas este canto,
débilmente contar *dévouement* tanto.

Ella, la pobre, a su pesar forzada
a ver un hombre en cueros que no es
su esposo, con rubor una mirada 2455
le echó de la cabeza hasta los pies;
y aunque fuerte, y honesta, y recatada,
un pensamiento la ocurrió después,
que la mujer al cabo menos lista
tiene en su corazón algo de artista. 2460

Y al contemplar las formas majestuosas,
la robustez del loco y carnes blancas,
recordó suspirando las garrosas
del pobre regidor groseras zancas.
Son las comparaciones siempre odiosas, 2465
siempre, y en el archivo de Simancas,
si no me engaño, pienso haber leído
que en el símil perdió siempre el marido.

¡Oh cuán dañosas son las bellas artes!
¡Y aún más dañosa la afición a ellas! 2470
A sus maridos estudiar por partes

¡cuántas extravió mujeres bellas!
No pensó más moléculas Descartes,
ni en más rayos se parten las estrellas
que en partes ¡ay! una mujer destriza 2475
a su esposo infeliz y lo analiza.

Y a par·que en él aplica el analítico,
al ajeno varón le echa el sintético,
y al más fuerte marido encuentra estítico,
y al más débil galán encuentra atlético. 2480
Juzga al primero un corazón raquítico,
halla en el otro un corazón poético,
la palabra de aquél, ruda y narcótica,
y la del otro, tímida y erótica.

Y a mí este juicio me parece exacto, 2485
y parézcales mal a los maridos,
que ellos han hecho con el mundo un pacto
y sus derechos son reconocidos;
y si tienen mujer, justo *ipso facto*
es que su condición lleven sufridos, 2490
que habla con su mujer el que se casa
y yo con las paredes de mi casa.

El pensamiento que cruzó la mente
de la honrada mujer del concejal,
fue sin pasión juzgado estrictamente 2495
cuando más un pecado venial;
la honrada dueña que no sea siente
(y éste es un sentimiento natural)
tan membrudo, tan noble y vigoroso
como su huésped su querido esposo. 2500

Y otra cosa además siente también
que no se ha de saber por mí tampoco,
ya que ella la reserva, y hace bien,
que al cabo el hombre aquel no es más que un loco;
hay quien dice además que con desdén 2505
vio desde entonces y le tiene en poco

(tal impresión en ella el huésped hizo)
a un mozo de la tienda asaz rollizo.

¡Ay, infeliz de la que nace hermosa![187]
Mas la verdad (si la verdad se puede 2510
en materia decir tan espinosa),
es (y perdón la pido si se excede
mi pluma en lo demás tan respetuosa)
—y esto ¡oh lector!, entre nosotros quede—,
mas no lo he de decir, que es un secreto, 2515
y siempre me he preciado de discreto.

¿Quién es el hombre aquel? ¿Quién le ha traído?
¿Adónde el viejo está que allí vivía?
¿Cómo y de dónde en cueros ha venido?
La noche antes don Liborio había 2520
visto en su cuarto al viejo recogido,
su cuenta preparada le tenía,
y cuando el ruido a averiguar hoy entra,
desnudo un loco en su lugar se encuentra.

Miran al loco todos entretanto, 2525
que por tal al momento le tuvieron,
y tal belleza y desenfado tanto
confiesan entre sí que nunca vieron.
Viéranlo con deleite si el espanto
que al encontrarlo súbito sintieron 2530
les dejara admirarle, pero el susto
hasta a la dueña le acibara el gusto.

187 Éste es el v. 133 de *El Panteón del Escorial* de Quintana (Ed. A. Dérozier, Clásicos Castalia, 16, p. 288). Antes que Espronceda, lo citó dos veces Larra: en su artículo *Modos de vivir que no dan de vivir. Oficios menudos* (9 junio 1835), y en su reseña de *Los Amantes de Teruel* (22 enero 1837; B.A.E., t. CCXXVIII, p. 105 y p. 297a). El mismo Larra glosó este verso en su fragmento poético que empieza:

Ya que en la mujer que nace para hermosa
unos años le dura
su efímera hermosura
que brilla y pasa como breve rosa,
también al cabo en horrible se convierte.
(A. Rumeau, "Larra poète. Fragments inédits", *Bulletin hispanique*, t. LIII, 1951, p. 26.)

Él los mira también entre gustoso
y extrañado, con plácido semblante,
con benévola risa cariñoso, 2535
señalando al patrón que está delante.
Y festejar queriéndole amoroso,
fija la vista en él, y al mismo instante
la mano alarga y el patrón la evita,
se echa hacia atrás amedrentado y grita. 2540

Y su desvío y desdeñoso acento
sin comprender tal vez y ya impaciente
el nuevo mozo, entre jovial y atento,
de un salto avanza a la agolpada gente;
en pronta retirada un movimiento 2545
todos hicieron, y hasta el más valiente,
el audaz regidor lo menos cinco
escalones saltó de un solo brinco.

No es retirarse huir, no, ni cordura
fuera trabar tan desigual combate 2550
con un loco de atlética figura
capaz de cometer un disparate.
Gritando *¡atarlo!* bajan con presura;
gran medida, mas falta quien le ate;
velos el loco, y más veloz que un gamo 2555
prepárase a saltar de un brinco un tramo.

¡Oh confusión! que al verle dc repente
rápido desprenderse de lo alto,
cada cual baja atropelladamente
con gritos de terror, do aliento falto. 2560
Rueda en montón la acobardada gente,
y el regidor, queriendo dar un salto,
entre los pies del médico se enreda,
se ase a su esposa, y con su esposa rueda.

Y el médico también rueda detrás 2565
a un tobillo cogido del patrón;
entrégase el pintor a Barrabás,

que en un callo le han dado un pisotón.
Ármase un estridor de Satanás,
el poeta ha perdido una ilusión, 2570
que ha visto de la dama no sé qué
y a más acaba de torcerse un pie.

Y acude gente, y el rumor se aumenta,
y llénase el portal, crece el tumulto,
su juicio cada cual por cierto cuenta, 2575
y se pregunta y se responde a bulto:
dicen que es un ladrón; hay quien sustenta
que al pueblo de Madrid se hace un insulto
prendiendo a un regidor, y que él resiste
a la ronda de esbirros que le embiste. 2580

Llega la multitud formando cola
al sitio en que se alzaba Mariblanca,[188]
y la nueva fatal de que tremola
ya su pendón, y que asomó una zanca
el espantoso monstruo que atortola 2585
al más audaz ministro, y lo abarranca
el *Bú* de los gobiernos, la anarquía,
llegó aterrando a la secretaría.

Órdenes dan que apresten los cañones,
salgan patrullas, dóblense los puestos, 2590
no se permitan públicas reuniones,
pesquisas ejecútense y arrestos,
quedan prohibidas tales expresiones,

[188] Escribe Mesonero Romanos en la primera edición de su *Manual de Madrid* (1831): "En el centro de la Puerta del Sol hay una fuente circular de muy poco gusto e indigna del sitio que ocupa. Fue trazada por el extravagante arquitecto Ribera, y la estatua de mármol que tiene encima representa a Diana, pero en el vulgo de Madrid es conocida bajo el nombre de *Mariblanca*". (B.A.E., t. CCI, p. 103b). En su *Nuevo Manual de Madrid* (1854), se lee: "En el centro, delante de la iglesia [del Buen Suceso], se alzaba hasta hace pocos años, la estrambótica y churrigueresca mole de la fuente coronada por la estatua de Diana (vulgo *Mariblanca*) que después se trasladó a la nueva de la plazuela de las Descalzas". (*Ed. cit.*, p. 372).

obsérvense los trajes y los gestos
de los enmascarados anarquistas, 2595
y de sus nombres que se formen listas;

que luego a son de guerra se publique
la ley marcial, y a todo ciudadano
cuyo carácter no le justifique
luego por criminal que le echen mano; 2600
que a vigilar la autoridad se aplique
la mansión del Congreso soberano,
y bajo pena y pérdida de empleos,
sobre todo la Casa de Correos.

Pásense a las provincias circulares, 2605
y en la *Gaceta*, en lastimoso tono
imprímanse discursos a millares
contra los clubs y su rabioso encono;
píntense derribados los altares,
rota la sociedad, minado el trono, 2610
y a los cuatro malévolos de horrendas
miras, mandando y destrozando haciendas.

¡Oh cuadro horrible! ¡Pavoroso cuadro,
pintado tantas veces y a porfía
al sonar el horrísono baladro 2615
del monstruo que han llamado la anarquía!
Aquí tu elogio para siempre encuadro,
que a ser llegaste el pan de cada día,
cartilla eterna, universal registro
que aprende al gobernar todo ministro. 2620

¡Oh cuánto susto y miedos diferentes,
cuánto de afán durante algunos años
con vuestras peroratas elocuentes
habéis causado a propios y aun a extraños!
Mal anda el mundo, pero ya las gentes 2625
han llegado a palpar los desengaños,
y aunque cien tronos caigan en rüina,
no menos bien la sociedad camina.

¡Oh imbécil, necia y arraigada en vicios
turba de viejos que ha mandado y manda![189] 2630
Ruinas soñar os hace y precipicios
vuestra codicia vil que así os demanda.
¿Pensáis tal vez que los robustos quicios
del mundo saltarán si aprisa anda,
porque son torpes vuestros pasos viles, 2635
tropel asustadizo de reptiles?

¿Qué vasto plan, qué noble pensamiento
vuestra mente raquítica ha engendrado?
¿Qué altivo y generoso sentimiento
en ese corazón respuesta ha hallado? 2640
¿Cuál de esperanza vigoroso acento
vuestra podrida boca ha pronunciado?
¿Qué noble porvenir promete al mundo
vuestro sistema de gobierno inmundo?

Pasad, pasad como funesta plaga, 2645
gusanos que roéis nuestra semilla;
vuestra letal respiración apaga
la luz del entusiasmo: apenas brilla.
Pasad, huid, que vuestro tacto estraga

[189] Aunque todas las ediciones dicen "viejas", nos parece errata por "viejos". Repetidas veces han insistido Larra y Espronceda sobre la necesidad de que los viejos políticos dejen a los jóvenes ensayar sus fuerzas y poner en práctica sus ideas de progreso. El 24 de octubre de 1840, en un banquete patriótico que tuvo lugar en el Jardín de las Delicias, y "al que asistían gran número de progresistas de los que habitualmente concurren a la tertulia de la calle del Viento", pronunció Espronceda el siguiente brindis: "Porque desaparezcan del campo político las rencillas de los viejos, y entre a dominar el influjo de la juventud con sus doctrinas vigorosas y fecundas". (*El Corresponsal*, 26 octubre 1840). Compárense los vv. 2629-2660 con estas frases del artículo de Espronceda *Política general*, II: "Nuestros hombres de estado, en sus nimias y ridículas combinaciones, no parece sino que apenas tienen fuerza para entregarse a meros trabajos mujeriles, faltos de ánimo y capacidad varonil para mayores empresas. Envueltos en redes de miedo que les tiende a cada paso su escaso genio, de todo temen, comprenden poco y nada ejecutan, y cuando acabada una guerra civil, parecía que iban a desarrollarse gérmenes de vigor y de grandeza, nos revolcamos aún en el lodazal de nuestra ignominia". (*El Pensamiento*, núm 5, [15 julio] 1841, p. 109; B.A.E., t. LXXII, p. 599). Véase también la nota 180.

cuanto toca y corrompe y lo amancilla; 2650
sólo nos podéis dar, canalla odiosa,
miseria y hambre y mezquindad y prosa.[190]

Basta, silencio, hipócritas parleros,
turba de charlatanes eruditos
tan cortos en hazañas y rastreros 2655
como en palabras vanas infinitos;
ministros de escribientes y porteros,
de la nación eternos parasitos,
basta, que el corazón airado salta,
la lengua calla y la paciencia falta. 2660

Mientras al arma el ministerio toca
y se junta la tropa en los cuarteles,
y ve la gente con abierta boca
edecanes a escape en sus corceles
cruzar las calles, y al motín provoca 2665
el gobierno con bandos y carteles,
y andan por la ciudad jefes diversos
cuyos nombres no caben en mis versos,

como el jefe político y sus rondas,
capitán general, gobernador, 2670
los que por mucho ¡oh monstruo! que te escondas
darán contigo en tu mansión de horror,
como del mar las agolpadas ondas
al ímpetu del viento bramador,
la calle entera de Alcalá ocupando 2675
se va la gente en multitud juntando.

Y ya el discorde estrépito aumentaba
y la mentira y el afán crecía,
y la gente a la gente se empujaba,

190 Compárense el v. 2652 con el v. 1 de *A la traslación de las cenizas de Napoleón*:

Miseria y avidez, dinero y prosa
(Clásicos Castalia, 20, p. 273, y la nota 180.)

Véase también la nota 54.

codeaba, pisaba y resistía. 2680
El semblante y los ojos empinaba
cada cual para ver si algo veía,
y en larga hilera están ya detenidos
gentes, carros y coches confundidos.

Como bosque de palmas que al violento 2685
ímpetu dobla la gallarda copa,
cuando apiñado lo recoge el viento
y con su manto anchísimo lo arropa,
así ondula con sordo movimiento
en la ancha calle la agolpada tropa, 2690
y la apiñada muchedumbre ruge
al vaivén rudo de su propio empuje.

Y cede, y vuelve, y crece el vocerío,
la agitación del popular tumulto,
y un pánico terror entre el gentío 2695
con asombro común resbala oculto;
y en tan revuelto y congojoso lío,
con ronca voz y con violento insulto,
contrarios intereses y pasiones
se abren plaza a codazos y empujones. 2700

Y como negra nube en el verano,
desátase en violento torbellino,
y piedras llueve, y el dorado grano
arroja al viento en raudo remolino;
súbito rompe el populacho insano, 2705
se esparce y atropéllase sin tino,
y huyen acá y allá, y allá y acá
corre la gente sin saber do va.[191]

Ya habrá el lector, si como yo del ruido
y bulla popular y movimiento 2710

[191] Transposición de la comparación épica entre un ejército que se lanza al combate y el viento furioso, ya utilizada en el *Pelayo*, vv. 345-352 (Clásicos Castalia, 20, p. 93). Cf. también los vv. 134-138 de *Oscar y Malvina* (*Ibid.*, p. 176).

alguna vez aficionado ha sido,
y con juicio observó y detenimiento,
visto alguno tal vez tan aturdido
de la fuga en el crítico momento,
que dos horas después, si lo ha encontrado, 2715
del ímpetu primero aún no ha aflojado.

Y en bandadas derrámase y se extiende
la antes amontonada muchedumbre,
como gorriones que el gañán sorprende
vuelan del llano a la lejana cumbre. 2720
Nadie a la voz del compañero atiende,
nadie acude a la ajena pesadumbre,
nadie presta favor y todos gritan
y en confuso tropel se precipitan.

Y allí la voz aguardentosa truena, 2725
grita asustada la afligida dama,
ladran los perros y las calles llena
la gente que en tumulto se derrama,
suspende el artesano su faena,
cuidoso el mercador sus gentes llama, 2730
puertas y tiendas ciérranse, añadiendo
nuevo rumor al general estruendo.

Y la prisa es de ver con qué asegura
cada cual su comercio y mercancía,
y cómo alguno entre el tropel procura 2735
mostrar serenidad y valentía,
y en torno de él la multitud conjura
a reunirse con calma, y sangre fría
aconseja, mirando al rededor
con ojos que desmienten su valor. 2740

Y otros audaces de intención dañina,
gózanse en el tumulto y de repente
donde la gente más se arremolina
prontos acuden a aturdir la gente;
y huyen por aumentar la tremolina 2745

y confusión, y contra el más paciente
espectador pacífico se estrellan,
y con fingido espanto le atropellan.

Y en tanto que unos y otros alborotan,
perora aquél y el otro hazañas cuenta, 2750
páranse en corro y furibundos votan
y un solo grito acaso el corro ahuyenta,
y aquéllos de placer las palmas frotan,
y éste el sombrero estropeado tienta,
párase y el aliento ahogado exhala, 2755
y el tambor va tocando generala;

y algunos Nacionales van saliendo
el ánimo a la muerte apercibido,
el motín y su suerte maldiciendo
con torvo ceño y gesto desabrido; 2760
y con voz militar *¡Adiós!* diciendo
a su aterrada cónyuge el marido,
al son del parche y a la voz de alarma
carga el fusil y bayoneta arma.

Y entretanto que vienen batallones 2765
y órdenes mil el Ministerio expide,
y envuelta en mil diversas confusiones
la autoridad en fin nada decide,
y hay quien demanda a gritos los cañones,
y quien las cargas de lanceros pide, 2770
y tal vez otro cavilando calla
si escogerá la lanza o la metralla;

y en tanto que en Madrid, cual se derraman
por las faldas del rojo Mongibelo
de lava mil torrentes, que recaman 2775
con ígneas cintas el tremante suelo,
turbas de gente alborotadas braman
y se derraman con insano anhelo,
en turbiones las calles inundando
los unos a los otros espantando; 2780

súbito con asombro ve la gente
que aun al portal del regidor espera,
salir desnudo a un hombre de repente
con veloz violentísima carrera;
y otro tras él con cólera impotente, 2785
chico y gordo y vestido a la ligera,
afligido, empolvado y sin aliento,
todos los pelos de la calva al viento;

y a una mujer también desaliñada,
y seis o siete más llenos de espanto, 2790
todos tras él gritando con turbada
voz *que tengan al loco*, y entretanto
por la calle la faz alborozada,
el loco va con regocijo tanto,
que causa gusto el verle tan esbelto 2795
andando a brincos tan airoso y suelto.

Pero la gente, viendo la figura
desnuda dc aquel hombre que corría
rápido como el viento y la premura
de la turba que ansiosa le seguía, 2800
y las voces oyendo y la locura
temiendo del que loco parecía,
sin otra reflexión viento tomaron,
y hasta tomar distancia no pararon.

Mas luego que la calma sobrevino 2805
y los más animosos acudieron,
y que era huir un necio desatino
los menos advertidos conocieron,
y a todos de saber el caso vino
curiosidad, hacia el patrón corrieron, 2810
que eran el nuevo joven y el patrón
de tanto laberinto la ocasión.

Y en corro el caso del patrón indagan,
y discuten tal vez puntos sutiles,
y los magines desvariando vagan 2815

perdidos de la historia en los perfiles;
y oyen discursos sin que satisfagan
los discursos las mentes varoniles
que ansían profundizar, y nadie entiende
el caso que el patrón contar pretende. 2820

"Es, pues, el caso, el regidor decía,
que este viejo es un loco huésped mío,
trocado en joven de la noche al día."
—"Mirad que estáis diciendo un desvarío."
—"Yo cuento la verdad." —"¡Necia porfía! 2825
Está loco." —"Señores, no me río.
Yo no discurro nunca a troche y moche,
era un viejo a las doce de la noche."

—"Vamos, el regidor perdió un sentido."
—"Si eso no puede ser." —"¡No hay quién me 2830
[asista!,
gritaba la mujer, es un perdido,
un servil, un ladrón, un anarquista.
Ha querido matar a mi marido."
—"Y a vos os viola si no andáis tan lista",
la repuso un chuzón, cara de pillo, 2835
que alegraba con chistes el corrillo.

—"Yo dije que era viejo, ahora no digo
que no sea joven." —"Id, y el diablo os lleve."
—"Y ahora se me va..." —"Sois un bodigo."
—"...con más de cuatro meses que me debe." 2840
—"Vos os contradecís.' —"Me contradigo
y no me contradigo." —"Que lo pruebe,
gritaba el chusco de la faz burlona;
idos, buen hombre, a reposar la mona."

Desnudo en tanto el nuevo mozo vuela, 2845
párase, corre, alborozado grita,
mira alegre en redor, nada recela,
cuanto le cerca su entusiasmo excita.
Palpar, gritar, examinar anhela

cuanto mira y en torno de él se agita, 2850
como al amor del maternal cariño
mira la luz embelesado el niño.

¡Pobre inocente alma que entretiene
el mundo, y le divierte cual gracioso
juguete, y a mirarlo se detiene 2855
con pueril regocijo candoroso!
La luz, las gentes en conjunto viene
todo a herirla, cual juego luminoso
de prodigioso mágico que alzara
ideal otro mundo con su vara. 2860

Y la ciudad, y el sol, y sus colores,
la gente, y el tumulto, y los sonidos,
en grata confusión de resplandores
y de armonías llega a sus sentidos,
cual las que esmaltan diferentes flores, 2865
los verdes prados por abril floridos
confunden con sonoro movimiento
ruido y colores, si las mece el viento.

Y les presta su alma su hermosura,
y el corazón su amor y lozanía, 2870
su mente les regala su frescura,
y su rico color su fantasía;
les da su novedad luz y tersura,
regocijo les presta su alegría,
que el alma gozo al contemplarse siente 2875
del mundo en el espejo trasparente.

Y en el continuo cambio y movimiento,
y algazara, y bullicio alegre y vario,
movido por recóndito portento
ve el mundo cual magnífico escenario: 2880
lámpara el sol meciéndose en el viento,
y obras de artificioso estatuario
las figuras que en rápido tumulto
cruzan, y anima algún resorte oculto.

Y con su propio gusto satisfecho, 2885
que en sí propia su alma se alimenta,
latir sintiendo alborozado el pecho,
nada se explica, ni explicarse intenta;
corre al placer de su ilusión derecho,
de su mismo placer sin darse cuenta 2890
que del placer que se gozó sin tasa
nadie se ha dado cuenta hasta que pasa.

Pobre, inocente alma que no sabe
que sólo al niño su inocencia abona,
y que en el mundo compasión no cabe, 2895
que en la inocencia mofador se encona;
alma llena de fe, cándida ave
que dulces trinos en el bosque entona,
que sencilla de rama en rama vuela,
sin que su gracia al cazador conduela; 2900

alma que en la aflicción y la agonía
del alboroto popular y estruendo,
grata danza de amor y de alegría
con indecible júbilo está viendo;
cánticos la espantosa gritería 2905
piensa tal vez, en su ilusión creyendo
animadas escenas placenteras
el susto de la gente y las carreras.

Y a tomar parte en el común contento
lánzase y rompe y en mitad se arroja 2910
del bullicio más rápido que el viento,
y en torno de él la gente se amanoja;
ni cura del ajeno sentimiento,
ni de verse desnudo se sonroja,
y ora forman en torno de él corrillos, 2915
ora le sigue multitud de pillos.

Fue aquel día el asombro de la Villa
y escándalo de todo hombre sesudo,
yendo tras él de gente una traílla

que aterra a veces su ademán forzudo; 2920
allí corren los chicos, aquí chilla
una mujer al verle andar desnudo,
y algunas que los ojos se taparon
por pronto que acudieron le miraron.

Y andando así la gente ya le acosa, 2925
y alguno allí de condición liviana
quiere que pruebe la intención graciosa
y el trato afable de la especie humana;
y arrojándole piedras con donosa
burla por gusto e intención villana, 2930
le hizo el dolor sentir para que sepa
que no hay placer donde el dolor no quepa.

Que entró en el mundo nuestro mozo apenas
y su dicha y el mundo bendecía,
e inocentes miradas y serenas 2935
vertiendo en torno afable sonreía,
cuando la bruta gente a manos llenas
lanzaba en él cuanto dolor podía,
que en traspasar disfrutan los humanos
su dolor en el alma a sus hermanos. 2940

Sintió el dolor y el rostro placentero
súbito coloró de azul la ira,
y ya el semblante demudado y fiero
con ojos torvos a la gente mira.
Huye el corbarde vulgo a lo primero, 2945
piedras después sin compasión le tira,
gritan *¡al loco!* y con temor villano
huyen y le señalan con la mano.

¿Quién de nosotros la ilusión primera
recuerda acaso en su niñez perdida? 2950
¿Cuál fue el primer dolor, la mano fiera
que abrió en el alma la primer herida?
¡Ay! desde entonces sin dejar siquiera

un solo día, siempre combatida
el alma de encontrados sentimientos, 2955
ha llegado a avezarse a sus tormentos.

Mas ¡ay! que aquel dolor fue tan agudo
que el alma atravesó sin duda alguna;
fue de todos los golpes el más rudo
que injusta nos descarga la fortuna 2960
cuando inocente el corazón desnudo,
en el primer columpio de la cuna,
se abre al amor en su ilusión divina,
y en él se clava inesperada espina.

¡Y después! ¡Y después!... Así el mancebo, 2965
hombre en el cuerpo y en el alma niño,
todo a sus ojos reluciente y nuevo,
todo adornado con gentil aliño,
del falso mundo al engañoso cebo
corre y brinda bondad, brinda cariño, 2970
y el mundo que al placer falaz provoca,
dolor da en cambio al alma que lo toca.

Mas deje, el mundo por su amor se encarga
como un chorizo de curarla al humo,
y de hiel rica quintaesencia amarga, 2975
sacar para bañarla con su zumo;
luego la ensancha más, luego la alarga,
la esquina, en fin, con artificio sumo,
hasta que enduerecida y hecha callo,
süave al tacto le parece un rallo. 2980

Grave dolor el del mancebo ha sido,
grave dolor, porque de aquella gente
la injusticia y crueldad ha comprendido
con qué paga su amor tan inocente.
No en el cuerpo, en el alma le han herido, 2985
que es niña el alma, y varonil la mente,
y de juicio y razón Dios le ha dotado
para que juzgue el mal que le ha tocado.

Sintió primero cólera, y pasando
el físico dolor al pensamiento, 2990
volvió los ojos tristes implorando
piedad con amoroso sentimiento,
madre tal vez en su dolor buscando,
que temple con caricias su tormento,
mas los hombres no sirven para madres 2995
y aun apenas si valen para padres,[192]

cuando llegó un piquete, y bien le avino,
que la gente ahuyentó con su llegada.
Y el mozo agradecido a su destino
miraba con placer la gente armada; 3000
pregúntanle después de dónde vino,
cómo va en cueros, dónde es su morada,
y él, que no sabe hablar, nada responde,
los mira, y sigue sin saber adónde.

Y ¿a dónde va? A la cárcel prisionero, 3005
que andar desnudo es ser ya delincuente.
Él entretanto observa placentero
los colores que viste aquella gente;
y de una bayoneta lo primero,
al mirarla tan tersa y reluciente, 3010
tocó la punta en su delirio insano,
y en su inocente afán se hirió una mano.

Y éste fue entonces el dolor segundo,
y dejaremos ya de llevar cuenta,
que para algo Dios nos echa al mundo, 3015
y la letra con sangre entra y se asienta;
y así la razón gana, así el profundo
juicio con la experiencia se alimenta,
y porque aprenda, el mundo así recibe
al que no sabe cómo en él se vive. 3020

FIN DEL CANTO TERCERO

[192] Estos dos versos en cursiva parecen ser una citación, que no hemos logrado localizar.

CANTO IV

Rizados copos de nevada espuma[193]
forma el arroyo que jugando salta,
ricos países de vistosa pluma
en campos de aire el pajarillo esmalta;
álzase lejos nebulosa bruma, 3025
de sombras rica, si de luces falta,
y el verde prado y el lejano monte
muro y término son del horizonte.

Allá en la enhiesta vaporosa cumbre
su manto en Oriente el alba tiende, 3030
y blanca, y pura, y regalada lumbre
de su frente de nácares desprende.
Cándida silfa a su fugaz vislumbre
el aire en torno sonrosado enciende,
y en su frente la ondina voluptuosa 3035
se mece al son del agua armoniosa.

Y tras la densa y fúnebre cortina
del hondo mar sobre la rubia espalda,
ráfagas dando de su luz divina,
mécese el sol en lechos de esmeralda; 3040
la niebla a trozos quiebra y la ilumina
del terso azul por la tendida falda,
y de naranja, y oro, y fuego pinta
sobre plata y zafir mágica cinta.

Y en monte, y valle, y en la selva amena, 3045
y en la de flores mil fértil llanura,
y en el seno del agua que serena

[193] En los v. 3021-3060, Espronceda hace un perfecto *pastiche* del estilo neoclásico. El v. de Bécquer: "rizada cinta de blanda espuma" recuerda el v. 3021 de *El Diablo Mundo* (J. M. Díez Taboada, "Sobre la rima XV de Bécquer", *Rev. de literatura*, 1962, XXII, pp. 91-96). ¿No formarían parte estos mismos versos de un borrón no publicado del *Pelayo?* Simple hipótesis.

se desliza entre franjas de verdura,
el ruido alegre y bullicioso suena
de seres mil que cantan su ventura, 3050
prestando su algazara y movimiento
voz a las flores, y palabra al viento.

Las rosas sobre el tallo se levantan[194]
coronadas de gotas de rocío,
las avecillas revolando cantan 3055
al blando son del murmurar del río;
chispas de luz los aires abrillantan,
salpicando de oro el bosque umbrío;
y si el aura a la flor murmura amores,
la flor le brinda aromas y colores. 3060

Y resonando... etcétera; que creo
basta para contar que ha amanecido,
y tanta frase inútil y rodeo,
a mi corto entender no es más que ruido.
Pero también a mí me entra deseo 3065
de echarla de poeta y el oído,
palabra tras palabra colocada,
con versos regalar sin decir nada.

Quiero decir, lector, que amanecía,
y ni el prado ni el bosque vienen bien; 3070
que este segundo Adán no verá el día
nacer en los pensiles del Edén,
sino en la cárcel lóbrega y sombría,
que su pecado cometió también,
viniendo al mundo por extraño hechizo, 3075
y es justo que tal pague quien tal hizo.

Corrió entre tanto por Madrid la fama
de aquella aparición del hombre nuevo,
de cómo viejo se acostó en su cama,

[194] Según R. Esquer Torres (art. cit. en la *Noticia bibliográfica*), esta octava sería la fuente de la rima IX de Bécquer "Besa el aura que gime blandamente"; tal parentesco no nos parece muy evidente.

y al despertar se levantó mancebo. 3080
Nueva de que era causa se derrama
del gran tumulto que contado llevo
cuando atento el patrón, subiendo al ruido,
halló en otro a su huésped convertido.

Hay en el mundo gentes para todo, 3085
muchos que ni aun se ocupan de sí mismos,
otros, que las desgracias de un rey godo
leen en la historia, y sufren parasismos:[195]
quién por saber la cosa, y de qué modo
pasó, y contarla luego, a los abismos 3090
es capaz de bajar; quién nunca sabe
si no es de aquello en que interés le cabe;

quién por saber lo que a ninguno importa
anda desempolvando manuscritos,
para luego dejar la gente absorta 3095
con citas y con textos eruditos;
otro almacena provisión no corta
de hechos recientes, cuentos infinitos
y mentiras apaña, y cuanto pasa
se entretiene en contar de casa en casa. 3100

Este raro suceso que yo cuento,
aquí en la capital ha sucedido,
y es tanta la jarana y movimiento
en que su vecindario anda metido,
que muchos no tendrán conocimiento 3105
de un caso no hace mucho acontecido,
y a otros tal vez tan verdadera historia
se habrá borrado ya de la memoria.

[195] En los vv. 3087-3088, Espronceda da claramente a entender que han dejado de interesarle las hazañas de Pelayo que cantara años antes en sus fragmentos épicos.
Apunta Moreno Villa, en su edición de Clásicos Castellanos, t. 50, que "en Asturias existe el calificativo de *paraxismeras*", y cita la copla:

En Cangues hay bones mozes,
en Avilés la flor d'elles,
en Lluanco mielgues curaes,
y en Xixón paraxismeres.

Mas yo, como escritor muy concienzudo,
incapaz de forjar una mentira, 3110
confesaré al lector que mucho dudo
de la verdad del caso que le admira.
Contaré el cuento con mi estilo rudo
al bronco son de mi cansada lira,[196]
y el hecho a otros afirmar les dejo 3115
de haberse en mozo convertido el viejo.[197]

Como me lo contaron te lo cuento,[198]
y yo de la verdad sólo respondo
de que el mozo salvaje del portento
anda alegre por ahí mondo y lirondo: 3120
raro misterio que en conciencia siento
no poder descifrar por más que ahondo,
mas ¿qué mucho si necio me confundo
sin saber para qué vine yo al mundo?

Que no es menor misterio este incesante 3125
flujo y reflujo de hombres, que aparecen
con su cuerpo y su espíritu flotante,
que se animan y nacen, hablan, crecen,
se agitan con anhelo delirante,
para siempre después desaparecen, 3130
ignorando de dónde procedieron,
y a dónde luego para siempre fueron.

Baste saber que nuestro héroe existe
sin entrarse a indagar arcano tanto,
que tiene para estar alegre o triste 3135

[196] Este verso recuerda burlonamente los vv. 17 ("Al blando son de la armoniosa lira") y 761 ("Y al claro son de la armoniosa lira") del *Pelayo* (Cálsicos Castalia, 20, pp. 81 y 109), los cuales recordaban el siguiente de la *Poética* de Martínez de la Rosa: "Y al claro son de la armoniosa lira" (B.A.E., t. CXLIX, p. 238b). Cf. más arriba, el v. 3056: "Al blando son del murmurar del río", y más abajo el v. 5746: "Como al son blando de acordada lira".

[197] Así corregimos este verso que dice en todas las ediciones: "de haberse el mozo convertido en viejo".

[198] Véase la nota 103 de *El Estudiante de Salamanca*.

risa en los labios y en sus ojos llanto;
que come, bebe, duerme, calza y viste,
ya más civil en este cuarto canto,
y que Adán en la cárcel le pusieron
cuando desnudo como Adán le vieron. 3140

Baste saber que el *Diario*, en su importante
sección que casos de la corte cuenta,
en estilo variado y elegante,
que el interés del sucedido aumenta,
refiere este suceso interesante 3145
al número dos mil seiscientos treinta,[199]
y cómo sigue causa, el parte dado,
no me acuerdo qué juez de qué juzgado.

Y todos los de todos los colores
periódicos (¡amable cofradía!) 3150
que se apellidan ya conservadores,
ya progresistas, y que en lucha impía,
cebo de los políticos rencores,
mondan y pulen la cuestión del día,
de ilustración vertiendo ricas fuentes 3155
en caudales fructíferos torrentes,

ahondando la cuestión de estrago tanto,
buscando el móvil de motín tan fiero,
hallaron unos y otros, con espanto
que era un pagado y vil aventurero, 3160
no disfrazado bajo el noble manto
de la santa virtud, sino altanero,
agente digno de la trama impía,
saliendo en carnes a la luz del día.

Y acusó cada cual a su contrario 3165
de haber pagado y encerrado al loco,
y del absurdo cuento estrafalario

[199] El núm. 2630 del *Diario de Madrid* (nuevo título del *Diario de avisos* desde el 20 de febrero de 1836) lleva la fecha, posterior a la publicación del poema e incluso de la muerte de Espronceda, del 8 de junio de 1842.

que honra por cierto su invención muy poco;
cual al gobierno acusa atrabiliario,
cual supone en los clubs que se halla el foco, 3170
sin que ninguno ser quiera en su ira
autor de tan *ridícula mentira.*

Y con lógica sana y juicio recto
probaron, como cuatro y tres son siete,
que no cabe en el más rudo intelecto 3175
que se convierte un viejo en mozalbete;
y alguno, a los milagros poco afecto,
con odio a todo clerical bonete,
probó que nada, en un sabio discurso,
basta del mundo a trastornar el curso. 3180

Y yo quedé de entonces convencido
casi de que era mentiroso el cuento,
aunque siempre mis dudas he tenido,
que es muy dado a dudar mi entendimiento;
y cuanto llevo hasta ahora referido 3185
ni lo afirmo, ¡oh lector!, ni lo desmiento,
que por mi honor te juro no quisiera
que nadie mentiroso me creyera.

Y casi casi arrepentido estoy
de haber tomado tan dudoso asunto, 3190
y de a pública luz sacarlo hoy
que la incredulidad llega a tal punto;
mas ya adelante con mi cuento voy
al son de mi enredado contrapunto,
que es mi historia tan cierta y verdadera 3195
como lo fue jamás otra cualquiera.

Es el caso que Adán preso y desnudo
hace ya un año que en la corte vive,
do con áspero trato y ceño rudo
áspera y ruda educación recibe. 3200
Es cada cual allí doctor sesudo
que practicando de su ciencia vive,

tomos que enseñan más filosofía
que cien años de estudio en solo un día.

Sociedad de filósofos aquella, 3205
andar allí desnudo a nadie espanta,
antes más bien pondrán pleito y querella
al que lleve chaqueta, capa o manta;
y así a nadie extrañó cuando su estrella
trajo allí al joven que mi lira canta, 3210
y un año desde entonces ha corrido
y el mancebo se está como ha venido.[200]

En cuanto a traje y nada más se entiende,
que la sana razón su juicio aploma,
sus sentidos aviva y los enciende 3215
y su rústico ardor desbrava y doma.
La gracia y ademán del jaque aprende,
las más punzantes voces del idioma,
y a sufrir y a callar y a caso hecho
guardarse la intención dentro del pecho. 3220

Y como el juicio su talento rija,
comprende de derechos y deberes
el intrincado código que fija
los goces de aquel mundo y padeceres;
y el noble ardor que el corazón le aguija 3225
en ansia de dominio y de placeres,
y su hercúlea simpática figura
del ajeno respeto le asegura.[201]

Ni chiste ni pillada se le escapa,
ni gracia alguna sin respuesta queda, 3230
ni las cartas mejor ninguno tapa

[200] Los vv. 3211-3213 contradicen lo que escribió el poeta en el v. 3137: "Que [Adán] come, bebe, duerme, calza y viste", y lo que dice en el v. 3233: "Revuelta al brazo con desdén la capa". Cf. los vv. 3325-3332, que describen la indumentaria de Adán.

[201] En su famoso artículo *Los Barateros*, Larra había expresado ideas semejantes sobre las "leyes" del mundo carcelario.

cuando entre amigos el cané[202] se enreda;
revuelta al brazo con desdén la capa,
con él, navaja en mano no hay quien pueda,
que en la cárcel ahora ya no hay pillo 3235
que maneje mejor que él un cuchillo.

Ni lo hay más suelto y ágil, ni quien sea
más diestro a la pelota y a la barra,
ni más vivo y sereno en la pelea,
ni de apostura tal ni tan bizarra, 3240
y a tanto va su gracia que puntea
de modo que hace hablar una guitarra,
y para acompañar se pinta solo
su acento varonil cantando un polo.

Y áspero a par que juguetón y atento, 3245
sin que de su derecho un punto ceda,
hombre de pelo en pecho y mucho aliento,
con los *ternes* y *jaques* entra en rueda;
y creciendo en arrojo y valimiento,
en juez se erige y los insultos veda 3250
del fuerte al débil, y animoso arguye
y a su modo justicia distribuye.

Tal vez habrá quien diga escrupuloso
que es poco tiempo para tanto un año,
y poco fuera, cierto, si dichoso 3255
vivido hubiera en lisonjero engaño;
mas allí donde el látigo furioso
la suerte vibra con semblante huraño,
donde ninguno de ninguno cuida,
pronto se aprende a conocer la vida. 3260

Allí do hierve en ciego remolino
la sociedad, y títulos ni honores
son del respeto formulado sino,
ni sirven al que entra en sus mayores,

202 El "cané" designa un juego de azar parecido al monte.

tienen todos que abrirse su camino, 3265
breve mundo de más grandes dolores,
do lucha el triste en su afligido centro
contra la sociedad de fuera y dentro.

Siempre en eterna tempestad, impura
mar donde el mundo su sobrante arroja, 3270
lucha náufrago el hombre a la ventana
sin puerto amigo que en su mal le acoja.
Pechos que endureció la desventura
y que el castigo de piedad despoja,
cada cual de su propio pesar lleno, 3275
nadie se duele del dolor ajeno.

Y ¿en qué parte del mundo, entre qué gente
no alcanza estimación, manda y domina
un joven de alma enérgica y valiente,
clara razón y fuerza diamantina? 3280
Apura el jarro del licor hirviente,
cuando el más esforzado desatina
y trastornado y balbuciente bebe,
y aun él cien jarros a apurar se atreve.

Y es su malicia la malicia aquella 3285
viva y gentil del despejado niño,
luz y candor su corazón destella
en medio de su alegre desaliño,
su noble frente y su figura bella,
su audacia inspira al corazón cariño, 3290
que aquella fiera gente, en su rudeza
admiran el valor y la grandeza.

Y aunque es su lengua rústica y profana
y es su ademán de jaque y pendenciero,
pura se guarda aún su alma temprana 3295
como la luz del matinal lucero;
bate gentil, cual mariposa ufana,
el corazón sus alas placentero,
que abrillantan aún los polvos de oro,
de inocencia y virtud breve tesoro. 3300

Ni leyes sabe, ni conoce el mundo,
sólo a su instinto generoso atiende,
y un abismo de crímenes inmundo
cruza y el crimen por virtud aprende.
Y aquel pecho que es noble sin segundo 3305
y que el valor y el entusiasmo enciende,
aplica al crimen la virtud que alienta
y puro es si criminal se ostenta.

Como niño que cándido se esfuerza,
y hacerse el hombre en su candor presume, 3310
y la echa de ánimo y de fuerza,
miente blasfemias, fuma aunque no fume,
no hay nadie sobre él que imperio ejerza,
y habla de mozas, tal, grato perfume
vertiendo en torno de inocencia pura, 3315
al más bandido remedar procura.

Y como en mente y en valor les gana
y aventaja en nobleza y bizarría,
tanto les vence cuanto más se afana
en mostrarles mayor su gallardía; 3320
y aquellas almas viejas su alma ufana
con noble anhelo superar ansía,
sin cuidarse en los lances que le empeñan
de si es vicio o virtud lo que le enseñan.

Y por amor a adornos y colores 3325
y entender que lo exige su decoro,
bordado un marsellés con mil primores
cuelga de su hombro izquierdo con desdoro;
charro un pañuelo de estampadas flores
ciñe a su cuello, una sortija de oro, 3330
calzón corto, la faja a la cintura,
botín abierto y gran botonadura.

Que aprendiendo a jugar ganó dinero,
y allí a la reja la Salada viene,
moza que vive de su propio fuero 3335

y en cuidar a los presos se entretiene.
el parece tal vez la *hizo salero*,
y ella que es libre y que a ninguno tiene
cuenta que dar, dineros y comida
le trae, de amores por su Adán perdida. 3340

Y ya le ha aconsejado en su provecho
la pobre moza de su amor prendada,
que aunque de rumbo y garbo y franco pecho
y en su modo y palabras desgarrada,
y aunque le mira en cueros, que es bien hecho, 3345
con dulce encanto y alma enamorada,
le aconsejó vestirse por decencia,
y él se dejó vestir sin resistencia.

Vagando va confuso el pensamiento
en torno a la mujer del mozo ardiente 3350
sin poderse explicar el sentimiento
que por sus nervios esparcidos siente;
mas su vista le da dulce contento,
respira en ella un codicioso ambiente
que mágico embelesa sus sentidos 3355
tras la ilusión de su placer perdidos.

Y su voz, aunque áspera, que suena
grata a su oído, el corazón le adula,
y de ansiedad confusa su alma llena,
ni su ilusión ni su placer formula; 3360
lejano son de amante cantilena,
que entre la brisa perfumada ondula,
al aire de su dulce devaneo
perdido vaga su genial deseo.

Y cuando ella con amor le mira, 3365
en la ansiedad vehemente que le aqueja
y en el ardor violento que le inspira,
quiere romper la maldecida reja;
y la sacude con violenta ira

porque acercarse a ella no le deja, 3370
trémulos de furor sus miembros laten
y sus arterias dolorosas baten.

Látigo y grillos y penoso encierro,
pronta a saltar sobre él la muchedumbre,
tratado allí como indomable perro, 3375
le impusieron forzada mansedumbre;
cual vigoroso potro tasca el hierro,
bota y arranca de las piedras lumbre,
el mozo así sujeto a su despecho
siente un dolor que le desgarra el pecho. 3380

Fiero león que a la leona siente
en la cercana jaula del amor llena,
que con lascivo ardor ruje demente,
de cólera erizando la melena,
y la garra clavando en la inclemente 3385
reja, en torno los ámbitos atruena,
y el duro hierro sacudido cruje
de tanto esfuerzo a tan tremendo empuje.

Que al placer le convida su hermosura,
más a sus ojos mágica que el cielo 3390
con su sereno azul bañado en pura
luz que colora el transparente velo;
placer que inspira al corazón bravura,
fuerza a sus nervios y valiente anhelo,
su máquina impulsada y sacudida 3395
al ignorado goce a que convida.

Que los ardientes ojos de la bella,
y el que mayo pintó de rosa y nieve
semblante alegre que salud destella,
redondas formas y cintura leve, 3400
y gallardo ademán, ligera huella,
pie recogido en el zapato breve,
y blanca media que al tobillo pinta
de negro a trechos la revuelta cinta;

y el hueco traje que flotante vaga 3405
en rica de lujuria y vaporosa
atmósfera de amor que el alma halaga
y excita los sentidos codiciosa,
y que enseñar al movimiento amaga,
cuanto finge tal vez la mente ansiosa, 3410
que allá penetra en la belleza interna
tras la pulida descubierta pierna,[203]

sácanle al rostro en torbellinos rojos
el fuego del volcán que el pecho asila,
lanzando llamas sus avaros ojos, 3415
encendida la lúbrica pupila.
¡Mísero del que entonces sus enojos
¡ay! provocara; la ira que destila
su impotencia en su alma, rebosando
sobre él cayera su dolor vengando! 3420

¿Visteis al toro que celoso brama,
la cola ondeando sacudida al viento,
que el polvo en torno levantando inflama,
envuelto en nube de vahoso aliento,
y ora a su amada palpitante llama, 3425
ora busca en su cólera violento,
con erizado cetro y frente torva,
quién el deseo de su amor estorba?

[203] Compárense los vv. 3405-3412 con los siguientes de la *Descripción de un serrallo* en el *Pelayo*:

El ojo en vano penetrar desea
la entorno casi transparente gasa,
y aunque nada tal vez entre ella vea,
rápido el pensamiento la traspasa.
(Vv. 794-797, Clásicos Castalia, 20, p. 110.)

que parecen inspirados en la *Gerusalemme liberata*, IV, estr. 31-32, del Tasso. Cf. también los vv. 1272-1275 de la *Égloga II* de Garcilaso:

De vestidura bella allá vestidas
las gracias esculpidas se veýan;
solamente traýan un delgado
velo que delicado cuerpo viste
mas tal que no resiste a nuestra vista.
(Ed. Rivers, p. 121.)

Así el mancebo en derredor revuelve
la vista en ansia de feroz pelea; 3430
de nuevo a sacudir la reja vuelve,
que trémula a su empuje titubea;
calmarse, en fin, a su pesar resuelve,
siente que en vano lucha y forcejea,
y ella le habla, y él triste la mira, 3435
y sin saber qué responder suspira.

Que él no sabe con ella hablar de amores,
sino sentir en su locura ciego;
suspiros son la voz de sus dolores,
y son sus ansias en sus ojos fuego. 3440
Ella entretanto calma sus furores,
que él siempre cede a su amoroso ruego,
y en sus salvajes ojos se desliza
dulce rayo de amor que los suaviza.

Porque es a un tiempo la manola airosa, 3445
gachona y blanda como altiva y fiera,
y sabe con su Adán ser amorosa,
y esquiva con los otros y altanera;
paloma fiel, cordera cariñosa,
aunque de rompe y rasga, y de quimera, 3450
y mal hablada, y de apostura maja,
y que lleva en la liga la navaja.

Y está de su pasión tan satisfecha,
tan ancha está de su gallardo amante,
que hasta la tierra le parece estrecha 3455
y no hay dicha a su dicha semejante.
Cuando a la espalda la mantilla echa,
y las calles se lleva por delante,
pensando en el gachón que su alma adora,
en su propia hermosura se enamora. 3460

Corazón toda ella, y alma, y vida,
y gracia, y juventud, desprecio siente
hacia la sociedad, libre y erguida,

hollándola con planta independiente;
dejando a su pasión franca salida,[204] 3465
un *pues mejor* rasgado e insolente
con cara osada por respuesta arroja
si alguno reprendiéndola la enoja.

Pobre mujer, para sufrir criada,
vil la marcó la sociedad impía, 3470
viviendo en medio de ella condenada
a perpetua batalla y rebeldía.
Hija del crimen, sola, abandonada
a su propia experiencia y su energía,
sin más lazo en el mundo ni consejo 3475
que un padre preso, criminal y viejo.

Era el tío Lucas, padre de la bella,
hombre de áspero trato y de torcida
condición dura y de perversa estrella,
sin cesar por su boca maldecida; 3480
pocas palabras, de indolente huella,
mal encarado y de intención dormida,
chico y ancho de espaldas, y cargado,
largo de brazos y patiestevado,

de chata y abultada catadura, 3485
de entrecana y revuelta espesa ceja,
ojos saltones y mirada dura,
blanca patilla a trechos y bermeja,
la frente estrecha y de color oscura,
rojo el pelo como áspera guedeja 3490
inaccesible al peine, aborrascado
en vedijas la cubre enmarañado.

No hay cárcel ni presidio en las Españas
que no conserve de él alta memoria,
ciudad que no atestigüe de sus mañas, 3495
ni camino sin muestras de su gloria;
y consignada está de sus hazañas,

204 Véase la nota 137.

en procesos sin fin, su ínclita historia,
aunque obscura y truncada, que a la pluma
fió muy poco su modestia suma. 3500

Lleva a rastra los pies andando, y mueve
pesada y vacilante la cabeza,
su pensamiento e intención aleve
mostrando en su abandobo y su pereza.
Mosquito insigne, por azumbres bebe 3505
sin vacilar un punto su firmeza,
siempre fumando, el labio ya tostado
con el tabaco negro y requemado.

Raya en sesenta años, y cincuenta
hace ya que empezó sus correrías; 3510
quiénes fueron sus padres no se cuenta
ni dónde ha visto sus primeros días;
siempre sagaz, diversa historia inventa
de sus viajes, familia y fechorías,
cambia su nombre y patria, dando largas 3515
así a las horas de su vida amargas.

Este honrado varón, cuando desnudo
Adán entró en la cárcel, y la gente
le examinaba con anhelo rudo,
explicó el caso con sesuda mente: 3520
"¿No habéis, les dijo, visto nunca un mudo?
¿Qué diablos os *chungáis* de un inocente?"
Y apartó a todos con afecto raro,
dando a su mudo protección y amparo.

Y como luego el inocente diera 3525
pruebas de su vigor y valentía,
y abriera a uno en desigual quimera
contra las piedras la cabeza un día,
tanto amor le cogió que la severa
faz desplegando que jamás reía, 3530
hablaba siempre dél guiñando el ojo
con cierta sonrisita de reojo.

"El chaval, el chaval, decía entre sí,
meterle mano, que mejor gazapo
no ha regalado el *líbano* al *buchí*;[205] 3535
vamos con él a quién es el más guapo."
Y cuando vio que el mozo hecho un zahorí
camina viento en popa a todo trapo,
y aprende a hablar, y en ardimiento crece,
y hacerse un hombre de provecho ofrece, 3540

fundó esperanzas el astuto viejo
y comenzó a formarle a su manera,
y le oye el joven con sagaz despejo
y con más atención que conviniera;
a él y a nadie más pide consejo, 3545
sometida al talento su alma fiera,
que en las cosas del mundo el viejo es ducho
y el candoroso Adán le tiene en mucho.

Su observación profunda y su experiencia
ha reducido a máximas la vida; 3550
es cada frase suya una sentencia,
cada palabra una ilusión perdida;
torpe y lento en hablar, vierte su ciencia
en truncados períodos sin medida,
más en su gesto su intención marcada 3555
que en el valor de la palabra hablada.

Como entreabierta garra alza la mano,
siempre de quite al frente el movimiento,
y habla gruñendo como perro alano
con ojos de través y sordo acento; 3560
sobre la frente el pelo rojicano,
la barba sobre el pecho, al mozo atento
que su doctrina codicioso espera,
una noche le habló de esta manera:

[205] Nota de Espronceda: "El escribano al verdugo en la jerga de la cárcel". L. Besses (*Dicc. de argot español*, Barcelona, p. 99) y M. de Toro y Gisbert ("Voces andaluzas...", *Revue hispanique*, t. XLIX, 1920, p. 489) transcriben "libanó" (y no "líbano").

"Hijo mío, pocos años 3565
me quedan ya que matar,
porque a mí me han de acabar
la *viuda*[206] o mis desengaños.

"A ti mañana, a mí hoy;
yo soy punta y tú eres mango, 3570
este mundo es un fandango,
tú vienes y yo me voy.

"Mira, de nadie te fíes,
hijo Adán; vive en acecho:
lo que guardes en tu pecho 3575
ni aun a ti mismo confíes.

"La gente... no hay un amigo:
al que cae, la caridad...
De una buena voluntad
tienes un falso testigo. 3580

"Si *mojas*[207] a alguno, cuida
de endiñarle al corazón...
No se olvida una intención
y un beneficio se olvida.

"Eres mozo, al mundo sales; 3585
de los montes se hacen llanos;
buena suerte y muchas manos,
y callar y vengan males.

"A malos trances, más bríos;
como la mar es en suma 3590
el mundo, pero en su espuma
se sustentan los navíos.

[206] Nota de Espronceda: "*Viuda*, la horca".
[207] Nota de Espronceda: "Mojar: dar puñaladas". *Endiñar*: meter, dar (L. Besses, *op. cit.*, p. 72b).

"Las mujeres... la mejor
es una *lumia*;[208] en el suelo
el diablo no tiene anzuelo 3595
más seguro ni peor.

"Ellas te chupan el jugo
y te espantan los *parnés*;[209]
cuando carne comer crees,
estás comiendo besugo. 3600

"El hombre aquí ha de enredar
sin que le enrede el enredo;
tú no te chupes el dedo,
que no hay que pestañear.

"Mala siembra, mala siega; 3605
nada me va, nada sé;
quien más mira menos ve,
y di la verdad, Juan Niega.

"Esto es negro para ti,
pero ya lo entenderás, 3610
y acaso te acordarás,
cuando lo entiendas, de mí."

Poco en verdad el candoroso mozo
de tan profundas máximas comprende
con tal misterio y maleante embozo 3615
hablándole de un mundo que no entiende;
y al través de su rústico rebozo,
si el sentido tal vez sagaz trasciende
de alguna frase, en su confuso empeño
cuanto adivina le parece un sueño. 3620

Un mundo que una luz pura ilumina,
que viste y cubre un tan hermoso cielo,

[208] Nota de Espronceda: "Lumia. Muger de mala vida, Ramera".
[209] Nota de Espronceda: "El dinero".

¿mansión habrá de ser donde camina
el hombre, siempre con mortal recelo?
¿y será la mujer, creación divina, 3625
vida del alma y generoso anhelo,
brillante de placer y de hermosura,
enemiga también, también impura...?

¿Será del hombre el hombre el enemigo,
y en medio de los hombres solitario, 3630
él su sola esperanza y solo amigo
verá en su hermano su mayor contrario?
¿Grillos, cadenas, hambre y desabrigo
siempre serán el lúgubre sudario
que vista al entregarle a su abandono 3635
el hombre al hombre en su implacable encono?

¿Será tal vez que en bandos dividida,
lucha furiosa en ostinada guerra
la raza de los hombres fratricida
alternando el reposo de la tierra? 3640
¿Qué brazo audaz que justo se apellida
contra su voluntad allí le encierra?
¿Quién llama criminal a aquella gente
a quien oye decir que es inocente?

Y él, que recuerda como un sueño apenas 3645
de su vida el primer dulce momento,
¿por qué a vivir en ásperas cadenas
vino, y cruel, con bárbaro tormento,
el hombre, de dolor las manos llenas,
en su inocencia lo arrojó violento, 3650
castigando con grillos y prisiones
el natural vigor de sus pasiones?

Estas y otras reflexiones rudas
hierven en su ofuscada fantasía,
como aparece entre las sombras mudas 3655
incierto rayo de luz del día:
turbio su juicio, amontonando dudas,

sin fórmula vagando en la sombría
nube de que su mente está cubierta,
ni acierta a hablar, ni a preguntar acierta. 3660

Tosió entre tanto su mentor que arranca
del pulmón a pedazos su catarro,
y remoja la voz que se le atranca
sorbiéndose de vino medio jarro;
de un negro torcidón como una tranca 3665
pica, lía y enciende su cigarro,
chupa y empuja con la uña el fuego
y en su discurso así prosiguió luego:

"¿Tú, qué has hecho? No has salido
chivato[210] del cascarón; 3670
sin razón o con razón,
a la sombra te han traído.

"Es sino de criaturas:
no te gruñirá el *barí*;[211]
a mí me tienen aquí 3675
un *chota*[212] y mis desventuras.

"Se *berreó*[213] el maldecido,
y dos señores muy llanos
vinieron con cuatro alanos
a sorprenderme en mi nido. 3680

"Yo, como soy muy cortés,
excusé su compañía,
hasta que vi no podía
ni por manos ni por pies.

210 Nota de Espronceda: "Joven, nuevo" (Con el mismo sentido en el verso 4840). En L. Besses (*op. cit.*, p. 64a), sólo "chiva" y "chivo" = delator, soplón.

211 Nota de Espronceda: "Juez. *No te gruñirá el barí*, el juez poco te ha de hacer". En L. Besses (*op. cit.*, p. 33b), "barí" significa "excelente" o "manta".

212 Nota de Espronceda: "Delator".

213 Nota de Espronceda: "Hablar más de lo que conviene".

"No se llevaron mal chasco; 3685
seis pobretes... la del humo...
que por ahí andan presumo;
yo aquí a la sombra me rasco.

"Por ellos me di a partido;
dando largas ello irá, 3690
que no los traigan acá
y nada se habrá perdido.

"Tú, pobrecillo, reserva
lo que ahora vas a saber,
que en el mundo hay que aprender 3695
a sentir crecer la hierba.

"El que lo gana lo *jama*;[214]
a buscársela, hijo mío,
a hacer tú mismo tu avío,
que el que no llora no mama. 3700

"Y tú, para ti has de hacer;
yo te pondré en buen camino:
hijo, si tienes buen sino,
pan te queda que roer.

"Los seis pobretes... más plata 3705
valen que ha dado el Perú;
son muy gentes: verás tú,
seis meloncitos de cata.

"Muy hombres, muy campechanos,
no porque yo los alabe, 3710
pero es cosa que se sabe,
como las suyas no hay manos.

"Saladilla te dirá
lo que has de hacer. ¡Malos *mengues*[215]
te lleven a ti y sus dengues, 3715
que tan derretida está!

214 Nota de Espronceda: "Comer".
215 Nota de Espronceda: "Diablos".

"Los seis pobretes reciben
también de este pobre viejo
de cuando en cuando un consejo,
y, Adán, como pueden viven. 3720

"Yo bien te quisiera dar
rentas y capellanía,
pero el que no tiene usía
se lo tiene que ganar.

"El refrán dice, hijo Adán, 3725
que Dios es omnipotente,
y el dinero es su teniente,
y que sin el din no hay dan.

"Conque salud, y andar vivo,
que por tu bien tengo empeño, 3730
y adiós, que ya viene el sueño;
cada mochuelo a su olivo."

Quedóse Adán mientras espera el día
rumiando las palabras del bandido;
pasar el mundo en confusión veía 3735
con loca fiebre y delirante ruido.
Luego, en grata embriaguez su fantasía,
embargándole el sueño su sentido,
la imagen en visión encantadora
le trajo amor de la mujer que adora. 3740

Grata visión que venturosa calma
su loco enajenado pensamiento,
que trae regalo y esperanza al alma,
ignorado deleite y sentimiento,
en mitad del desierto umbrosa palma 3745
que templa su calor calenturiento,
y a cuyo pie el viajero se reposa
en paz de amor y languidez sabrosa.

Visión en cuyos brazos descansando
su oscura cárcel y ansiedad olvida, 3750

en jardines de rosas respirando
el encantado aroma de la vida.
El alma allí con movimiento blando
en el columpio mágico mecida
de su propia ilusión, cuenta un tesoro 3755
de esperanzas sin fin, de ensueños de oro.

Alma joven y pura que suspende
en la región del aire un devaneo,
y que en su propia luz, la luz enciende
y da forma y visión a su deseo. 3760
La atmósfera tal vez ruda le ofende
del ignorado mundo y su mareo;
mas si siente sus puntas dolorida
su propia juventud cura su herida.

Que hay en el alma, cuando nueva agita 3765
sus áureas alas, una fuente pura,
que alegre riega la ilusión marchita
y renueva su fuerza y su hermosura.
Bebiendo de ella el corazón palpita
hasta que al fin secándose la apura, 3770
y en vez de la ilusión se alza la pena
que el manantial purísimo envenena.

Así en su propia alma su consuelo
halla el mancebo, y de la pura fuente
con las aguas de vida su desvelo 3775
templa, y el sueño perezoso siente.
Y luego en alas de su propio anhelo
de la amada mujer, cruza en su mente
la blanca imagen que por más delicia
amorosa le besa y le acaricia. 3780

Brilló entre tanto, si decirse puede
que brilla en una cárcel nunca el día
donde a su luz la sombra nunca cede
ni un rayo el sol al corazón envía;
donde la tregua que al dolor concede 3785

un breve sueño con crueldad impía
rompe la aurora, y vuelve a su faena
el cautivo amarrado a su cadena;

donde las horas hilan su tejido
sin enredar tal vez una esperanza, 3790
y el tiempo al parecer pasa dormido
sin señales de alivio ni mudanza;
donde tal vez el término cumplido
que la ilusión del desdichado alcanza,
es en su ruda, inexorable suerte 3795
en un suplicio una penosa muerte;

donde... pero también el hombre olvida
allí su pena en su locura insana,
ríe, y canta, y devánase su vida
que entre el ayer se enreda y el mañana. 3800
La llaga del dolor adormecida
templa un olvido, una esperanza vana,
que es el presente lago alborotado,
do el porvenir se enturbia y lo pasado.

La causa en tanto en un rincón dormía, 3805
sin cuidarse de Adán el escribano,
y un año largo de prisión corría,
y nadie de él se acuerda: y un verano
y otro pasara, y ciento, y pasaría
un siglo entero, y mil, y todo en vano; 3810
situación en las cárceles no extraña,
gracias al modo de enjuiciar de España.

Cuando la hermosa que al mancebo adora,
quién sabe cómo, acaso malamente,
logró de la pereza vencedora 3815
del juez que diese a Adán por inocente.
Vista la causa en fin, llegó la hora
de darle libertad, y delincuente
no pudiéndole hallar, le sentenciaron
las costas a pagar que otros causaron. 3820

Las costas, pues, con otras bagatelas
pagó de sus ahorros la Salada,
cálzase el escribano las espuelas,
la causa aviva, y la dejó *zanjada.*
¡Oh, cuánto, amor, el corazón desvelas 3825
de una hermosa mujer enamorada!
¡Cómo voló a la cárcel aquel día
rebosando la nueva en su alegría!

Párase ante la cárcel, precipita
acá y allá agitada sus paseos, 3830
frenético su espíritu se agita,
sueña su alma amantes devaneos;
un siglo en su ansiedad loca, infinita,
cuentan cada minuto sus deseos,
allí esperando a que el escriba venga
y oir gritar: "Adán con lo que tenga".[216] 3835

Llegó por fin el anhelado instante,
corrió a la reja la feliz manola;
toda turbada látele el semblante,
que amor con mil colores arrebola; 3840
y trémula la mano, y anhelante
con un ansia no más y una idea sola,
entre la verja entrándola la agita
y con un gesto y con la voz le grita

y como tigre que acechando hambriento 3845
tal vez descubre presa en la llanura,
y en arco el cuerpo arrójase violento,
salta, y entre sus garras la asegura,
no con ansia menor al dulce acento
que entrando hasta en sus tuétanos murmura, 3850
el mozo corre a donde ve a su bella
que al través de la reja se atropella.

[216] Nota de Espronceda: "Grito con que en la cárcel llaman al preso que ponen en libertad, el mismo grito sirve para llamarlo y ponerlo en capilla".

¡Oh del primer amor dulces escenas
que presencia risueño un escribano,
palomas inocentes de amor llenas 3855
que se huelgan delante del milano!
Romped, en fin, romped esas cadenas
con que el destino os separó tirano,
y otras os teja de aromosas flores
el buen Dios protector de los amores. 3860

Abrazó Adán al redomado viejo,
honrado padre de su amada prenda,
el cual frunciendo el rígido entrecejo
le apartó donde nadie los entienda;
y a solas repitiéndole el consejo 3865
de la noche anterior, le recomienda
prudencia y tino y ánimo en la vida
y le abraza otra vez por despedida.

¡Cuánto júbilo al alma y alborozo,
cuánto loco placer, cuánta alegría 3870
sintió alterado el indomable mozo,
libre al mirarse y a la luz del día!
Las arterias palpítanle de gozo,
baña la luz su audaz fisonomía,
y de contento el corazón deshecho 3875
suena a sus golpes conmovido el pecho.

Y ella veloz, con su ademán de maja,
su planta firme y su gentil soltura,
la calle al lado de su amante baja
llamando la atención su donosura; 3880
y ambos en medio a la común baraja
de gentes que atraviesan con presura,
y que a su garbo y gentileza atienden,
ojos a un tiempo y corazón suspenden.

Y él al mirarse al lado de la bella 3885
y al tocarla tal vez, su tacto es fuego,
fuego que lanza vívida centella

que el alma y corazón penetra luego;
páranle a un tiempo su ignorancia y ella
que contiene su ardor con blando ruego, 3890
y acaso su ardimiento también doma
cuando recuerda la pasada broma.

Que ha comprendido Adán que aquella gente
que él con recelo y cuidadoso mira,
es acaso la misma que inclemente 3895
piedras y lodo al inocente tira;
y cual furioso loco va impaciente
junto al loquero que temor le inspira,
así, la rienda puesta a sus arrojos,
gira enredor sus recelosos ojos. 3900

Un pobre cuarto bajo en una casa
pobre, la moza en Avapiés habita,
de baja planta y de fachada escasa,
limpia por dentro y de esmerada cuita;
la llave con incierta mano para, 3905
y el mancebo feliz se precipita
tras ella en la mansión que amor ahora
con tintas mil de su ilusión colora,

tintas que bañan en su lumbre pura
la pobre estancia con celeste encanto, 3910
vertiendo en torno aromas de dulzura
que amor derrama de su aéreo manto;
morada acaso triste, acaso impura,
mas de la dicha ahora templo santo,
convertido en Edén de ricas flores 3915
al soplo germinal de los amores.

Que solo allí con la mujer que adora,
cuya hermosura la mansión encanta,
bastan apenas al mancebo ahora
los ojos a admirar belleza tanta; 3920
y el fuego que frenético atesora

el corazón y su vigor levanta,
y su inquietud redobla, fulminante
en ráfagas de luz brota al semblante.

Y entre sus manos trémula su mano, 3925
sus labios devorándose encendidos,
al rudo impulso y al furor tirano
de sus tirantes nervios sacudidos,
él, ignorante en su delirio insano,
respondiendo latidos a latidos, 3930
al corazón la aprieta, el juicio pierde,
la besa hambriento y con placer la muerde.

Y una nube quimérica ya vela
sus sentidos, y vaga y vaporosa,
placer, deleites y delirios cela 3935
y confunde su dicha vagarosa;
y la hermosura disipada vuela
de la mujer que espárcese amorosa,
y donde quiera él gusta, toca y mira,
dicha, hermosura e ilusión respira. 3940

Aire que con riquísimos olores
baña su negra cabellera riza;[217]
luz vagarosa y blanda que de amores
en los húmedos ojos se desliza,
voluptuosa niebla de colores, 3945
que un deliquio dulcísimo matiza,
los cerca enderredor embebecidos
en su lánguida magia los sentidos.

Amor encuentra en su sabrosa boca,
y en sus ojos de amor, amor respira, 3950
afán de amores en su frente loca
latir contempla si a su hermosa mira;
furor ardiente que al amor provoca

217 Véase la nota 173.

él en su aliento abrasador aspira,
y ella a su furia y su pasión demente 3955
doblar su amor al estrecharle siente.

Y amor en voluntad se desvanece
y va a perderse en el remoto cielo,
que hasta allí disipándose parece
que elevan sus espíritus su vuelo, 3960
y el aura del deleite que las mece
y confunde sus almas, en un velo
cubriéndolas de gloria y de ventura,
allá las alza en sueños de dulzura,

sueños que en torno en formas nacaradas 3965
vagos acá y allá revolotean,
y en las venas latiendo arrebatadas
entre la sangre trémulos serpean;
en los rígidos nervios desplegadas
sus alas placidísimas ondean, 3970
sobre la frente bulle su armonía
y ofuscan con su luz la fantasía.

Genios de amor, deidades de hermosura,
don de la juventud, nuevas creaciones,
que en el primer placer el alma pura 3975
llueve desde su cielo de ilusiones;
inmenso amor, riquísima ventura
que ignoran los mortales corazones
que el varonil vigor aún no han sentido
y está el candor de su niñez perdido. 3980

¡Oh! A su inocencia, a su infantil pureza,
la fuerza juvenil junta el mancebo,
nueva a sus ojos es tanta belleza,
nuevas sus ansias y su goce nuevo;
antes que la ilusión en su cabeza 3985
seque el deseo con picante cebo,
dicha, ilusión, amores y delicias
se atropellan en él con sus caricias.

Y allí, en tropel, cual vierte su rocío
en las mañanas del abril la aurora 3990
sobre las verdes ramas del sombrío
y en las pintadas flores que enamora,
al alma y cuerpo con amante brío
la turba de placeres voladora,
que en torno en algazara se levantan, 3995
en círculos de júbilo la encantan.

Olas que van y vienen en su mente
son sus alborotados pensamientos,
confusos todos en tumulto ardiente
brotando el corazón sus sentimientos; 4000
y al armonioso estrépito latente,
absortos los sentidos, los violentos
impulsos del amor muestran pasmados
en éxtasis de gozo arrebatados.

¡Oh! ¡Cómo vibra y en acorde canto 4005
el alma de ella al alma de su amante!
¡Oh! ¡Cómo tanto amor, delirio tanto
se retrata en su célico semblante!
¡Oh! ¡Cuál le presta su ignorado encanto
su espíritu a su espíritu flotante, 4010
como el arco del músico se agita
cuando violenta inspiración le excita!

Que como cuando arrebatado azota
al muelle mar el huracán violento,
las apiñadas olas que alborota 4015
a merced van del combatido viento,
así en la llama eléctrica que brota
el alma en cada nuevo sentimiento,
envuelta el alma ajena y sacudida
vaga a merced de la pasión perdida. 4020

Y ahora que así las almas considero
prestándose placer, gloria y ternura,
pararme un punto y lastimarme quiero

de mi propio disgusto y desventura,
que ya gastado de mi ardor primero 4025
el tesoro riquísimo se apura,
y en mi amargo dolor continuo lloro
perdido malamente aquel tesoro.

Aunque por otra parte me consuela
no tener ya que ir como iba un día 4030
a escape con el alma y dando espuela
al alma que en mi curso antecogía;
ni soñada esperanza me desvela,
ni doy crédito ya a mi fantasía,
y si de amor no late el pecho mío 4035
también en cambio a mi placer me hastío.[218]

¡Oh! ¡Bendita mil veces la experiencia
y benditos también los desengaños!
Piérdese en ilusión, gánase en ciencia,
gastas la juventud, maduras años. 4040
Tanta profundidad, tanta sentencia,
tantos remedios contra tantos daños,
¿a qué los debes, mundo, en tanta copia,
sino a la edad y a la experiencia propia?

¿Y habrá tal vez alguno que sostenga 4045
que no vale la ciencia para nada?
¿Y habrá menguado que a probar nos venga
que está la dicha en la ilusión cifrada?
¿Pues hay cosa que más nos entretenga
que medir de los astros la jornada 4050
y saber que la luna es cuerpo oscuro
y aire ese cielo al parecer tan puro?

Viva la ciencia, viva, y si en el mundo
perdiste ya del alma la energía,
y en ella guardas con dolor profundo 4055

[218] Véase la nota 126.

algún recuerdo de un dichoso día,
con viva aplicación, meditabundo
engólfate en los libros a porfía,
que aunque ellos nunca calmarán tu pena,
al menos te dirán qué es luna llena. 4060

Y entretanto vosotros, los que ahora
pinté embriagados de placer y amores,
gozad en tanto vuestras almas dora
la primera ilusión con sus colores;
gozad, que os brinda la primera aurora 4065
con el jardín de sus primeras flores,
coged de amor las rosas y azucenas
de granos de oro y de perfumes llenas.

Y sed vosotros isla de verdura
donde repose yo cansado y yerto, 4070
del sol que ennegreció mi frente pura
y del árido viento del desierto;
idea de suavísima dulzura
vosotros sed, do el pensamiento incierto
fije su vuelo, y vuestro aroma blando 4075
venga a mi corazón su afán templando.

FIN DEL CANTO CUARTO

CANTO V

CUADRO I

INTERIOR DE UNA TABERNA EN EL AVAPIÉS

En un rincón, junto a una mesa, Adán con la Salada; ella contemplándole con recelosa curiosidad, él distraído; grupo de majos a un lado; grupo de manolos y manolas que danzan. Un hombre con traje mitad seglar, mitad eclesiástico, flaco, ruin de estatura, chato, lampiño y el pellejo arrugado, pelo pobre y rojizo, chisgarabis repugnante, toca la guitarra. Su edad 40 años.[219]

UN MANOLO

Buen ánimo, padre cura,
vamos, otra seguidilla.

PRIMERA MANOLA

¡Qué seria está Saladilla!

SEGUNDA MANOLA

Chica, por poco se apura. 4080

PRIMERA MANOLA (*al* CURA)

Diga usted, cara de fuelle,
¿no canta usted?

[219] Nota de Espronceda: "Si modelo y dechado de todas las virtudes son el mayor número de nuestros sacerdotes, en todos tiempos, y especialmente en los malaventurados que corren, ha habido y se encuentran algunos miserables, hez y escoria de tan respetable clase. El lector se acordará también como nosotros, de haber hallado en su vida alguno que, haciendo gala de su desvergüenza, se parecía quizá al mezquino ente que aquí tratamos de describir". Semejante precaución tomó Larra al presentar el retrato del "calavera-cura", carlista que quiere pasar por liberal. Aunque el personaje de Espronceda es distinto del de Larra, se puede aplicar a ambos estas frases de "Fígaro": "No creer en Dios y decirse su ministro, o creer en él y faltarle descaradamente, son la hipocresía o el crimen más hediondo". (*Los calaveras*, artículo 2.º, B.A.E., t. CXXVIII, p. 100a.)

EL CURA

(*Con ademán salado que le sienta muy mal.*)
¡Salerosa!

PRIMERA MANOLA

¡Viva la gracia!

SEGUNDA MANOLA

Mohosa,
mala mano te desuelle.

EL CURA (*apurando el vaso.*)

¡Sangre de Cristo! Al avío. 4085

SEGUNDA MANOLA

Vamos, pues, toque usté aprisa.

EL CURA

(*A un mozalbete que alternará con él cantando.*)

Consumé: siga la misa,
y ayúdamela, hijo mío.

(*Mientras rasga la guitarra, desaparece la fisonomía del cura escuerzo entre millares de innobles gestos. Canta.)*

No hay religión más santa
que la de Cristo, 4090
que señala a los moros
como enemigos.

Guerra a los cueros,
porque matando moros
se gana el cielo. 4095

(*Danzan.*)

SALADA

¿Está triste, dueño mío?
¿No respondes?

ADÁN (*distraído.*)

No sé, siento
una ansiedad, un tormento.

SALADA

Me matas con tu desvío;
mira, Adán, me miro en ti 4100
como en Dios: ¿qué mal te oprime?
Por Dios, Adán, por Dios, dime
que también me amas así.

ADÁN (*con frialdad.*)

Sí, te amo.

SALADA (*con ternura.*)

¿No es verdad?
Yo con locura. ¿Suspiras? 4105
¿No respondes? ¿No me miras?

(ADÁN *recorre con los dedos la mesa, los ojos bajos, profundamente pensativo; ella con zozobra le mira fijamente y los ojos húmedos de lágrimas. Sigue la danza.*)

PRIMERA MANOLA (*con desgarro.*)

¡Jalea de Navidad!
¿Quién me la compra?

SEGUNDA MANOLA

(*Señalando a* ADÁN *y a la* SALADA.)

¡Qué par!

¡La romántica![220] Ya llora.
Traigan agua a la señora 4110
porque se va a desmayar.

EL CURA (*canta.*)

La mujer y las flores
son parecidas,
mucha gala a los ojos
y al tacto espinas. 4115

Y yo que tengo
el corazón herido,
nunca escarmiento.

(*Corro de guapos.*)

PRIMER GUAPO

(*Señalando a* ADÁN *con el gesto.*)

¿Conque es aquél?

SEGUNDO GUAPO

Aquél es.

TERCER GUAPO

Un trago, que pase el miedo. 4120

[220] Interesante empleo del adjetivo "romántico", que nos transmite una indicación utilísima sobre la desviación de su sentido entre la gente del pueblo bajo, que le daba, según se deduce de la exclamación de la manola, un matiz netamente despectivo.

SEGUNDO GUAPO

Señor Matorrales, quedo,
que es muy hombre.

TERCER GUAPO

¿Por los pies?

SEGUNDO GUAPO

Y por las manos.

PRIMER GUAPO

Amigo,
dice el refrán que su silla
pierde el que se va a Sevilla. 4125

SEGUNDO GUAPO

Y es natural.

TERCER GUAPO

Pues yo digo
que la cortaré la cara.

(*Manolos bailando.*)

PRIMER MANOLO

Coja usted tierra, salero.

SEGUNDA MANOLA

Estoy por decir no quiero.

EL CURA (*mirando de reojo a los majos.*)

Buena danza se prepara. 4130

(*Canta.*)

Tienes una boquirtis
tan chiquitirris,
yo me la comeriba
con tomatirris.

EL CHICO (*canta.*)

Y en tus ojillos, 4135
¡ay! se me baila el alma
que me derrito.

PRIMER GUAPO

¿No te ha conocido?

TERCER GUAPO

No.

Está ella muy distraída.

SEGUNDO GUAPO

Quien bien quiso tarde olvida. 4140

TERCER GUAPO

Pues ella pronto olvidó.

TABERNERO

Una azumbre que me debe.

TERCER GUAPO

Eche usted otra, que quiero
que el mozo aquel tan salero
y aquella niña lo pruebe. 4145

ADÁN (*a la* SALADA.)

¡Me ahogo! Siento un deseo,
Salada, no sé de qué:
un afán...

SALADA

Yo sí lo sé;
no me quieres; bien lo veo.

ADÁN

¿Vistes aquel pez dorado[221] 4150
que en tu casa en un fanal,
breve lago de cristal,
da vueltas aprisionado,
y en la ventana al sol mira
tejiendo en torno colores, 4155
y en las macetas las flores
donde la brisa suspira,
y ya escucha su rumor
que le encanta, y le suspende
ya la llama que se enciende, 4160
ya la beldad de la flor;
y en su cárcel cristalina
nada con más ligereza
por gozar de la belleza
que los ojos le fascina? 4165
Pues así yo, dueño mío,
la tierra, la luz, el cielo,
disfrutar con loco anhelo,
y sin saber cómo, ansío.

221 Más lejos (vv. 4404-4431), Salada usa de la misma comparación que Adán, para convencer a éste de que su sueño no se podrá realizar nunca.

SALADA

Mira, si tú, vida mía, 4170
me amaras como yo a ti,
todo eso hallaras en mí
y tu ansiedad calmaría.
Yo que tu amor sólo anhelo,[222]
para templar mis enojos, 4175
busco mi luz en tus ojos,
hallo en tu frente mi cielo;
y estando a tu lado, Adán,
ni ese sol ni el cielo veo,
que eres todo mi deseo 4180
y eres tú todo mi afán.
Decir ternuras ignoro,
ruda y salvaje nací,
no sé qué pasa por mí
ni tampoco por qué lloro; 4185
fuego en mi amargo dolor,
fuego de Dios en mi estrella,
que no me formó más bella
para aumentarte tu amor.
Mal haya, mal haya, amén, 4190
cuando te vi, ¿y quién te viera
que al mirarte no aprendiera
al momento a querer bien?

ADÁN

¿Ves tú cuando tornasola
los cielos la luz del día, 4195
y huye la noche sombría,
y en tintas mil arrebola
la aurora el blanco celaje,

[222] Véanse la nota 17 de *El Estudiante de Salamanca*, y la nota 106 de *El Diablo Mundo*. Cf. los vv. 8-9 de "Suave es tu sonrisa, amada mía":

Tú mi divinidad; yo a ti rendido
extático en tu faz miro mi cielo.

(Clásicos Castalia, 20, p. 200.)

y cantan a la alborada
las aves en la enramada 4200
luciendo el vario plumaje?
  Más placer, más luz, más vida,
más amor vierte a torrentes
ese estrépito de gentes
que en multitud confundida 4205
  ayer vi cuando a tu lado,
con tanto afán, tanto gozo,
tanta gala y alborozo,
bajaban tantos al Prado.
  Adornos tan relucientes, 4210
ricos trajes y colores,
coches, caballos, primores,
y gustos tan diferentes;
  y el lujo y la gentileza
de aquellos tan altaneros 4215
que llamas tú caballeros
y damas de la nobleza;
  ¿Cómo pueden no admirar
al que siquiera los mire?
¿Quién habrá que no suspire 4220
por su grandeza igualar?

SALADA

  ¿Quién mejor que tú entre ellos?
por el mejor de más brío
no trocara yo, Adán mío,
un rizo de tus cabellos. 4225

ADÁN

  O estoy loco, ¡vive Dios!
o no me entiendes, Salada.

TERCER GUAPO

(*Se acerca al* PRIMERO *con el jarro de vino.*)

Ve y dales la cambiada
y brinda tú por los dos.

(*Quedan en observación, en el rincón opuesto los dos guapos.*)

PRIMER GUAPO (*a* ADÁN *y la* SALADA.)

Dios bendiga lo que cría 4230
bueno, y lo estoy yo mirando.

LA SALADA (*con desgarro.*)

Vaya un don Necio.

PRIMER GUAPO

Estimando.
Mi alma, más cortesía. (*A* ADÁN.)
Mocito, un sorbo siquiera.

(ADÁN, *sin mirarle, continúa distraído.*)

SIGUE EL PRIMER GUAPO

¿Y usted, niña?

SALADA

Me hace mal 4235
la espuma.

PRIMER GUAPO

¡Viva la sal!

(*Acercándose al oído de ella.*)

¿Está el gaché de quimera?

SALADA

¿Sabe usted los mandamientos?
Pues el quinto no moler.

PRIMER GUAPO

Se me olvida sin querer 4240
a veces.

TERCER GUAPO

(*Al* SEGUNDO *en acecho desde el rincón opuesto.*)

Bebo los vientos
de pura cólera.

SEGUNDO GUAPO

El majo
de monos sin duda está.

PRIMERA MANOLA (*corro de baile.*)

¡Un soponcio, que me da!

PRIMER MANOLO

¡Viva ese desparpajo! 4245

EL CURA (*canta.*)

Nunca mató a los hombres
la pena negra.
Desventuras y males
y penas vengan:
¡Ay! las mujeres 4250
a los hombres mejores
les dan la muerte.

PRIMER GUAPO (*a* ADÁN.)

Mocito, ¿usted ha perdido
el habla?

SALADA

!Vaya un moscón!

ADÁN

No gasto conversación. 4255

PRIMER GUAPO

¿Se da usted por ofendido?
Pues lo siento.

ADÁN (*con calma.*)

Se acabó.

SALADA

¿Lo quiere usted claro?

PRIMER GUAPO

Sí.

SALADA

Que está usted de más aquí.

PRIMER GUAPO

(*Se rasca con sorna y meneos truhanescos.*)

No entiendo indirectas yo. 4260

TERCER GUAPO (*al* SEGUNDO.)

El demonio me retienta,
compañero.

(*Continúa en acecho.*)

SEGUNDO GUAPO

Críe usted pecho.

PRIMER GUAPO

¡Tengo una sangre!

SEGUNDO GUAPO

El despecho.

PRIMER GUAPO

Y la indina que lo aumenta.

(*Corro de baile.*)

PRIMERA MANOLA

Pae cura, usté se enronquece. 4265

SEGUNDA MANOLA

Hija, dale un caramelo.

EL CURA

De verte a ti me amartelo,
pichona.

SEGUNDA MANOLA

Me lo parece.

EL CURA (*canta.*)

Arrecógete y brinca,
menéate y salta, 4270
porque tanto meneo
me lleva el alma.

EL CHICO (*canta.*)

¡Jesús, que liga!
Y es lo bueno que nunca
miente la pinta. 4275

SALADA

¿Con que no?

PRIMER GUAPO

Pues por supuesto.

(ADÁN *se levanta y lo coge con fuerza del brazo.*)

ADÁN

Buen amigo, basta ya.

(*Le separa, sujetándole sin trabajo, y vuelve a sentarse.*)

PRIMER GUAPO (*echa mano a la navaja.*)

Un demonio bastará,
que el brazo me ha descompuesto.

TERCER GUAPO

(*Al* SEGUNDO, *echándose ya en medio.*)

Compañero, me perdí. 4280

SEGUNDO GUAPO (*siguiéndole.*)

Ya se armó.

(*Desembozándose y presentándose a la* SALADA.)

Mala carcoma,
di, ¿me conoces? Pues toma.

(*Le tira una navajada a la cara, que no le da.*)

SALADA

Esas se dan siempre así.

(*Le entra el cuchillo junto al corazón.*)

TERCER GUAPO

¡La unción! ¡Favor! ¡Me han herido!

TABERNERO

¡En mi casa!

EL CURA

Las lió. 4285

(*Tira la guitarra y sale a escape.*)

(*Huyen todos precipitadamente, coge a* ADÁN *la* SALADA *del brazo, y salen juntos por la puerta de la trastienda.*)

ADÁN

¿Qué has hecho tú?

SALADA

¿Qué sé yo?
Corre pronto.

TABERNERO

Me han perdido.

(*Gente, justicia que acude, etc.*)

FIN DEL CUADRO

Tú el espíritu, amor, tú eres la vida[223]
de la mujer que en tu ilusión se ceba,
y halla en ti sólo su ansiedad cumplida 4290
la que tu dardo penetrante prueba;
el viento en remolinos sacudida
acá y allá inconstante el alma lleva
del hombre, y pasajero devaneo
eres no más de su primer deseo. 4295

Inmenso mar que brinda al navegante
con mansas olas y sereno viento
y una playa riquísima y distante
que ilumina a su gusto el pensamiento,
y una luz que se pierde rutilante 4300

[223] Casalduero llama muy acertadamente estas seis octavas el "Canto breve a Teresa" (véase el comentario de las mismas en su libro citado en la *Noticia bibliográfica*, pp. 134-135).

y brilla con inquieto movimiento,
glorias, tesoros, la esperanza ofrece
a su ambición que en su delirio crece.

¡Cuánto en la juventud la vida es bella!
con músicas regala nuestro oído, 4305
los ojos guía reluciente estrella,
brinda la flor aromas al sentido;
lánzase el hombre con ardor tras ella,
como al dejar el águila su nido,
buscando al sol, y con seguro vuelo 4310
volando a hallarle en el remoto cielo.

¿Quién parará su rápida carrera?
¿Quién pondrá coto a su afanar ardiente?
Corre campo a buscar como la fiera
que se lanza en el circo de repente; 4315
arrebata tal vez en su primera
locura al que opuso, indiferente
lo abandona después. ¡Ay! ¡Desdichada
la mujer que se oponga a su pasada!

Flor que arrebata de su tallo el viento, 4320
la roba enamorado y se la lleva,
bésala y acaríciala violento
con nuevo ardor y con locura nueva,
bebe su aroma de su olor sediento,
y las hojas la arranca; en ella ceba 4325
su amoroso furor, y al fin la arroja
cuando marchita y sin olor le enoja.[224]

Y sigue, y allá va, y allá se lanza,
y allá acomete, la región buscando,
que la imaginación apenas alcanza 4330
a pintarse, su vuelo remontando;
y él allá va, y ardiente se abalanza,

[224] Véase la nota 29 de *El Estudiante de Salamanca*.

cayendo y despeñado, y tropezando,
a merced de su propia fantasía,
tras la engañosa estrella que le guía.[225] 4335

CUADRO II

ESCENA PRIMERA[226]

HABITACIÓN DE LA SALADA.

ADÁN *y la* SALADA.

SALADA (*acariciándole.*)

Gachón mío, di, ¿no das
un beso a tu pobre amante?

ADÁN

¿Por qué has herido a aquel hombre?

SALADA

¿Por qué? Porque yo a mi padre
le he oído decir que aquel gana 4340
el pleito que pega antes.

[225] Compárese esta octava con los vv. 33-40 de *A Jarifa en upa orgía*, en que el poeta expresa el mismo desengaño, y que contienen la misma imagen de la "engañosa estrella":

Yo quiero amor, quiero gloria,
quiero un deleite divino,
como en mi mente imagino,
como en el mundo no hay;
y es la luz de aquel lucero
que engañó mi fantasía,
fuego fatuo, falso guía
que errante y ciego me tray.

(Clásicos Castalia, 20, p. 260.)

[226] Toda esta escena (vv. 4336-4687) fue publicada en *El Pensamiento*, 2, [31 mayo] 1841, pp. 33b-38a.

ADÁN

No sé por qué no me gusta
ver esas manos con sangre.
¡Son tan lindas! Llevar flores
mejor que un puñal les cae. 4345

SALADA

(*Con gachonería.*)

Bien puede ser, y si quieres,
tan sólo por agradarte,
nunca cogeré un cuchillo,
y aun dejaré que me maten.

ADÁN

¡Qué hermosa es!
(*Le da un beso.*)

(*La* SALADA *juega con sus rizos.*)[227]

SALADA

¡Cómo en ondas 4350
los negros rizos le caen!
Quisiera tener millones
de almas para adorarte,
y en cada cabello tuyo
enredar una. ¡No sabes 4355
cómo te amo, Adán mío!
Y en esos ojos que arden,
quisiera ser mariposa
para en su luz abrasarme.
Échate, Adán, en mi falda, 4360
así. ¿Estás bien? ¡Cuál te late
el corazón! ¿No es verdad

[227] En *El Pensamiento*: "(La da un beso.) / (La Salada se entretiene son sus rizos.)"

que es sólo mío? ¡Ah! dame
otro beso; mas ¿qué tienes?
¿No me escuchas?

ADÁN (*entre sí.*)

¿Por qué nacen 4365
pobres como yo los unos,
y nacen los otros grandes?

SALADA

¿Qué murmuras?

ADÁN

Tú que has visto
esos ricos tan galanes,
que en poderosos caballos, 4370
con jaeces tan brillantes,
galopan, o reclinados
en magníficos carruajes,
parece que se desdeñan
en su soberbia insultante 4375
de mirar a los que cruzan
a pie como yo las calles;
tú, en fin, que el mundo, aunque en vano
quisiste ayer explicarme,
mundo que en mil confusiones 4380
más me enreda a cada instante,
dime, ¿esas damas tan bellas,
con esos garbos y trajes,
viven así? Dime, ¿hablan
como nosotros? ¿Qué hacen? 4385

SALADA (*con gesto desabrido.*)

Dueño mío, somos hijas
toditas de un mismo padre,
y la mejor es tan buena
como yo, y ¡gracias!...

ADÁN

Me hablaste
de eso de un padre común 4390
también ayer.

SALADA

Son de carne
y hueso como tú y yo.

ADÁN

Es inútil que me canse:
ni yo te acierto a entender,
ni tú aciertas a explicarte. 4395
Pero dime, ¿cuáles son
sus diversiones, sus bailes,
su vida, sus alegrías,
sus casas? ¿Cómo se hace
para juntarse con ellos, 4400
con ellos vivir, hablarles,
y en lujo, poder y galas
a su grandeza igualarse?

SALADA

¿Te acuerdas, Adán, del pez[228]
dorado, que entre cristales 4405
gira admirando del sol
los rayos en que se parte,
y oyendo el rumor del aura
entre las flores suave,
embebecido en su música 4410
ansia quebrantar su cárcel
por gozar de la armonía
de luces, flores y aires?

228 Vv. 4404-4431. Véanse los vv. 4150-4169 y la nota 221.

Pues, pobre pez si cumpliera
su voluntad, que al hallarse 4415
en otro ajeno elemento
del elemento en que nace,
céfiros, luces y flores
le dieran muerte al instante.
Sueños son ésos, Adán, 4420
los que tu mente distraen,
aire que anhelas coger,
porque los sueños son aire.
Entre esas gentes altivas
quien más de nosotros vale 4425
no alcanza sino desprecios
en premio de su donaire.
Nuestros enemigos son,
y el modo de ser iguales,
es en la misma moneda 4430
en que nos pagan, pagarles.
Y piensa… pero no quiero
pensar en ello, ni caben
pensamientos de otro amor
en tu corazón de ángel; 4435
pero… si acaso esas damas…,

(*Con ira celosa.*)

las de las blondas y encajes…
tal vez… si tú en tu delirio
dc mí olvidado… no sabes,
Adán, de lo que es capaz 4440
una mujer por vengarse;
pero no, no, no es verdad,
tu amor es mío. Adán, dame
mil besos, uno tan sólo
que mis inquietudes calme. 4445

ADÁN

Puede ser; pero ¿por qué
riquezas que son palpables,
galas que miran mis ojos,

no han de estar nunca a mi alcance?
tanta ansiedad me fatiga, 4450
mil pensamientos combaten
dentro de mí, pasan, huyen...[229]
un beso, mi bien.

(*Le besa la* SALADA *con amor.*)

Regale
tu boca mi corazón;
y entre tus brazos descanse 4455
de tanto afán.

(*Se duerme.*)

(*La* SALADA *le contempla dormido con ternura íntima, y le hace aire con un abanico, mientras le guarda el sueño. Besa de cuando en cuando la frente hermosa y serena de* ADÁN, *y le separa los rizos que el aire suele traer a vagar sobre ella.*)

SALADA

Se ha dormido.
¡Qué hermoso es! ¡Qué suaves
sobre sus cerrados ojos
las negras pestañas caen!
¡Cómo respira! No hay flores 4460
que tan rico olor exhalen
como para mí su boca.
¡Cómo en su frente se esparce
tanta belleza, reunida
a tan varonil y grave 4465
majestad! ¡Qué diferente
de los otros hombres! ¡Nadie
más feliz que yo!... ¡Amor mío!
¡Ah! ¡Déjame que te ame

[229] Después del v. 4452, en *El Pensamiento* hay estos dos versos suprimidos (probablemente por la asonancia) en la edición de 1841;
Confúndense... tengo sueño...
¿Por qué son mis enemigos?

toda mi vida, y me muera, 4470
mi bien, así, contemplándote!
Pero ¿por qué esta zozobra
con que el corazón me late?
¿Por qué de súbito siento[230]
ira y locura, y matarle, 4475
a veces cuando le miro,
quisiera, y luego matarme
a mí también? ¿Porque sea
mío sólo? ¿Quién robarme
mi dicha y su amor intenta? 4480
Él es mío, no ama a nadie,
ni puede amar sino a mí,
a mí sola, a mí. ¿Y quién sabe
si siempre así me amará?
¡Oh! ¡El corazón se me parte 4485
de sólo dudarlo! Entonces...
¡Triste la que me arrebate
su corazón! ¡Oh! ¡Morir
sólo me queda en tal trance!
¡Matarle y morir, y luego 4490
idolatrar su cadáver!
¿Y qué mujer de mis brazos
será capaz de robarte,
Adán mío?

(*Con ternura.*)

¡Cómo suda!

(*Le enjuga la frente con un pañuelo blanco.*)

¡Oh! Sean mis manos cárcel 4495
de ese corazón que es mío;
que no me lo robe nadie.

(*Le pone ambas manos sobre el pecho, como para aprisionarle el corazón.*)

230 Vv. 4474-4482 *El Pensamiento*: "¿Por qué de súbito siento / ira y locura y a veces / intenciones de matarle / y matarme? ¿Por qué sea / mío sólo? ¿Quién intenta / mi dicha y su amor robarme? / Él no ama sino a mí,".

¡Oh! Deshojad sobre su frente flores
del noble mozo en su primer mañana,
guardad su sueño, amores, 4500
mimad conmigo su beldad temprana,
dejadme en mi alegría
cuidar yo sola de la flor que es mía.

ADÁN (*despierta.*)

¡Qué calor! ¿Dónde estoy?

SALADA

Aquí, bien mío,
¿no me ves? A mi lado.

ADÁN

¡Oh! Sí, soñaba, 4505
pero un sueño tan dulce, un desvarío
tan alegre, que el alma me robaba.

SALADA

(*Reconviniéndole dulcemente.*)

No hay sueño alguno por feliz que sea,
que yo no cambie por mirar tus ojos,
y tú el sueño al dejar que te recrea, 4510
viéndome al despertar sientes enojos.

ADÁN

Era un sueño... Sabrás, hermosa mía,
que era una tarde en el florido abril,
cuando viste del campo la alegría
hojas al bosque, flores al jardín. 4515

Vagaba solo yo por la ribera
del Manzanares; lo que fue de ti
no sé, Salada mía, ni siquiera
cómo yo solo me encontraba allí,

cuando de pronto a la azulada cumbre 4520
de un monte lejos me sentí volar,
y un hilo suelto al aire en viva lumbre
vi antes mis ojos fúlgido ondear.

Yo asido al hilo trepo a la montaña.
¡Oh! ¡Cuánto entonces a mis plantas vi! 4525
¡Cuántos acentos y algazara extraña
alzarse alegre de repente oí!

Haciendo generosa gentileza,
cien caballeros rápidos pasar,
ágiles vi, domando la fiereza 4530
de sus caballos que al galope van;

y entre la luz de remolinos de oro
que deslumbran los ojos como el sol,
mujeres, de beldad rico tesoro,
brindando glorias y vertiendo amor; 4535

y danzas, juego, y algazara y vida,
magnífico tropel y movimiento,
riqueza abandonada y esparcida
cuanta puede crear el pensamiento.

Y yo también con ellos me juntaba, 4540
y con oro y con trajes de colores
ya cual aquella gente me adornaba,
y era también señor entre señores.

Y también mis caballos a mi brío...

SALADA

¡Y ni un recuerdo para mí entretanto, 4545
ni un recuerdo guardabas, Adán mío,
a esta pobre mujer que te ama tanto!

ADÁN

Y en un caballo con la crin tendida,
la cola suelta, vagarosa al viento,
y la abierta nariz de fuego henchida, 4550
en alas iba yo de mi contento.

Y zanjas, montes, valles y espesuras,
y ramblas, y torrentes traspasaba,
y otros montes después, y otras llanuras,
y nunca fin a mi carrera hallaba. 4555

Y siguiendo a mi loca fantasía,
jinete alborozado en mi bridón,
latiendo de entusiasmo y de alegría,
mi anhelo redoblaba su furor.

Mi frente sudorosa palpitando, 4560
azotaba mi rostro el huracán,
mis ojos fuego en su inquietud lanzando,
campo adelante devorando van.

¡Oh! ¡Qué placer! En medio al torbellino,
oír el trueno y rebramar el viento, 4565
siguiendo en polvoroso remolino
el ímpetu veloz del pensamiento,

y en incesante vértigo y locura,
desvanecida en confusión la mente,
¡cuánto el deseo y la ilusión figura 4570
arrojarse a alcanzarlo de repente!

¡Oh! Yo entendía voces y cantares,
y vi mujeres ante mí volar,
y atrás quedaban gentes a millares,
y encontraba otras gentes más allá. 4575

¡Oh! Si me amas, si tu amor es cierto,
llévame al punto donde yo soñé:

¡Un caballo! ¡Un caballo! ¡Campo abierto!
Y déjame frenético correr.

Viento que en torno de mi frente brame, 4580
rayos que sienta sobre mí tronar,
triunfos, y glorias, y riquezas dame
que derramen mis manos sin cesar.

SALADA

¡Oh! ¡Adán! ¡Adán! ¡Tu corazón no es mío!
¡Oh! Tu ambicioso corazón delira, 4585
¡ay, que me lo robó tu desvarío,
y por sólo mi amor ya no suspira!

Pobre mujer, ¿qué puedo yo ofrecerte,
ni qué te puedo en mi desdicha dar?
Ten compasión de mí, dame la muerte, 4590
¡oh! No me dejes sin tu amor llorar.

¡Ah! Dime ¿dónde, dónde yo podría
hallar esas venturas para ti?
¿Dónde? Mas ¡ah! que la desdicha mía
¡en mi impotencia me arrojó a morir! 4595

Jamás, jamás, Adán, nunca hasta ahora
mi bajeza en el mundo he conocido,
mi corazón que desgarrado llora
¡tan amargo dolor nunca ha sentido!

¡Oh! ¿Qué me da mi condición villana? 4600
despreciable mujer, juguete vil,
arrojada en el mundo una mañana
cuando la luz entre miserias vi,

cuando entre bosques que el viajante ignora
mi madre moribunda me parió, 4605
nacida al mundo en maldecida hora,
¡fruto podrido, hija de un ladrón!

¿Sabes, Adán, lo que le guarda el mundo
a la que nace como yo nací?
En una cárcel un rincón inmundo, 4610
y un hospital quizá donde morir,

una belleza, infame mercancía,
que una pobre mujer por oro trueca,
y gozando en su propia villanía
un corazón que el infortunio seca; 4615

y en pecado y vergüenza concebida,
y en la frente el escándalo, marchar
a abrirse campo en su azarosa vida
con lucha eterna e incesante afán.

¡Miserable de mí! ¡Yo había vivido 4620
contenta con mi orgullo en mi bajeza!
Tú no lo sabes, pero tú has herido
un alma, en fin, que a comprenderse empieza.

Tú, Adán mío, sin querer has hecho
pedazos mi amargado corazón, 4625
perdida ya la que guardó mi pecho
ilusión dulce de un dichoso amor.

¡Oh! ven acá, te estreche entre mis brazos;
déjame en mi dolor llorar así.
¡Fueran, Adán, eternos estos lazos, 4630
y yo llorara en mi aflicción feliz!

¡Déjame que te bese con locura!
¡déjame que te apriete al corazón!
No sé qué voz secreta en mi amargura,
Adán, me dice que a perderte voy. 4635

¡Perderte! ¡Y para siempre! ¿Y yo que nada
quiero ya, sino a ti, voy a perderte?
Déjame así morir, así abrazada,
¡muriendo yo bendeciré mi muerte!

Mira, Adán mío, alma de mi vida, 4640
yo no soy más que una infeliz mujer,
pobre en el mundo, una mujer perdida,
con sólo desventuras que ofrecer.

No tengo nada; ¡pero te amo tanto!
¡Tengo un tesoro para ti de amor! 4645
¡Oh! No me dejes, muévate mi llanto,
muévate mi afligido corazón.

¡Oh! ¡No me dejes! Y pues ansías oro
y dichas que no alcanzo a darte yo,
el mundo te prodigue su tesoro, 4650
y yo, tu esclava, te daré mi amor.

Yo sufriré en silencio tus desvíos,
yo, tu criada, partiré tu pan,
y una mirada dc esos ojos míos
hará mi dicha, premiará mi afán. 4655

¡Ah! ¡No me dejes nunca!

ADÁN

¿Yo dejarte?
¿Y para qué, y por qué? ¡Tú, mi querida!
¿Ni cómo, aunque quisiera abandonarte
juntos tú y yo lanzados en la vida?

Tu desdicha en tus quejas adivino. 4660
¿Y habrá de ser eterno tu dolor?
¡Qué poderosa mano a ese destino
para siempre, Salada, te amarró!

¡Oh! En esas tierras donde yo soñaba,
allí, do todo es gloria y placer, 4665
allí, do nunca de gozar se acaba,
ven, mi Salada, ven y te amaré.

Un caballo, un camino, y a ese cielo
yo escalaré; yo siento dentro en mí
fuerza bastante en mi ambicioso anhelo 4670
para cambiar, ¡quién sabe!, el porvenir.

SALADA

(*Dejándose arrebatar del entusiasmo de* ADÁN.)

¡Juntos! ¡Juntos los dos! ¡Oh!, sí marchemos,
rompamos del destino las cadenas.
El mundo no es Madrid, juntos volemos
a otras gentes hallar y otras escenas. 4675

¿Qué, a dondequiera llevaré en mi frente
grabado el sello de vergüenza? No,
que en otras tierras, y entre nueva gente
ennoblecida brillará en tu amor.

Huyamos, sí, de la laguna impura 4680
donde entre cieno sin tu amor viví,
huyamos a esas tierras de ventura
que a entrambos nos ofrece el porvenir.

¡Gracias! ¡Gracias! Amor, bendito seas,
que mi bajeza me revelas tú; 4685
huyamos luego, Adán, donde deseas,
A otro país que alumbrará otra luz!!

ESCENA II

DICHOS *y el* CURA. (*Poco después hasta seis hombres de malas cataduras y modales rústicos.*)

EL CURA (*frotándose las manos.*)

¡Albricias! ¡No hemos salido
de mala! Por la tetilla
derecha le entró, y si acierta 4690

a entrarle más una línea,
Pax Christi.

ADÁN (*aparte a la* SALADA.)

No sé por qué
me irrita sólo la vista
de ese sapo.

SALADA

Adán, huyamos. (*Aparte.*)
¡Y yo contenta vivía! 4695

EL CURA (*con tono truhanesco.*)

Vive Dios, señor Adán,
que tiene usted una niña
que da la vida a un cristiano,
lo mismo que se la quita,
tan buena para un barrido
como un fregado. ¡Que vivan 4700
esos ojuelos que matan,
princesa, y esas manitas!

ADÁN (*con impaciencia.*)

¡Ea! Basta; ¿qué queréis?

EL CURA

Si incomoda mi visita 4705
me iré; mas ya me hago cargo,
la gente se divertía
como Dios manda: ¡solitos!
¡El demonio me maldiga!
Mas siento yo interrumpir... 4710
Pero... vamos... yo creía
que para todo había tiempo...
Luego como corre prisa
nuestro negocio, y los otros

van a acudir a la cita... 4715
Y según me han dicho, usted
es también de la partida...
Yo, por eso... La señora
que me conoce hace días
sabe muy bien que no soy 4720
yo mosca nunca; en mi vida
la he estorbado para nada...
Cada cual allá se avía,
y a vivir. ¿Qué, no es verdad,
señora Salada?

SALADA (*aparte*)

Grima 4725
me da de oírle.

EL CURA

Lo otro
no es cosa que a usted le aflija:
el ya habrá muerto a estas horas,
y la señora justicia,
como no sabe quién fue 4730
quien le apagó, ni en su vida
sabrá tampoco a quién tiene
que acudir, queda *per istam*;
aquí no hay nada que hacer
sino apandarse unos días, 4735
y aguardar que Dios mejora
sus horas. Tiberio viva,
y el pan a dos cuartos. ¡Prenda!,

(*Acercándose al oído con instancia y picardihuela.*)

vamos, una preguntilla:
¿Qué le ha dado usté al mocito 4740
que está que parece quina?

SALADA (*con desabrimiento.*)

Oiga usted, padre curiana,
a un ladito, que me tizna.

(*Entran los seis.*)

PRIMERO

La paz de Dios, caballeros.

(*Van entrando; unos se sientan, otros se quedan de pie, algunos sacan tabaco.*)

EL CURA

Ya está la gente reunida. 4745

(*Da un silbido y se asoma a una reja, adonde acude un chico con quien habla.*)

Pupas, ya sabes la seña,
corre a tu puesto y avisa.

SEGUNDO

¿Con que es la cosa esta noche?

TERCERO

(*Al* PRIMERO, *señalando a* ADÁN.)

¿Es éste el mocito, Chispas,
que recomendó su padre? 4750

PRIMERO

Pues, el mesmo.

CUARTO

A Saladilla
el diablo le ha vuelto el juicio.

TERCERO

Padre cura, ¿qué noticias
tiene?

EL CURA

Muchas y muy buenas.

PRIMERO

Pues desembuche.

QUINTO (*señalando a* ADÁN.)

La pinta 4755
es de un elefante en leche.
Mocito, ¿hay ánimo?

ADÁN

Y diga,
¿para qué me ha de faltar?

SEXTO

Como es la primera cabrita
que desuella…

ADÁN

La primera 4760
vez que he pensado en mi vida,
pensé alcanzar con la mano
donde alcanzaba la vista.

PRIMERO

Bien dicho.

(EL PADRE CURA, *entretanto, ha estado hablando a los otros.*)

CUARTO

¿Y en eso está?

EL CURA

Luego que quedó Chiripas 4765
en abrir por la cochera
y darnos entrada arriba,
dije para mi capote,
recemos la letanía,
y entonemos un *Te Deum*, 4770
porque la ocasión la pintan
calva, y para sosegar
mi conciencia dije a un quídam
que en la taberna de enfrente
estaba, que hiciese esquina 4775
sin quitar ojo a la casa,
y pagara por Chiripas
cuanto bebiese, que yo
esta noche volvería
con mi guitarra y mi acólito 4780
a echar cuatro seguidillas
y alegrar el barrio.

TERCERO

Y oiga,
¿entra en el ajo Chiripas?

EL CURA

Él, como es natural,
no quiere que nunca digan 4785
que fue capaz de vender
ni hacer una alevosía
a la que le da su pan:
eso no, bueno es Chiripas...
No digo yo a su ama, a nadie 4790
hará una mala partida.

PRIMERO

Y hace bien.

EL CURA

Pero es distinto
que en estando ya dormida
la gente que entréis vosotros
y le atéis, y luego os sirva, 4795
llevándoos sin hacer ruido,
ni ver a nadie, a la misma
alcoba donde su ama,
que no espera la visita,
dormirá; y así ha quedado 4800
en que la cosa se haría,
para no tener que ver
después él con la justicia,
cumplir como buen criado
y hombre de bien. Yo en la esquina 4805
mientras, haré la deshecha
y allí con mi guitarrilla,

(*Hace gestos de jaleador.*)

y cuatro coplas, y alza
que te se ve hasta la liga
y toma y vuelve por otra; 4810
tendré la gente reunida
de la calle, por si acaso
cacarea la gallina,
que no se oiga y que en paz
vosotros hagáis la limpia 4815

TERCERO

¿Y habrá fango?

EL CURA

Hasta los codos.
Es la condesa de Alcira
viuda con muchos millones,
y alhajas y piedras finas,
y más condados y rentas 4820
y tierras que el mapa pinta.

PRIMERO

Moneda acuñada, padre,
y déjese de baratijas.

SEGUNDO (*refregándose las manos.*)

¿Y es buena moza?

TERCERO

Me gusta
la pregunta; que sea rica 4825
y haya donde entrar la mano,
y más que tenga comida
la cara de lamparones.

ADÁN (*con interés.*)

¿Y es de esas damas que habitan
palacios?

EL CURA

Uno tan grande 4830
que en entrando no se atina
a salir; pero no hay miedo,
que para eso está Chiripas,
el lacayo incorruptible
y fiel, que hallara salida 4835
al laberinto de Creta.

(*Se va haciendo de noche. La* SALADA *entra con un velón encendido.*)

ADÁN

¿Tendrá coches?

EL CURA

Y berlinas,
y cabriolés, y oro y plata
más que producen las Indias.

PRIMERO

¡El chivato![231] De oírlo sólo 4840
los ojos se le encandilan.

LA SALADA (*aparte.*)

(*Con los ojos llenos de lágrimas.*)

¡Pobre de mí!

PRIMERO

Chica, ¿lloras?

SEGUNDO

¿Por qué llora usted, mi vida?

ADÁN (*sin reparar en ella.*)

Vamos pronto, vean mis ojos
cuanto vio mi fantasía; 4845
toquen mis manos en fin
los sueños de mi codicia.

TERCERO

Buen pollo; que a éste le pongan
donde haya.

[231] Véase la nota 210.

PRIMERO

Bien se explica.

SEGUNDO (*a la* SALADA.)

Pero ¿por qué llora usted? 4850

PRIMERO

Cosas de mujeres.

QUINTO

Niña,
¿le duele a usted algo?

SALADA

El alma
y el corazón; Adán, mira,

(*Se adelanta con energía a* ADÁN.)

¿ves estas lágrimas? Son
las primeras que en mi vida 4855
me ha hecho derramar un hombre;
no hagas tú que mi desdicha
se trueque en rabia y se cambie,
Adán, mi ternura en ira.
No quiero, no, tú no irás 4860
porque yo no quiero.

EL CURA

¡Chispas!
¡Qué mala hierba ha pisado
la mocita!

SALADA

Tú imaginas
que esa mujer es hermosa.
¿Pensabas que yo querría, 4865

que lo imagino también,
dejarte ir? ¡Ah! ¿Tú olvidas
que yo te amo y te finges
ilusiones y alegrías
en otra parte, sin mí, 4870
con otra mujer? ¿La hija
del ladrón cambiar presumes
con desprecio por la altiva
condesa, por la señora
que arrastra coche? Deliras. 4875
Sí, tú te has dicho a ti mismo:
es una mujer perdida;
la que ha nacido en el fango,
que llore en el fango y viva.
Tú has olvidado mi amor, 4880
mi delirio, mis caricias...
¡Ingrato! Que sin tu amor,

(*Con ternura y saltándosele las lágrimas.*)

sin ti detesto la vida,
que no tengo más que a ti,
que te amo. ¡Oh! de rodillas 4885
yo te lo ruego, Adán mío,
no vayas, te lo suplica
tu pobre Salada; no...
perdona, Adán, alma mía,
no vayas, no; el corazón 4890
me da que alguna desdicha
nos va a suceder... No vayas.
¿No harás lo que yo te pida?

ADÁN

¿No ir? Salada, ¿no ir yo?
¿Cuando fortuna me brinda, 4895
y en realidades mis sueños,
en verdad mi fantasía
trueca? ¿Quién? ¿Yo, yo no ir?
¿Yo no ir...? Tú desvarías.

PRIMERO

Pero ven acá, ¿tú quieres 4900
que tu galán sea un gallina?

SALADA

¿Tú a qué has de ir? Si supieras,
Adán mío, cuán ïndigna
hazaña van a emprender
estos hombres, ¡ah!, tú huirías 4905
de ellos. Tu corazón
noble, di, ¿no te avisa
de la bajeza del hecho?

EL CURA

Vaya una rara salida.
El demonio predicándonos 4910
un sermón de moralista.

ADÁN

Mira, Salada, no sé
si la acción que se medita
es buena o mala, ni entiendo
qué es mal ni bien todavía. 4915
Yo allá voy. Cualquiera sea
el hecho, dicha o desdicha
nos traiga, yo he de seguir
la inspiración que me anima.
¿Acaso he nacido yo 4920
para vivir en continua
agitación? ¿No podré
seguir a mi fantasía
jamás? No, Salada [mía];[232]
glorias y triunfos me pinta 4925

232 Restablecemos, como en todas las eds. póstumas, la palabra "mía", que falta en la ed. de 1841.

mi deseo; la fortuna
a mi anhelo campo brinda
donde cumplirlo. Yo quiero
ver, palpar cuanto imagina
mi mente; de una ojeada 4930
ver todo el mundo que gira
a mi alredor. Allí luego
tú vendrás, donde yo elija
un sitio para los dos.
¡Oh! Si me amaras, tú misma 4935
me llevarías. —¿Y quién
habrá jamás que me impida
volar donde yo desee?
¡Fuera injusto! Y romperían
mis manos, sí, las cadenas 4940
que aprisionaran mis iras.

PRIMERO

Bien dicho.

SALADA (*con mimo.*)

Dime, Adán mío,
¿me amas? ¿por qué te irritas?
¡Oh! ¡No te enojes conmigo!
Dame un beso, una caricia. 4945
Ya que te empeñas en ir...
Otro beso. ¿No podrías
ir otra vez, dueño mío,
dejarlo para otro día?
Las horas se me hacen siglos 4950
sin ti, todo me fastidia.
¡Yo que pensaba esta noche
pasarla en tu compañía
tan feliz, y acariciarte
tanto! No hay mayor desdicha, 4955
tú ya lo sabes, Adán,
que una esperanza fallida.
Si te vas, ¿qué haré? Llorar.

Otro beso. No hay delicia
igual: los dos aquí solos 4960
entre amores y caricias
corriendo las horas. Yo
te contaré mis fatigas,
mi amor cuando estabas preso.
¡A ti no te cansa oírlas! 4965
¿No es verdad, mi bien? ¡Ah! dame
otro beso...

ADÁN (*conmovido*.)

¡Vida mía!,
no llores, no; yo te amo...
Yo haré lo que tú me pidas.

TERCERO

Eso es, ya está hecho un mandria. 4970

SEGUNDO

¡Y lo que sabe la indina!...

EL CURA

Señores, aquí se quede
el que quiera, que maldita
la falta que nadie hace.
Nuestra condesa de Alcira 4975

(*Con intención a* ADÁN)

nos aguarda con sus coches,
su palacio y joyerías.
Nosotros vamos allá.
Con que, amigo, hasta la vista.

(*Dándole a* ADÁN *en el hombro*.)

SALADA

¡Maldita sea tu lengua 4980
que me arrebata mi dicha!

ADÁN

¡Oh, es verdad! y yo olvidaba...

SALADA (*arrojándose en sus brazos.*)

¡Adán mío!

ADÁN (*con aspereza.*)

Mujer, quita.

(*Se arranca de ella; la* SALADA *cae desplomada de dolor en una silla. Salen los bandidos, y* ADÁN *el primero.*)

FIN DEL CUADRO

CANTO VI

Era noche de danza y de verbena
cuando alegra las calles el gentío 4985
y en grupos mil estrepitosos suena
música alegre y sordo vocerío.

Sonó pausada en el reló la una,
la paz reinaba en el sereno azul;
bañaba en tanto la dormida luna 4990
las altas casas con su blanca luz.

Y en un palacio, alcázar opulento
de soberbia fachada, en un balcón
penetraba su rayo macilento,
entreabierto el cristal por el calor. 4995

Lámparas de oro, espejos venecianos,
áureos sofás de blanco terciopelo,
sillas de nácar y marfil indianos,
los pabellones del color del cielo,

caprichos raros de la industria humana, 5000
relieves y elegantes doraduras,
jarrones de alabastro y porcelana,
magníficas estatuas y pinturas,

ornan confusas la soberbia estancia
que allá se pierde en mágica crujía, 5005
salones tras salones, y a distancia
se abre de mármol ancha gradería,

y allá a un jardín, mansión encantadora
de las fadas conduce, y mil olores
esparce en los salones voladora 5010
la brisa que los roba de las flores.

¿Quién la deidad, el ídolo dichoso
de aquel templo magnífico será?
¡Templo soberbio, alcázar grandïoso
que con oro amasó la vanidad! 5015

Bella como la luz de la serena
tarde que a la ilusión de amor convida,
el alma acaso de amarguras llena,
hermosa en el verano de la vida,

una mujer dormida sobre un lecho[233] 5020
riquísimo allí está, los brazos fuera;

[233] J. M. Cabezalí, en su artículo "Gestos en Espronceda" (*Rev. de Est. Extremeños*, 1957, pp. 14-15, nota 37) ha subrayado el parecido de este retrato de la mujer dormida con el siguiente párrafo del cap. XX de *Sancho Saldaña*: "Saldaña reposaba entonces, si puede decirse que reposa el que en su sueño no halla descanso para su espíritu [...] su cabeza, que en la agitación de un sueño había cambiado varias veces de sitio sin encontrar nunca la comodidad que buscaba, estaba caída fuera de la almohada al borde de la cama, reclinada sobre su pecho, y su frente arrugada, sobre la cual caían algunos mechones de pelo, [...] y su respiración anhelosa probaban que estaba muy lejos de gozar en su sueño de tranquilidad. Su brazo derecho colgaba desnudo al suelo, mientras, tirado atrás el izquierdo, le caía doblado sobre la cabeza, y su cuerpo, torcido en una posición bastante penosa, le hacían que casi descansase sobre su herida, lo que tal vez era causa en parte de la pesadilla que le fatigaba". (B.A.E., t. LXXII, pp. 386b-387a). A pesar

palpítale desnudo el blanco pecho,
vaga suelta su negra cabellera;[234]

la almohada a un lado, la cabeza hermosa
en un escorzo lánguido caída, 5025
turbios ensueños a su frente ansiosa
vuelan tal vez desde su alma herida.

Una velada lámpara destella
su tibia luz en rayos adormidos,
en desorden brillando en torno de ella 5030
mil lujosos adornos esparcidos:

aquí un vestido de francesa blonda,
la piocha allí de espléndidos brillantes,
la diadema de piedras de Golconda,
sobre el sofá los aromados guantes, 5035

de flores ya marchita la guirlanda,
allí sortijas de oro y pedrería,
arrojada en la alfombra rica banda
bordada de vistosa argentería...

Bandas, sortijas, trajes, guantes, flores,[235] 5040
no os quejéis si os arroja con desdén:
¡El placer, la esperanza y los amores
ella arrojó del corazón también!

¡Ay! que los años de la edad primera
pasaron luego y la ilusión voló, 5045
y al partirse dejó la primavera
al sol de julio que agostó la flor.

---

de la diferencia de la situación en que se encuentran ambos personajes (Saldaña sufre de una herida, mientras la condesa padece un tormento moral y sentimental) hay en Espronceda cierta complacencia en este tipo de descripción, como lo subraya acertadamente Cabezalí.

234 Véase la nota 173.

235 Este retrato sicológico de la condesa de Alcira recuerda el que dio de sí mismo el poeta en *A Jarifa en una orgía* y en *A*[xxx] *dedicándole estas poesías* (Clásicos Castalia, 20, pp. 259-265.)

Y al alma sólo le quedó un deseo
y un sueño le quedó a su fantasía,
loco afán y engañoso devaneo 5050
que en vano en este mundo hallar porfía;

y el corazón que palpitaba ufano,
henchido de esperanza y de ventura,
donde placer halló, lo busca en vano,
perdida para siempre su frescura; 5055

y en vano en lechos de plumón mullidos,
en rica estancia de dorado techo,
se reclinan sus miembros adormidos
mientras despierto la palpita el pecho,

y en él inquieto el corazón se agita, 5060
y un tropel de deseos y memorias
su mente a trastornar se precipita
volando ansiosa tras mentidas glorias;

y en vano busca con avaro empeño
paz para el corazón en sus rigores; 5065
sus ojos cerrará piadoso el sueño,
pero no el corazón a sus dolores.

Despierta cuenta con mortal hastío
las horas en su espléndida mansión,
lánzase al mundo y con afán sombrío 5070
huye otra vez de su enojoso ardor.

Todo le cansa, en su delirio inventa
cuanto el capricho forja a su placer;
y ya cumplido, su fastidio aumenta
y arroja hoy lo que anhelaba ayer. 5075

¡Oh! ¡Que no hay artífice en el mundo
que sepa fabricar un corazón,
ni sabio hay, ni químico profundo
que encuentre medicina a su dolor!

Los trajes, bandas y aromosas flores, 5080
aquellos oros por allí esparcidos,
extranjeros riquísimos primores
a que eligiese a su placer traídos,

violos apena y arrojólos luego
acá y allá lanzados con desdén; 5085
que harta su alma y el sentido ciego
todo le cansa cuanto en torno ve.

Y duerme ahora, y su entreabierta boca,
donde entre rosas se entrevé el marfil,
respira del afán que la sofoca 5090
fuego que el corazón lanza al latir;

sus labios mueve y en su hermosa frente
rasgos inquietos crúzanse en montón,
cual detrás de la nube transparente
sus rayos lanza moribundo el sol; 5095

y acaso entre una lánguida sonrisa
resbalar una lágrima se ve,
cual suele al movimiento de la brisa
diáfana gota por la flor correr.

¿Por qué esa angustia y respirar violento? 5100
¿Por qué soñando con dolor suspira?
Tan hermosa y con tanto sentimiento,
¡ay! ¿por qué al corazón lástima inspira?

Un hombre en tanto de feroz semblante,
de repugnante y rústico ademán, 5105
y en la diestra un puñal, con vigilante
faz cuidadosa y temeroso andar,

súbito entró en la estancia y silencioso
a la dormida dama se acercó,
contemplóla un momento receloso 5110
y por sus pasos a salir volvió.

"Duerme como un lirón", dijo en voz baja
a otros que afuera y en aguardo están;
y añadió, mientras cierra su navaja:
"Manos pues a la obra y despachar." 5115

Y con destreza y silencioso tino
abren y descerrajan a porfía,
alegre el corazón del buen destino
que sus intentos favorece y guía;

y aquí amontonan, y acullá recogen, 5120
rompen allí y arrojan con desdén,
y aquí los unos con cuidado escogen,
despedazan los otros cuanto ven;

y con ansia brutal oro buscando
con insaciables ojos la codicia, 5125
riquezas y tesoros anhelando,
riquezas y tesoros desperdicia.

Estremécese el alma al menor ruido
de temeroso sobresalto llena;
páranse un punto, aplican el oído 5130
y vuelven otra vez a su faena.

Y en medio a su azaroso y mudo empeño
rompe el silencio súbito rumor,
y vuelven todos con airado ceño
los ojos con afán donde sonó; 5135

y lleno de infantil sandia alegría
miran a Adán que escucha embelesado
la estrepitosa súbita armonía
que oculta en un reló de pronto hallado.

De gozo el alma y de esperanzas llena 5140
y ávido de sorpresa el corazón,
indiferente actor de aquella escena,
registra todo con pueril candor.

Y aquí contempla y palpa los colores
del rico pabellón de oro bordado, 5145
allí admira los nítidos primores
del limpio nácar y el marfil labrado;

más allá en la pared le maravilla
aparecida mágica figura,
en cuyos ojos animados brilla 5150
cándida luz de celestial dulzura,

formas aéreas que copió en el cielo
la mente de Murillo y Rafael,
Virgen divina, celestial consuelo
que trasladó a la tierra su pincel. 5155

Y un caballero vio que le miraba
que vivo allí lo trasladó Van Dyck,
que altivo y con desdén le contemplaba
de noble aspecto y ademán gentil;

y el tierno amor que el rostro de hermosura 5160
de la Virgen purísima le inspira,
trocó luego el orgullo, la bravura,
del caballero aquel que adusto mira.

Intrépidos en él clavó sus ojos
brillantes de belleza y juventud, 5165
y provocar queriendo sus enojos,
llegóse a él y le acercó la luz.

Tocóle en fin e imaginóse luego
que sombra nada más la imagen era,
y al irse despechado y con despego, 5170
lanzó al retrato una mirada fiera,

y volviendo la espalda vio arrogante
un mancebo galán que hacia él venía,
de negros ojos y gentil semblante,
que al suyo reparó se parecía; 5175

y sonrióse, y vio con gusto extraño
su figura airosísima allí dentro,
que tan terso cristal de aquel tamaño
nunca hasta entonces la copió en su centro.

Y alegre el corazón miróse al punto, 5180
de sí agradado, y reparó en su traje,
y volviendo al retrato cejijunto,
luego lo comparó con su ropaje;

y parecióle que mejor cayera 5185
aquel vestido en él que el que tenía,
y mejor que su daga considera
aquella larga espada que ceñía.

Y una ninfa después, blanca y desnuda,
al aire ve que suelta se desprende,
gentil guirnalda que su salto ayuda 5190
en sus manos purísimas suspende,

suavísima figura y hechicera
en escogido mármol de Carrara,
que al aire desprendida va ligera,
el juicio pasma y los sentidos para. 5195

Todo lo mira Adán, todo lo toca,
todo lo corre con prolijo afán,
y allá en los sueños de su mente loca
ser gran señor imaginando está,

y carrozas, y triunfos, y contentos, 5200
raudos caballos de indomables bríos,
y raros y magníficos portentos
brindan a su ansiedad sus desvaríos.

Y esto deja entretanto, aquello toma,
destapa un pomo de dorada china, 5205
viértese encima su fragante aroma,
allá a otro objeto su atención inclina,

toca y enciende un rico pebetero,
báñase en ámbar súbito la estancia;
y en un sillón sentándose frontero 5210
gózase en su dulcísima fragancia.

Más allá relumbrante joyería
sobre una mesa derramada está,
y se prende una flor de pedrería;
luego al espejo a contemplarse va, 5215

niño inocente que encantado vaga
en medio al crimen que acompaña ciego,
que cuanto en torno ve todo le halaga
y a todo codicioso acude luego;

que de la cárcel a los dulces lazos 5220
pasó encantado en su primer amor,
y la bella Salada entre sus brazos
enamorada de él le aprisionó;

que luego el mundo apareció a sus ojos
adornado de gala y de alegría, 5225
y su vista creó nuevos antojos,
nuevos ensueños que gozar ansía;

y libre allí cual caprichoso niño,
que alegre corre y libre se figura
si burló acaso el maternal cariño 5230
y por campo y ciudad va a la ventura,

así la dulce libertad sentida,
Adán huyó de su infeliz manola;
y allí en su gozo embebecido olvida
la que le llora enamorada y sola; 5235

y así mirando y revolviendo todo
párase ante un magnífico reló
y de gozarlo imaginando modo
toca, y la oculta música sonó.

Al impensado estrépito los ojos 5240
volvieron todos, y mirando a Adán
saltaron a sus rostros los enojos
y aun alguno echó mano a su puñal.

"Clávale ahí, maldita sea la hora
que ese menguado con nosotros vino." 5245
—"Por poco, señor Curro, se acalora",
repuso Adán mirando al asesino,

y con sereno rostro y con desdeño
señalando al puñal se sonrió,
dobló el bandido a su sonrisa el ceño 5250
y colérico a herirle se arrojó.

Trabárase la lid sin un alarido,
un agudo chillido penetrante,
parando el movimiento al forajido[236]

"Alto —dijo, volviéndose—, hablar quedo; 5255
voy a tapar la boca a esa mujer;
nadie se mueva, no hay que tener miedo;
hacer el hato vivo y recoger."

—"¡Favor, favor!", con afanoso acento
una mujer en su desorden bella, 5260
súbito en el salón falta de aliento,
y que en sus propios pasos se atropella,

preséntase, y mirando a los bandidos
siente la voz helársele y suspira,
y piedad implorando entre gemidos 5265
los bellos ojos temerosos gira,

236 El cuarto verso de esta estrofa falta en todas las ediciones. Pero en la primera (1841) no lo sustituye una línea de puntos como en las modernas: por eso pensamos que fue omitido en la primera impresión de este canto.

ojos que vierten lágrimas que velan
su clara luz, realzando su ternura,
mientras suspiros de sus labios vuelan
con fatiga que aumenta su hermosura; 5270

y mientras caen los agitados rizos
que la sofocan a su ansiosa faz,
aumenta en su congoja sus hechizos
la blanca mano que a apartarlos va;

y su voz, que se ahoga entre suspiros, 5275
simpática enternece el corazón,
esos suaves, regalados tiros
que al corazón de Adán lanza el amor.

Sintió piedad mirándola afligida,
que era su hermoso rostro como el cielo 5280
cuando, si llueve en la estación florida,
colora el sol el transparente velo.

¿Qué ciegos ojos la beldad no encanta?
¿Qué duro corazón no vuelven blando
los ojos lastimeros que levanta 5285
al cielo la mujer que está llorando?

Los ladrones allí y en torno de ella,
los estúpidos rostros agitados,
y ella postrada y en extremo bella
los ojos y los brazos levantados. 5290

"¡Silencio, juro a Dios! —con mano ruda,
dijo, asiéndola un brazo el capataz—,
átale ese pañuelo, atrás lo anuda,
y que hable para sí si quiere hablar."

Díjole a otro que a la dama hermosa 5295
un pañuelo doblando se acercó,
mientras el capataz con su callosa
mano la boca a la infeliz tapó.

Miraba Adán, miraba a la hermosura
de la gentil y dolorida dama; 5300
miraba luego a la cuadrilla impura
que su belleza con aliento inflama.

Y cuando al bruto bandolero mira
poner su mano rústica en su boca,
arrebatado en generosa ira, 5305
que a fiera lid su corazón provoca,

tira de su cuchillo y se adelanta
saltando en medio al círculo, y cogió
del cuello al capataz con fuerza tanta
que en el suelo de espaldas le arrojó. 5310

Y, en la diestra el puñal, la izquierda tiende
describiendo una línea circular;
y la turba que al verle se sorprende
dos o tres pasos échase hacia atrás.

¡Oh! ¡Cuán hermoso en su gallardo empeño, 5315
palpitante la faz, vivos los ojos,
vuelve el bizarro mozo y cuál su ceño
añade gentileza a sus enojos!

Aquellos rizos que en sus hombros flotan
tirada atrás la juvenil cabeza, 5320
las venas que en su frente se alborotan,
su ademán de bravura y ligereza,

y aquella dama que postrada llora,
yerta a sus pies y la razón perdida,
y que azorada y temerosoa ahora 5325
yace temblando a su rodilla asida;

y en torno de él las levantadas diestras
de sus contrarios del cuchillo armadas,
con ademanes y feroces muestras
su muerte a un tiempo amenazando airadas; 5330

en medio aquel desorden y el despojo,
cuán grande en ardimiento y gallardía
muestran al mozo que en su noble arrojo
un genio fabuloso parecía.

Álzase en tanto la navaja en mano, 5335
los labios comprimidos de la ira,
como pisada víbora, el villano
que cayó al suelo y que rencor respira,

y él y los otros al mancebo saltan,
salta el mancebo que los ve llegar, 5340
y antes que a él lleguen los que así le asaltan
logra la espalda en la pared guardar.

Quieto allí contra el ángulo resiste
ojo avizor el ímpetu primero,
y a veces salta y en la turba embiste 5345
con presto brinco y con puñal certero.

Y en silencio que sólo algún rugido
sordo rompe o mascada maldición,
sigue la lucha, y al mancebo ardido
la vil canalla acosa en derredor. 5350

Como traílla de feroces perros
sobre el cerdoso jabalí que espera,
con diente avaro y encrespados cerros
se arrojan a cebar su saña fiera,

y aquí y allá con ávida porfía 5355
le acosan, y el colérico animal
en cada horrible dentellada envía
la muerte al enemigo más audaz,

así, pero no así, sino más fieros,
con mayor furia y sin igual rencor 5360
acometen a Adán los bandoleros,
crece la lucha y crece su furor;

y cual ligero corzo que parece
saltando zanjas que en el aire va,
salta si un golpe a su intención se ofrece, 5365
y vuelve a la pared cuando lo da.

Y entre ellos luchando, en medio de ellos
revuélvese y barájase y desliza
su cuerpo, y fatigados los resuellos
pueden apenas sostener la liza, 5370

y aquí derriba al uno, al otro hiere,
y como *terne* diestro se repara
y a todos a uso de la cárcel quiere
marcarles las heridas en la cara;

y unos turbados de manejo tanto 5375
y otros caídos de vencida van,
cuando los gritos a aumentar su espanto
llegan de gentes que se acercan ya.

"¡La justicia!", dijeron, y el violento
choque suspenden, corren al balcón 5380
y Adán corre también, y huye al momento
que la palabra de *justicia* oyó.

¡Fatal palabra! La primera ha sido
que oyó en su vida pronunciar tal vez,
hospedado en la cárcel la ha aprendido 5385
y ni en sus sueños la olvidó después.

Oyó justicia y olvidó a la hermosa
dama que generoso defendió,
riquezas, lujo, estancia suntüosa,
y allá a la calle del balcón saltó. 5390

Y sin pensar, sin calcular la altura,
unos tras otros a la calle van;
ninguno allí del compañero cura,
sálvase como pueda cada cual;

pero hubo alguno que en tamaño aprieto, 5395
más práctico y sereno, haciendo un lío
de cuanto recoger pudo en secreto
sin curar las palabras tuyo y mío,

saltó a la calle con sagaz donaire
apretada su prenda al corazón; 5400
y desprendido se soltaba al aire
cuando la gente en el salón entró.

Cuenta la historia que al audaz mancebo,
como en Madrid tan nuevo,
corrió dos o tres calles sin destino 5405
y huyendo acá y allá y a la ventura,
solo se halló y en una calle oscura
al saltar del balcón, perdido el tino.
Y luego se asegura,
y mira en derredor si alguien le sigue, 5410
y tranquilo prosigue
mas sin saber a dónde, su camino.
Iba despacio andando;

súbito hirió su oído[237]
la bulla y bailoteo 5415
de una cercana casa, y al ruïdo
dirigió nuestro héroe su paseo.
Rumor de gente y música se oía
y voces en confusa algarabía,
y al estrépito alegre se juntaba 5420
choque gentil de vasos y botellas,
y al son de la guitarra acompañaba

[237] A lo largo de toda esta escena, Espronceda desarrolla ampliamente el contraste entre la pena de un ser que sufre solitario y la bulliciosa alegría de la gente indiferente que le rodea. El mismo procedimiento aparecía ya en el cap. XLV de *Sancho Saldaña*, en que Espronceda contrapone el silencio de la cárcel y el ruido de la muchedumbre que espera el momento del suplicio (B.A.E., t. LXXII, pp. 550b y 551b); y también en los vv. 41-48 y 53-60 de *El Reo de muerte* (Clásicos Castalia, 20, pp. 230-231.)

alguno que cantaba
y con lascivos movimientos ellas.

Dio la vuelta a la esquina 5425
y en la casa del baile y la jarana
vio con sorpresa que a calmar no atina
de par en par abierta una ventana,
y en una estancia solitaria y triste,
entre dos hachas de amarilla cera 5430
un fúnebre ataúd, y en él tendida
una joven sin vida
que aun en la muerte interesante era.
Sobre su rostro del dolor la huella
honda grabado había 5435
doliente el alma al arrancarse de ella
en su congoja y última agonía.
Y allí cual rosa que pisó el villano
y de barro manchó su planta impura
marcada está la mano 5440
que la robó su aroma y su frescura.

Una mujer la vela,
vieja la pobre, y llora dolorida
junto al cadáver y volverle anhela
con besos a la vida; 5445
y ora llorando olvida
hasta el estruendo y fiesta bulliciosa
que a alterar de la estancia dolorosa
la lúgubre paz viene,
y en darla dulces nombres cariñosa 5450
y en besar a la muerta se entretiene.
Y a veces abren súbito la puerta
que adentro lleva a donde suena danza,
y sin respeto y de tropel se lanza
un escuadrón de mozos que la muerta 5455
con impureza loca contemplando
búrlanse de la vieja, profanando
con torpes agudezas la sombría
mísera imagen de la muerta fría.

Y ella es de ver la vieja codiciosa 5460
en medio de su amarga
y sincera aflicción, cuál la rugosa
mano al dinero alarga,
y a los mozos impíos
les llama entre sollozos *hijos míos*, 5465
y de llorar ya rojos
enjuga en tanto sus hinchados ojos.
Y entre suspiros mil echa su cuenta,
y luego se lamenta
de nuevo, y a su mísero quebranto 5470
volviendo la infeliz, vuelve a su llanto.

Y en tanto alegre suena
en la cercana sala el vocerío,
la danza, el canto y bacanal faena,
regocijo, guitarra y desvarío. 5475
Miraba Adán escena tan extraña
con piadoso interés desde la reja,
y a la cuitada vieja,
que en agradar sus huéspedes se amaña
a par que en llanto de amargura baña 5480
el cadáver aquel que parecía
que con toda su alma lo quería.
Y el baile y la alegría
de la cercana estancia le admiraba,
y el bullicioso y placentero ruido 5485
que confuso llegaba
a mezclarse a deshora a su gemido,

y de saber y averiguar curioso
el caso doloroso
que unos celebran tanto, 5490
y aquella mujer llora
con tan amargo llanto,
llamó luego a la puerta, y desfajada [238]

[238] En todas las ediciones: "desfadada", que nos parece errata por "desfajada".

una moza le abrió toda escotada,
el traje descompuesto 5495
con desgarrado modo y deshonesto.

Y entró en un cuarto donde vio una mesa
entre la niebla espesa
de humo de los cigarros medio envueltos,
seis hombres asentados 5500
con otras tantas mozas acoplados,
en liviana postura
que beben y alborotan a porfía,
y aquél el vaso apura,
y el otro canta y en inmunda orgía, 5505
con loco desatino
al aire arrojan vasos y botellas,
ellos gritando y en desorden ellas
y con semblantes que acalora el vino.
Y aquél perdido el tino 5510
tiéndese allí en el suelo,
y éste bailando con la moza a vuelo,
a las vueltas que traen
tropezando en su cuerpo de repente
ella y él juntamente, 5515
sobre él riendo a carcajadas caen.
Bebe tranquilo aquél, disputan otros,
brincan aquéllos como ardientes potros
que roto el freno por los campos botan,
y mientras todos juntos alborotan, 5520
alguno con el juicio ya perdido,
murmura en un rincón medio dormido.

Solícita una moza al forastero
llegóse y preguntóle qué quería,
llamándole "buen mozo" lo primero. 5525
"Quisiera yo, alma mía
—Adán le respondió—, si se me deja,
ver a esa pobre vieja
que está en ese aposento
velando a la difunta." —"¡Ay, es su hija! 5530

A las seis se murió. Buen sentimiento
nos ha dado la pobre; era una rosa.
¡Todas nosotras la queríamos tanto!
Dios la tenga consigo. Tan hermosa
y ahora muerta, vea usted, ¡pobre Lucía! 5535
Razón tiene en llorar doña María.
Entre usted por aquí". Y abrió una puerta,
y hallóse Adán con la afligida madre,
y el cadáver miró, y a hablar no acierta.

Reina siempre en redor del cuerpo muerto 5540
una tan honda soledad y olvido,
tan inmensa orfandad, allí tendido
desamparado ya del trato humano,
sin voluntad, sin voz, sin movimiento,
que en vano el pensamiento 5545
presume ahondar tan misterioso arcano,
y recogido su ambicioso giro
pliégase al corazón que ahoga un suspiro.

Miraba Adán, miraba los despojos
de aquella un tiempo que animó la vida, 5550
sobre el cadáver los inmobles ojos
y el alma con angustia y dolorida.
Y turbia y embebida
la mente, contemplándola allí atento,
embargó sus sentidos 5555
un mudo inexplicable sentimiento
en el vacío del no ser perdidos.

Y olvidó dónde estaba,
parado y aturdido el pensamiento,
y miraba y callaba 5560
sin hacer ademán ni movimiento,
mas que de cuando en cuando suspiraba.

Rompió el silencio la angustiada vieja
con lastimada voz y entre quebrantos,
que encuentra eco a su doliente queja 5565
y halla un consuelo entre pesares tantos

viendo al mancebo aquel desconocido
lloroso como ella y dolorido.

"Véala usted, señor, cuando cumplía
apenas quince años... ¡Hija mía!" 5570
—"Buena mujer —repuso con ternura,
volviendo Adán en sí de su letargo—,
¿cómo en tanta tristura,
en tanto duelo y sentimiento amargo,
permitís ese estrépito a deshora 5575
y danza y bulla tanta
mientras dolor tan íntimo quebranta
vuestro llagado corazón que llora?"

"¡Ay!—respondió la vieja desolada—,
vivo de eso, señor; ¡no tienen nada 5580
que hacer esos señores
conmigo y mis dolores!
Vivan ellos allá con sus placeres,
y mientras besan el ardiente seno
de esas locas mujeres, 5585
yo con el corazón de angustias lleno
beso aquí solitaria en mi agonía
la boca de mi hija muda y fría.
¡Hija mía, hija mía!
¡Ah, para el mundo demasiado buena! 5590
Dios te llevó consigo;
mas es dura mi pena,
y cruel, aunque justo, mi castigo."

Dijo, y rompió con tan amargo llanto
que la voz le robó su sentimiento. 5595
Y en su mortal quebranto,
convertido en sollozo su lamento,
el llanto que hilo a hilo le caía,
por sus mejillas pálidas corría.

"Yo, buena madre, ignoro, 5600
nuevo en el mundo aún, lo que es la muerte
—Adán le respondió—; pero ¿quién pudo

arrebatar sañudo
la que fue vuestro encanto de esa suerte?
¿Será imposible ya darla la vida? 5605
La antorcha ahora encendida,
si la apaga mi soplo de repente,
juntándola otra luz, resplandeciente
torna al punto a alumbrar; ¿y aquella llama
que en la existencia de esa niña ardía 5610
no hay otra luz que renovarla pueda?
¿Acaso inmóvil para siempre y fría
con el aliento de la muerte queda?
Vos sois pobre tal vez... ¡ah! con dinero
quizá se compre; débil y aflgida, 5615
los muchos años vuestro ardor primero
gastaron ya, y el elixir de vida
se halla lejos de aquí... decidme dónde,
decidme dó se esconde,
y yo allá volaré, sí, yo un tesoro 5620
robaré al mundo y compraré la vida,
y la apagada luz, luego encendida,
veréis brillar, y enjugaré ese lloro,
volviendo al mundo la que os fue querida.

"¿Dónde, decidme, encontraré yo fuego 5625
que haga a esos ojos recobrar su ardor?
¿Dónde las aguas cuyo fértil riego
levante fresca la marchita flor?"

Dijo así Adán con entusiasmo tanto,
con tan profunda fe, con tanto celo, 5630
que la vieja, a pesar de su quebranto,
alzó a él los ojos con curioso anhelo.

"¡Pobre mozo, delira!
Si comprar esa vida se pudiera,
esta vieja infeliz que yerta miras, 5635
por un hora siquiera,
por un solo momento
de ver abrir los ojos celestiales

y otra vez escuchar el dulce acento
de la hija querida de su alma, 5640
¿qué puedes figurarte que no haría?
¿Qué crimen, qué castigo
por recobrarla yo no arrostraría,
y otra vez verla palpitar conmigo?
¿Sabes tú que una hija es un pedazo 5645
de las entrañas mismas de su madre?
Por un beso no más, por un abrazo,
y morirme después, el mundo entero
pidiendo una limosna correría,
y con los pies desnudos, y mi llanto 5650
piedras enterneciera en mi quebranto
y al mundo mi dolor lastimaría.
¡Oh! ¡Que del alma mía,
pobre Lucía, que arrancó la muerte,
y el corazón contigo de mi pecho 5655
arrancó de esa suerte,
a tantos males y aflicciones hecho!
¡Hora fatal, maldita
por siempre la hora aquella
que el hombre aquel te contempló tan bella!! 5660
¡El Señor me la dio y él me la quita!
¡Cómo ha de ser!!...” Y el corazón partido,
secos los ojos, exhaló un gemido.

En remolinos mil su pensamiento
vagando Adán por su cabeza siente, 5665
que no acierta a explicarse el sentimiento
que a par que el corazón turba su mente.
“¡El Señor me la dio y él me la quita!”,
repite luego en su delirio insano,
y penetrar tan insondable arcano 5670
su mente embarga y su ansiedad irrita.[239]

[239] Cf. los vv. 85-88 de *A Jarifa en una orgía*:
Que así castiga Dios el alma osada,
que aspira loca en su delirio insano
de la verdad para el mortal velada
a descubrir el insondable arcano.
(Clásicos Castalia, 20, p. 262.)

El Dios ese que habita,
omnipotente en la región del cielo,
¿quién es que inunda a veces de alegría,
y otras veces cruel con mano impía, 5675
llena de angustia y de dolor el suelo?
Nombrar le oye doquiera,
y a todas horas el mortal le invoca,
ora con ruego o queja lastimera,
ora también con maldiciente boca. 5680

Tal devanaba Adán su pensamiento
que en vano ansioso comprender desea,
y en medio al rudo afán que le marea
los hombros encogió. Dudas sin cuento
de su ignorancia y su candor nacidas, 5685
no del alma lloradas y sentidas,
sueños de su confuso entendimiento,
su mente asaltan, y por vez primera
Adán súbito siente
volar queriendo, sin saber a dónde, 5690
del corazón ardiente
la perpetua ansiedad que en él se esconde.

"¿Cómo en vuestro dolor —dijo inocente—,
madre infeliz, la cana cabellera
tendida al aire, y los quemados ojos 5695
con muestra lastimera,
y bañados de lágrimas, de hinojos
no os postráis ante Dios? ¡Ah! Si él os viera
desdichada a sus pies cual yo a los míos,
y los ojos de lágrimas dos ríos, 5700
y ese del corazón hondo lamento
de amarga y melancólica querella
oyera, y el profundo sentimiento
que en esa seca faz marcó su huella
y en vuestro corazón fijó su asiento, 5705

Cf. también los vv. 344-375, y los vv. 861-864 de *El Estudiante de Salamanca* (véase la nota 49 de este poema).

contemplara cual yo, ¿por qué a la rosa
que súbito secó ráfaga impura
no renovara su color hermosa,
y volviera su aroma y su frescura?
Desdichada mujer, ¡oh! ven conmigo, 5710
juntos lloremos a sus pies tus penas,
Él nos dará su bondadoso abrigo;
a la fuente volemos,
eterno manantial de eterna vida,
y la rica simiente allí escondida 5715
juntos recogeremos.
Seca, buena mujer, tu inútil llanto,
vuélvate la esperanza tu energía,
y el cuadro de tu mísero quebranto,
soledad y agonía, 5720
muestra a ese Dios, y con humilde ruego
que no será, confía,
sordo a tus quejas, ni a tu llanto ciego."

La vieja en tanto levantó los ojos
al techo, y murmuró luego entre dientes 5725
quizá sordas palabras maldicientes,
o quizá una oración; el más sufrido
suele echar en olvido
a veces la paciencia y darse al diablo,
y usar por desahogo 5730
refunfuñando como perro dogo
de algún blasfemador rudo vocablo;
mas todo se compone
con un "Dios me perdone",
que así mil veces yo salí del paso 5735
si falto de paciencia juré acaso,
y cierto, vive Dios, si no jurara
que el diablo me llevara;
que cuando ahoga el pecho un sentimiento
y el ánimo se achica, porque crezca 5740
y el corazón se ensanche y se engrandezca
no hay un suspiro mejor que un juramento.
Y aun es mejor remedio

para aliviar el tedio
mezclarlo con humildes oraciones, 5745
como al son blando de acordada lira
la voz de melancólicas canciones
confundida suspira;
y así también se dobla la esperanza,
que a donde falta Dios, el diablo alcanza; 5750
yo a cada cual en su costumbre dejo,
que a nadie doy consejo.
Y así como el placer y la tristeza
mezclados vagan por el ancho mundo
y en su cauce profundo 5755
a un tiempo arrastran flores y maleza,
así suelen también mezclarse a veces
maldiciones y preces,
y yo tan sólo lo que observo cuento,
y a fe no es culpa mía 5760
que la gente sea impía
y mezcle a una oración un juramento.
Testigo aquella vieja
de la antigua conseja
que a San Miguel dos velas le ponía, 5765
y dos al diablo que a sus pies estaba,
por si el uno le fallaba,
que remediase el otro su agonía.

Mas juro, vive Dios, que estoy cansado
ya de seguir a un pensamiento atado 5770
y referir mi historia de seguida,
sin darme a mis queridas disgresiones,
y sabias reflexiones
verter de cuando en cuando, y estoy harto
de tanta gravedad, lisura y tino 5775
con que mi historia ensarto.
¡Oh, cómo cansa el orden! No hay locura
igual a la del lógico severo;
y aquí renegar quiero
de la literatura 5780
y de aquellos que buscan proporciones

en la humana figura
y miden a compás sus perfecciones.

¿La música no oís y la armonía
del mundo, donde al apacible ruido 5785
del viento entre los árboles y flores,
se oye la voz del agua y melodía,
y del grillo y las ranas el chirrido
y al dulce ruiseñor cantando amores?
¿Y las de mil colores, 5790
nubes blancas, y azules, y de oro,
que el cielo a trechos pintan;
la blanca luna, el estrellado coro
no veis, y negras sombras a lo lejos,
y entre luz y tinieblas confundidos 5795
el horizonte terminar perdidos
negros velos y espléndidos reflejos?
Y la noche y la aurora...—
Pues entonces... Mas basta, que yo ahora
del rezo o juramento 5800
que allá entre dientes pronunció la vieja,
así como el que deja
senda escabrosa que acabó su aliento,
al llegar a este punto me prevalgo
y de este canto y de su historia salgo. 5805

FIN DEL CANTO VI

FRAGMENTOS DEL CANTO VII[240]

....

"¡Ven, más cerca de mí, más cerca... ahora!
¡Tú eres, oh joven, mi mejor consuelo,
triste del alma cuando sola llora!...
¡Tú aún no has probado tan amargo duelo!
¡Ojalá que con mano veladora 5

240 Sobre las octavas que siguen, publicadas póstumamente, véase *Noticia bibliográfica*, pp. 72-73).

tus pasos guíe providente el cielo,
y nunca aislado en tu dolor profundo
solo te mires en mitad del mundo!...

"¡Solo...! ¡Si tú supieras qué amargura
esta palabra encierra, llorarías!... 10
¡Mi abandono, mi mal, mi desventura
y mi inmenso dolor comprenderías!...
A esa gente que en torno se apresura,
¡qué le importan jamás las penas mías!...
¡Solo está el corazón, blasfeme o llore, 15
maldiga a Dios, o su piedad implore!

"¡Y yo más sola!... ¡Que el que a mí me vea,
a mí maldita, a mí, cieno del mundo,
segura estoy de que en mi pena crea,
ni compadezca mi dolor profundo!... 20
¡No me verá ninguno, sin que sea
para tratar como animal inmundo
a esta pobre mujer, que esconde herida
un alma solitaria y dolorida!...

"¡Dame tu mano, déjame, hijo mío, 25
que la bañe en mi llanto y que te mire,
y te llame mi hijo, y que en mi impío
tormento, contemplándote respire!...
¡Tú eres bueno, tú lloras, y desvío
¡ah! no me muestras; deja que delire 30
y me llame tu madre! y no te infame
que una mujer tan vil su hijo te llame...

"¿Quién eres tú, que a descifrar no acierto,[241]
joven, de tus palabras el sentido?
¿Cómo presumes tú dar vida a un muerto, 35

[241] El Ms. 4 contiene los vv. 33-64 del presente fragmento. V. 33 Ms. 4, primera red.: "No sé quién eres, ni tampoco"; segunda red.: "No sé quién sois, ni a descifrar acierto". Si el Ms. 4 es parte del que vio Álvarez (véase *Noticia bibliográfica*, p. 69) es muy posible que sea éste quien corrigiera el presente verso para darle la forma que tiene en su continuación de *El Diablo Mundo*, forma que conservamos por parecernos mejor que la segunda red. del borrador de Espronceda.

ni hablar con Dios, si el juicio no has perdido?...
Si en medio a tu lenguaje y desconcierto,
no respirara un corazón herido,
¡creyera acaso que con burla impía
viniste aquí a mofar de mi agonía!... 40

"¡Ah! ¡Que estoy ya tan avezada a eso!...
¡A causar risa con mi amargo llanto!...
¡A llevar sola y de continuo el peso[242]
de mi arrastrada vida y mi quebranto!...
¡A ser juguete vil, del que en su exceso 45
desprecia y escarnece dolor tanto!...
¡Que si tu voz de mí también mofara
ni me doliera más, ni me extrañara!...

"¡Ni qué burla tampoco ya podría
herir mi alma de amarguras llena!...[243] 50
¡Ahora que agota en mí la suerte impía
su rabia, y la esperanza me envenena!...
Ahora que te perdí, ¡dulce hija mía!,
habrá pena tal vez que sea pena,
ni otro mayor pesar, ni otro quebranto 55
¡¡¡para tu madre que te amaba tanto!!!...

"¡Oh, no! ¡Ninguno!... ¡Que ningún tormento
cabe en mi pecho ya, ni nunca impío[244]
sentimiento igualó a mi sentimiento,
ni otro ningún dolor al dolor mío!... 60
¡Mas tú lloras oyendo mi lamento,
lloras mirando su cadáver frío!...
¡Dios te bendiga, o joven, que la queja[245]
oyes piadoso de esta pobre vieja!..."

---

[242] V. 43 Ms. 4: después de "sola", Espronceda había escrito primero "el", cambiado en "y".

[243] V. 50 Ms. 4, primera red.: "herir mi alma ni aumentar mi pena".

[244] Vv. 58-59 Ms. 4, primera red.: 'cabe en mi pecho ya, ni nunca ha habido / sentimiento que iguale al senti[miento]; el segundo hemistiquio del v. 58, tres veces repetido y tachado.

[245] V. 63 Ms. 4, primera red.: "Solo [repetido] a ti, oh joven, su triste que[ja]".

"Ella otro tiempo, cuando Dios quería, 65
con dulce voz su madre me llamaba.
Y mi pecho, llamándola *¡hija mía!*
de cualquiera pesar se desahogaba.
Abrazándome ayer ¡ah! todavía
moribunda, su madre me llamaba: 70
¡Ayer! ¡Ayer aún! ¡Miseria! ¡Hoy
madre tan sólo de un cadáver soy!

"Dime, ¿comprendes todo mi quebranto,
mi desesperación, toda mi pena?
¡Verla morir, yo que la amaba tanto 75
sin poderla valer, de angustias llena!
Mis ojos, escaldados con el llanto,
al cielo levantando, y con faena
¡mortal ansiando a su respiro frío
prestar calor con el aliento mío! 80

"Era mi corazón que se rompía,
era mi vida la que en mi locura
con mis esfuerzos detener quería,
y era mi alma y toda mi ventura,
la hija de mis entrañas, mi alegría, 85
mi única esperanza y la flor pura,
único mimo de mi pobre huerto,
ahora sin ella lúgubre y desierto."

Tal hablaba la vieja, y entretanto
callando Adán confuso la miraba, 90
dejándose abrazar y en tierno llanto
sus manos inundar que ella besaba;
y tregua dando a su mortal quebranto
el llanto que la triste derramaba,
antes que Adán interrumpirla intente, 95
a proseguir volvió con voz doliente:

"Sólo una madre ¡oh joven! sólo sabe
cuánto a su hijo se ama; sólo ella
cuánto es al corazón su amor süave

saber puede y sentir. La lumbre bella 100
de los cielos es sombra, y triste el ave
que canta al sol cuando su luz destella,
si las comparo a la delicia pura
que inspira una inocente criatura.

"Verla dormida en el regazo blando 105
con un ceño pueril cómo reposa,
sus entreabiertos labios respirando
el olor de azucena y de la rosa;
y verla sonreírse despertando
al beso de la madre cariñosa, 110
que inquieta vela siempre, y siempre cuida
la vida en ella de su propia vida.

"¡Oh! ¡No hay placer igual...!"

....

EL ÁNGEL Y EL POETA

Fragmento inédito del *Diablo Mundo*[245bis]

ÁNGEL

¿Osas trepar, poeta, a la montaña
de oro del cenit?

POETA

¡Quienquiera seas,
ángel sublime, del empíreo cielo
radiante aparición, o del profundo
príncipe condenado a eterno duelo 5
y a llanto eterno, dame que del mundo
rompa mi alma la prisión sombría,
mis pies desprende de su lodo inmundo,
y en alas de Aquilón álzame y guía!

[245bis] Sobre este fragmento, véase *Noticia bibliográfica*, pp. 71-72.

ÁNGEL

¡Oh, hijo de Caín! Sobre tu frente 10
tu orgullo irreverente
grabado está, y tu loco desatino:
do tus negros informes pensamientos,
las nubes que en oscuro remolino
sobre ella apiñan encontrados vientos, 15
y el raudo surco de amarilla lumbre,
que en pálida vislumbre,
ráfaga incierta de la luz divina,
sus sombras ilumina,
muéstranme en ti al poeta, 20
¡el alma en guerra con su cuerpo inquieta
muéstranme en ti la descendencia, en fin,
rebelde y generosa de Caín!

¡Tú más alto, poeta, que los reyes,
tú, cuyas santas leyes 25
son las de tu conciencia y sentimiento;
que a penetrar el pensamiento arcano
osas alzar tu noble pensamiento,
del mismo Dios, en tu delirio insano!
¡Y sientes en tu espíritu la grave, 30
maravillosa música süave,
y del mundo sonoro la armonía!
¡Qué ineficiente y fría
sientes vil la palabra a tu deseo,
y en vértigo perpetuo y devaneo, 35
y en insomnio te agitas
y en pos de tu ansiedad te precipitas!
¡Que ora tras la esperanza,
que acaso finges, tu ilusión se lanza,
ora piedad imploras 40
y con la hiel de los recuerdos lloras,
ora desesperado desafías
rebelde a Dios y en tu rencor porfías!!
¡Álzate, en fin, y rompe tu cadena,

y el alma noble y de despecho llena 45
a las regiones célicas levanta
y rueden en montón bajo tu planta
los cetros, las tïaras, las coronas,
la hermosura y el oro, el barro inmundo,
cuanto es escoria y resplandor del mundo 50
y en tu mente magnífica eslabonas!

POETA

¡Sí, levántame, sí; sobre las alas
cabalgue yo del huracán sombrío,
cruce mi mente las etéreas salas,
llene mi alma el seno del vacío! 55
Sobre mi frente el rayo se desprenda,
mi frente en Dios, mi planta en el profundo,
y al contemplar al hacedor del mundo
¡mi espíritu en su espíritu se encienda!

¡Oh, ángel! ¡Yo he vivido 60
en la inmensa baraja confundido
de los hombres; y títulos y honores
mi orgullo desdeñó: sobre mi frente
reflejaba tal vez ricos colores
la luz de la esplendente poesía,[246] 65
y esta marca divina que llevaba
de los hombres tal vez me distinguía
y sobre ellos tal vez me levantaba!
¡Un vago indefinible sentimiento,[247]
como el sutil aliento 70
del aura leve del abril florido,
en mi espíritu insomne se agitaba,
y en doliente gemido
sólo del triste corazón sentido,

[246] Compárense los vv. 63-65 con los vv. 5-6 de *A*** dedicándole estas poesías*:

Sobre terso cristal ricos colores
pinta alegre tal vez mi fantasía.
(Clásicos Castalia, 20, p. 264.)

[247] El Ms. 5 contiene los vv. 69-83 de este *Fragmento*, sin variantes.

pasando por mi alma suspiraba! 75
¡Ni palabra, ni grito, ni lamento
hallé a expresar bastante
esta secreta voz del pensamiento,
este vertiginoso e incesante
movimiento del ánimo y trastorno! 80
Yo apostrofaba al mundo en su carrera,
giraba el mundo indiferente en torno,[248]
y vano y débil mi lamento era.
¡Oh! ¡Mi triste lamento
era un leve sonido en la armonía 85
del eterno tormento
del mundo y su agonía!

Cada grano de arena, cada planta,
el vil insecto, la indomable fiera
que con rugidos el desierto espanta, 90
el águila altanera,
que el sol a mirar sube
sobre el vellón de la remota nube,
¡oí lanzaban la doliente queja
de su eterno dolor y su amargura! 95
¡Marañada madeja
este mundo de duelo y desventura!
¡Las aguas de las fuentes suspiraban,
las copas de los árboles gemían,
las olas de la mar se querellaban, 100
los aquilones de dolor rugían!...

[248] Compárese el v. 82 con los vv. 10-11 de *A^xxx^ dedicándole estas poesías:*
y gira en torno indiferente el mundo
y en torno gira indiferente el cielo.
(Clásicos Castalia, 20, p. 265.)
citados por Espronceda en *Un Recuerdo*, publicado en *El Pensamiento*, 3, [15 julio] 1841, pp. 60-64; B.A.E., t. LXXII, p. 600a.

APÉNDICE

Publicamos a continuación los juicios críticos insertados en la prensa contemporánea a raíz de la publicación de *El Estudiante de Salamanca* y *El Diablo Mundo*.

I

De Diego Coello y Quesada (*El Corresponsal*, 27 mayo 1840):

"[...] Llegamos por fin a *El Estudiante de Salamanca*. Por poco versado que seáis en la literatura, ciertamente habéis leído u os habrán contado algo de ese drama fantástico, terrible, que se llama ya el *Burlador de Sevilla* ya el *Convidado de Piedra*. Ese D. Juan fantástico, hijo de la ardiente imaginación del mediodía, ha sido una fuente inagotable para los poetas: en ella han bebido Zamora y Molière, Byron, Dumas y mil otros, y el drama de Tirso de Molina ha tenido una boga inmensa. En aquellos tiempos de viviente fe, de grandes creencias, de profundos sentimientos, presentar en escena a un hombre que en nada cree, figura fantástica que pasa por el camino de la vida cual por un festín, era por sí solo un pensamiento valiente, colosal, magnífico, que debió producir profunda sensación, grandísimo entusiasmo. Pero esto solo no hubiera bastado entonces: si el *Convidado de Piedra*, el *Burlador de Sevilla* o *D. Juan Tenorio* ha arrastrado en pos de sí inmensa boga, ha sido por el sentimiento innato de la expiación. Un pueblo lleno de fe no podía menos de aplaudir al poeta que presentando a un hombre que se ríe de Dios y del Diablo, le ofrecía también en la escena el escarmiento, el castigo de ese mismo hombre. Sólo así, como antes que nosotros lo ha dicho un distinguido literato, se comprende que el *Burlador de Sevilla* hubiese sido escrito en siglos en que la fe religiosa estaba en su mayor apogeo, y sólo así se concibe esa boga inmensa también, que ha producido siempre en el pueblo la representación de este drama.

Pues bien, el cuento del *Estudiante* versa también sobre este mismo asunto. El D. Juan Tenorio que en el drama de Dumas se llama D. Juan de Maranna [sic], en el cuento del Sr. Espronceda se nombra D. Félix de Montemar.

Cuatro cantos tiene el cuento del *Estudiante*; y si bien es difícil dar la preferencia al uno sobre los otros, nosotros no vacilamos en concedérsela al segundo. Allí no hay ya recuerdos de Molière, de Tirso, de Dumas o de Byron, es el poeta del corazón, de la pasión, del sentimiento, el cantor de la desventurada Elvira, y nunca los versos de Espronceda han sido más bellos, más sentidos, más poéticos.

Bellísimo es el romance con que empieza, romance al que no encontramos superior en nuestra lengua, bellísimas las quintillas que le siguen, y más bellas que todo eso las sentidas octavas que el poeta pone en boca de la inocente e infeliz Elvira. Ya en su primer canto ha delineado este ser tan bello, esa mujer que es un ángel que ha descendido al mundo. Nos la ha presentado feliz y venturosa, pura y amante. Su dicha ha pasado ya, escuchad cuál se queja:

[reproduce aquí los vv. 371-418 del poema]

El que haya amado, el que haya adorado alguna vez sin esperanza, el que haya sido infeliz podrá comprender todo el sentimiento que hay en estos bellísimos versos. Así habla el amor, ese sentimiento purísimo, destello bellísimo del cielo. Llora, se queja, y en su triste lamento, en su dolor profundo dice con acento doliente al que se adora

> Llórame, sí; pero palpite exento
> tu pecho de roedor remordimiento.

Hoy día, fatigados ya de esas pasiones bastardas que vemos a cada instante, ya en el drama, ya en la novela, el corazón se goza, se deleita en leer tan puros, tan sentidos acentos.

El canto tercero es un cuadro dramático; si bien en él puede encontrarse algún recuerdo del *Don Juan de Maranna* [sic], el poeta español ha dejado muy atrás al gran dramático francés. En fin, la última parte es el desenlace de este cuento-drama. El tiempo y el espacio nos faltan para dar cuenta de sus bellezas, mas no podemos menos de recomendar a los que los lean, los tan sentidos cuanto desconsoladores versos de las páginas 38 y 40.[1]

El Estudiante de Salamanca se lee con placer, y una vez en nuestras manos no sabemos cómo soltarlo. [...]

II

De Enrique Gil y Carrasco (*Semanario pintoresco español*, 2.ª serie, t. II, 19 julio 1840, p. 232; B.A.E., t. LXXIV, p. 496):

"[...] Llegamos por fin al *Estudiante de Salamanca*, corona de este tomo, y obra en la que a nuestro sentir ha reconcentrado el autor todo el poder de su ingenio, de su corazón y fantasía. Su variedad extraordinaria, su raro y maravilloso asunto, su trabazón ordenada y lógica, su temeroso desenlace, la verdad y originalidad de sus caracteres, aquel baño de sencillez, de naturalidad y efusión que en todas partes lo realza, y por último el sinnúmero de tonos por que está templado y de ricas armonías que desenvuelve, levantan este cuento a una altura tal que sin duda tardará ningún otro en elevarse a ella. Las octavas de la primera parte en que el autor pinta y bosqueja a Elvira manifiestan gracia y dulzura inefable: en las quintillas de la segunda parte salta el estro y el sentimiento: melancolía, ternura y pureza angélica revela la carta de la infeliz, y finalmente pincel maestro, y figuras atrevidas y vigorosas se echan de ver en el cuadro dramático, que tan bella

[1] Léase: "238-240" (de la edición de *Poesías* de 1840); estas páginas contienen los vv. 825-884 de *El Estudiante de Salamanca*.

contraposición ofrece con la vaguedad fantástica y medrosa, y con el trágico remate de la parte última. No señalaremos pasajes de este poema, pues ni sabríamos por dónde comenzar ni en dónde dejarlo; pero los arriba indicados nos parecen bastantes para mostrar y convencer que la musa castellana puede envanecerse de tan cumplida obra.

[...] La reputación que antes había adquirido y que ahora confirman sus poesías, no debe servirle [a Espronceda] para dormir sobre su deliciosa almohada, sino para llevar adelante los nobles empeños que tiene contraídos con el porvenir todo hombre que posee sus privilegiadas disposiciones. Deseamos que estas palabras, que tanto motivo tiene para creer sinceras, le sirvan de estímulo para dar cima con brevedad a su poema *El Diablo Mundo*, que en el sentir de muchos le afianzará en lo venidero un nombre por más de una razón envidiable."

III

De Alberto Lista (*Ensayos literarios y críticos*, t. II, Sevilla, 1844, pp. 84-85):

"[...] Concluye el libro con un cuento en que hay dos retratos inimitables: el de Elvira y el de Montemar. He aquí el del hombre desalmado:

[reproduce aquí los vv. 100-123 del poema]

Síguese el de su antagonista y víctima.

[reproduce aquí los vv. 140-155 y 164-171 del poema]

No hemos visto, después de la Eva de Milton, una descripción más bien hecha del primer amor en un corazón inocente. [...]

IV

De Antonio de Iza Zamácola (*El Entreacto*, núm. 12, [20 agosto] 1840, p. 90):

"Extraño es, en verdad, que en una época en que nuestra patria ha visto derramarse en sus campos la sangre de sus hijos; en que intereses particulares ocupaban a los partidos;

y en que la política absorbía los sentidos en todos conceptos, se hayan visto parecer en la arena literaria sublimes producciones, con orgullo de la nación heroica, de quien con razón puede decirse, mientras haya hombres habrá valor, mientras existan hombres destellarán ingenios.

Tiempo hace que conocíamos entre éstos a don José de Espronceda como poeta dramático y lírico. Sus obras elogiadas y graduadas por el aprecio de los sabios en su verdadero valor, han sido hasta ahora la base de su futura reputación literaria, porque otro llevaría una satisfacción extrema, si en la carrera de las bellas artes terminase con los trabajos que el señor Espronceda se presentó por primera vez al público, al paso que este privilegiado ingenio ofrece, deleitándonos, eternizar su memoria, interesando a sus compatriotas y a la posteridad más imparcial, a rendir a su memoria, el tributo debido de admiración.

El poema titulado *El Diablo Mundo* justifica nuestro vaticinio disculpando los anteriores elogios, si aunque dictados por el íntimo convencimiento y el verdadero sentir del corazón, pudieran calcularse exagerados. A las excelentes dotes que constituyen los dos cantos, hasta ahora publicados, llamamos en apoyo de este dictamen porque ellos hablan, ellos dicen en cada verso mucho más que cuanto pudiéramos añadir.

Flujo de palabras y pobreza de la fantasía, son escollo general en que dan de frecuente los poetas por la extrema dificultad de amalgamar la riqueza con el gusto, pero nuestro recomendable autor, poseído de ambas prendas, ostenta el estilo más limpio, florido y elegante, cimentado en la sensatez y solidez del pensamiento. La imitación en él no ha sido servil, porque las imágenes extrañas las ha adquirido, cual es permitido a los hombres grandes, mejorándolas; y su estilo es propio, alcanzado en fuerza del estudio del corazón humano y observando sin duda los consejos de Quintiliano en sus *Instituciones oratorias*.

El genio creador del señor Espronceda y la viveza de su imaginación le conducen a cantar con igual energía las delicias del Olimpo, la inmensidad de los mares, lo escabroso de los montes y la extensión de las llanuras. Su plectro armonioso resuena aún más allá de lo sublime, y las perspectivas ilimitadas de la naturaleza están sujetas al hermoso colorido de su pluma descriptiva. ¿Quién puede leer sin transportarse los siguientes versos?

[reproduce aquí los vv. 1014-1023 del poema]

Si a trasladar fuéramos los versos sonoros y armoniosos de los dos cantos, equivaldría a una segunda edición, porque no hallamos uno solo que desechar por débil o vago de concepto si exceptuamos alguno que por alusión personal no lo creemos propio de este poema. Prevendríamos además al público, y esto queremos evitarlo porque será agradablemente sorprendido con esta amena e instructiva lectura de que no debe carecer ningún literato ni persona que sepa pensar.

Si el señor Espronceda termina la obra según su principio, no dudamos pronosticar que ofrecerá a su patria un objeto digno de los tiempos de Grecia y Roma."

V

De *El Labriego*, t. II, núm. 71, 7 octubre 1840 (Artículo anónimo pero atribuible al fundador y redactor de la revista (José García de Villalta):

"Imaginan algunos hombres que hay grande desemejanza entre el mundo moral y el físico. Hartos de observar armonías, de hallar entidades análogas, coincidencias admirables en el orbe visible; convencidos de que nada huelga en el orden admirable de la terrestre ni de las celestiales esferas; que la hoja que del árbol se desprende, o la generación de la más pobre semilla, ocupan lugar tan claro en el eterno movimiento de las cosas, como los procelosos océanos o la fermentación de los volcanes, todavía imaginan que en la vida civil tienen diverso carácter las políticas combinaciones, y que es posible nutrir una de las partes de que la sociedad se compone, con entera independencia del todo, cual si recíproco ensamblaje no hubiese, cual si en un edificio pudieran colocarse por separado la cúpula y los cimientos, sin que ningún cuerpo intermedio los uniera.

Tal es el gravísimo error de muchos de nuestros políticos. Sumergidos en su existencia microscópica, entregados al pequeñísimo interés de si ha de ser ministro el señor don H., o togado el señor D. N., asi se curan ellos del movimiento humano, como de seguir el de las nubes. De ahí es, que la política no guarda entre nosotros armonía ni con las artes, ni con la literatura, ni con el comercio, ni con las costumbres, ni con nada que no sean las intrigas de partido. Y la razón es clara. Nuestros directores políticos no suelen ser humanistas como *Canning*, ni son nunca tampoco industriales como *Huskisson*, ni diplomáticos a lo *Metternich*, ni cosa viviente que no se parezca al antiguo *Enquiridión* de los tiempos, recuerdo de secretos odios o amores que a nadie interesan. Sólo así podría haber pasado sin que grande crítica mereciese, el poema de más importancia publicado en nuestros días en castellano, que es, a no poderlo dudar, el *Diablo mundo* del señor de ESPRONCEDA. En este compendio, que diríamos del *Mundo*, dejando aparte lo que de diablo tiene, ha comenzado el autor un íntimo análisis de la existencia moral, con la profundidad, con la brillantez, con la gala que le son propias. Cuando la obra se halle más adelantada, la examinaremos de propósito, y con la atención que se merece. Por hoy nos contentamos con dar una muestra del estilo, manifestando al mismo tiempo el vasto designio del poeta, y las formas sencillas de que le reviste."

[reproduce aquí los vv. 1284-1403 del poema]

ÍNDICE DE LÁMINAS

ESTE LIBRO
SE TERMINÓ DE IMPRIMIR
EL DÍA 3 DE SEPTIEMBRE DE 1990